De l

historique

Du même auteur

AUX MÊMES ÉDITIONS

Histoire de l'éducation dans l'Antiquité, *1948 et « Points Histoire »,
    n° 56 et 57, 1981.*
Saint Augustin et l'augustinisme, *1955 et « Points Sagesses », n° 179,
    2003.*
Les Troubadours, *1961 et « Points Histoire », n° 5, 1971.*
Théologie de l'histoire, *1968, Cerf, 2006.*
Patristique et humanisme, *1976.*
Décadence romaine ou Antiquité tardive ?, *« Points Histoire », n° 29,
    1977.*
L'Eglise de l'Antiquité tardive, *« Points Histoire », n° 81, 1985,
    1996.*

CHEZ D'AUTRES ÉDITEURS

Autour de la bibliothèque du pape Agapit, *De Boccard, 1931.*
La Vie intellectuelle au forum de Trajan et au forum d'Auguste,
    De Boccard, 1932.
La Collection Gaston de Vulpillières à El-Kantara, *De Boccard,
    1933.*
Saint Augustin et la fin de la culture antique, *suivi de* « Retractatio »,
    De Boccard, 1937, 1983.
Dictionnaire d'archéologie chrétienne et de liturgie, *Letouzey et
    Ané, 1939-1948, 1950-1953.*
L'Ambivalence du temps de l'histoire chez Saint Augustin, *J. Vrin,
    1950.*
A Diognète, *Cerf, « Sources chrétiennes », 1952, 1997.*
Les Fouilles du Vatican, *Letouzey et Ané, 1953.*
La Question algérienne, *Minuit, 1958.*
Le Pédagogue de Clément d'Alexandrie, *Cerf, « Sources chré-
    tiennes », 1960, 1965, 1970.*
Recueil des inscriptions chrétiennes de la Gaule, antérieures à
    la Renaissance carolingienne, *(direction), Ed. du CNRS, 1975,
    1985.*
Christiana Tempora, *École française de Rome, 1978.*
Crise de notre temps et réflexion chrétienne, *Beauchesne, 1978.*
Carnets posthumes, *Cerf, 2006.*

Henri-Irénée Marrou

De la connaissance
historique

Éditions du Seuil

La présente édition est une version revue et augmentée
de la sixième édition de l'ouvrage publié
sous le même titre aux Éditions du Seuil,
dans la collection « Esprit ».

ISBN 978-2-02-004301-4

La philosophie critique
de l'histoire

Ce petit livre se présente comme une introduction philosophique à l'étude de l'histoire; on y cherchera une réponse aux questions fondamentales : quelle est la vérité de l'histoire? quels sont les degrés, les limites de cette vérité (toute connaissance humaine a ses limites et le même effort qui établit sa validité détermine l'intervalle utile où elle s'exerce)? quelles sont ses conditions d'élaboration? en un mot quel est le comportement correct de la raison dans son usage historique?

Cette introduction s'adresse à l'étudiant parvenu au seuil de la recherche et anxieux de découvrir ce que signifiera pour lui devenir un historien, à l'honnête homme, à l'usager de notre production scientifique, légitimement préoccupé de mesurer la valeur de l'histoire avant de l'intégrer dans sa culture; il n'est pas interdit au philosophe de jeter un regard par-dessus leur épaule, s'il est curieux de savoir ce qu'un technicien pense de sa technique. Nous nous tiendrons cependant à un niveau très élémentaire : il n'est pas question d'approfondir pour eux-mêmes les problèmes que pose au logicien la structure du travail historique, mais, celle-ci sommairement reconnue, nous dégagerons les règles pratiques qui doivent présider au travail de l'historien; l'effort d'analyse critique doit conduire à une déontologie à l'usage de l'apprenti ou du compagnon, à un traité des vertus de l'historien.

Une introduction aux études historiques ne peut guère d'ailleurs aller au-delà de principes très généraux; très tôt en effet, la méthode doit se diversifier en spécialités, pour s'adapter à la variété de l'objet historique et de ses conditions d'appréhension; on trouvera donc ici des prolégomènes à toute tentative pour élaborer rationnellement de l'histoire. J'espère que nul ne s'étonnera si, historien de métier, je parle en philosophe : c'est mon droit et mon devoir. Il est temps de réagir contre le complexe d'infériorité (et de supériorité : la psychologie nous révèle cette ambivalence et la morale cette ruse de l'orgueil) que les historiens ont trop longtemps entretenu vis-à-vis de la philosophie.

Dans sa leçon d'ouverture au Collège de France (1933), Lucien Febvre disait avec un peu d'ironie : « Je me le suis souvent laissé dire d'ailleurs, les historiens n'ont pas de très grands besoins philosophiques [1]. » Les choses ne se sont pas beaucoup améliorées depuis : réimprimant, en 1953, son livre de 1911, *la Synthèse en histoire*, Henri Berr m'y décoche, dans l'appendice, cet étrange compliment : « Dans un fascicule de la *Revue de métaphysique et de morale* consacré aux « Problèmes de l'histoire » (juill.-oct. 1949), il n'y a qu'un article teinté de philosophie, celui de H.-I. Marrou [2]... »

Il faut en finir avec ces vieux réflexes et s'arracher à l'engourdissement dans lequel le positivisme a trop longtemps maintenu les historiens (comme d'ailleurs leurs confrères des sciences « exactes »). Notre métier est lourd, accablant de servitudes techniques; il tend à la longue à développer chez le praticien une mentalité d'insecte spécialisé. Au lieu de l'aider à réagir contre cette déformation professionnelle, le positivisme donnait au savant bonne conscience (« je ne suis qu'un historien, nullement philosophe; je cultive

---

1. Réimpr. dans *Combats pour l'histoire*, 1953, p. 4.
2. *La Synthèse en histoire*, nouvelle éd. 1953, p. 288.

mon petit jardin, je fais mon métier, honnêtement, je ne me mêle pas de ce qui me dépasse : *ne sutor ultra crepidam... Altiora ne quaesieris!* ») : c'était là le laisser se dégrader au rang de manœuvre; le savant qui applique une méthode dont il ne connaît pas la structure logique, des règles dont il n'est pas capable de mesurer l'efficacité, devient comme un de ces ouvriers préposés à la surveillance d'une machine-outil dont ils contrôlent le fonctionnement, mais qu'ils seraient bien incapables de réparer, et encore plus de construire. Il faut dénoncer avec colère une telle tournure d'esprit qui constitue un des dangers les plus graves qui pèsent sur l'avenir de notre civilisation occidentale, menacée de sombrer dans une atroce barbarie technique.

Parodiant la maxime platonicienne, nous inscrirons au fronton de nos Propylées : « Que nul n'entre ici s'il n'est philosophe » — s'il n'a d'abord réfléchi sur la nature de l'histoire et la condition de l'historien : la santé d'une discipline scientifique exige, de la part du savant, une certaine inquiétude méthodologique, le souci de prendre conscience du mécanisme de son comportement, un certain effort de réflexion sur les problèmes relevant de la « théorie de la connaissance » impliqués par celui-ci.

Dissipons tout malentendu, car l'ambiguïté du vocabulaire n'a pas peu contribué à entretenir le malaise que nous souhaitons voir surmonté : il ne s'agit pas ici de « philosophie de l'histoire » au sens hégélien, spéculation sur le devenir de l'humanité considéré dans son ensemble pour en dégager les lois, ou comme on dit plus volontiers aujourd'hui, la signification; mais bien d'une « philosophie critique de l'histoire [3] », d'une réflexion *sur* l'histoire, consacrée à l'examen des problèmes d'ordre logique et gnoséologique soulevés par les démarches de l'esprit de l'historien; elle viendra s'insérer

3. Empruntons l'expression à Raymond Aron qui a donné ce titre à sa petite thèse sur Dilthey, Rickert, Simmel et Max Weber (*La Philosophie critique de l'histoire*, Vrin, 1938, et Éd. du Seuil, coll. « Points » 1969).

dans cette « philosophie des sciences » dont personne aujourd'hui ne conteste la légitimité ni la fécondité; elle sera à la « philosophie de l'histoire » ce que la philosophie critique des mathématiques, de la physique, etc., est à la *Naturphilosophie* [4] qui, dans l'idéalisme romantique, s'était développée parallèlement à la *Philosophie der Geschichte*, comme un effort spéculatif pour percer le mystère de l'Univers.

Le problème de la vérité historique et de son élaboration n'intéresse pas seulement l'assainissement intérieur de notre discipline; au-delà du cercle étroit des techniciens, il concerne aussi l'honnête homme, l'homme cultivé, car ce qui est en question n'est rien de moins que les titres de l'histoire à occuper une place dans sa culture, place qui lui est aujourd'hui de plus en plus contestée. Tandis que notre science ne cesse de se développer dans le sens d'une technicité croissante, appliquant ses méthodes toujours plus exigeantes à des enquêtes de plus en plus étendues, on s'est mis « à se décourager des résultats trop maigres, peut-être illusoires, qu'elle obtient [5] ».

Inutile de dresser l'inventaire des témoignages attestant cette « crise de l'histoire »; il faut cependant rappeler que tout l'essentiel du réquisitoire se trouve déjà contenu dans les anathèmes prophétiques de la *Seconde Inactuelle* de Nietzsche (1874). Le sentiment nouveau qui s'y exprime, d'un accablement sous le poids de l'histoire, est venu renforcer le thème, traditionnel dans la pensée occidentale, du scepticisme à l'égard de ses conclusions, thème qui a trouvé une expression si éloquente dans l'Épilogue de Tolstoï à *Guerre et Paix* (1869), qui présente ce roman tout entier comme une réfutation expérimentale du dogmatisme historique.

Il s'agit là d'une réaction assez naturelle (l'histoire de la culture est faite de tels *corsi e ricorsi*), succédant à la véritable inflation des valeurs historiques qu'avait connue

4. W. H. Walsh, *An Introduction to Philosophy of History*, Londres, 1951, p. 12.

5. H. Peyre, *Louis Ménard*, New-Haven, 1932, p. 240.

le xixᵉ siècle. En quelques générations (à partir de Niebuhr, de Champollion, de Ranke...), les disciplines élaborant la connaissance du passé avaient pris un prodigieux développement : comment s'étonner que cette connaissance ait peu à peu envahi tous les domaines de la pensée? Le « sens historique » devint un des caractères spécifiques de la mentalité occidentale. L'historien alors était roi, toute la culture était suspendue à ses arrêts : c'était à lui de dire comment il fallait lire *l'Iliade*, ce qu'était une nation (frontières historiques, ennemi héréditaire, mission traditionnelle) — c'était lui qui saurait si Jésus était Dieu... Sous la double influence de l'idéalisme et du positivisme, l'idéologie du Progrès s'imposait comme catégorie fondamentale (le christianisme « dépassé », les chrétiens réduits à une minorité timide, qu'on n'imaginait pas devoir être irréductible, la pensée « moderne » était maîtresse du terrain) : du coup l'historien succédait au philosophe comme guide et conseiller. Maître des secrets du passé, c'était lui qui, comme un généalogiste, apportait à l'humanité les preuves de sa noblesse, qui retraçait le chemin triomphal de son Devenir. « Hors de Dieu, l'avenir s'étendait dans le désordre [6] » : seul, l'historien était en mesure de conférer à l'utopie un fondement raisonnable en la montrant enracinée et en quelque sorte déjà grandissant, dans le passé. Auguste Comte pouvait écrire avec une naïve emphase : « La doctrine qui aura suffisamment expliqué l'ensemble du passé obtiendra inévitablement, par suite de cette seule épreuve, la présidence mentale de l'avenir [7]. »

Prétentions excessives, confiance mal placée : le jour vint où l'homme se prit à douter de l'oracle qu'il avait si complaisamment invoqué, se sentit comme encombré par ce fatras qui se révélait inutile, incertain : l'histoire soudain devenait un « objet de haine » (Nietzsche) — ou de dérision. Adressant, à ce sujet, une homélie à des étudiants,

6. A. Chamson, *L'Homme contre l'histoire*, 1927, p. 8.
7. *Discours sur l'esprit positif*, 1844, p. 73 (éd. Schleicher).

je me souviens avoir emprunté mon texte au prophète
Isaïe, XXVI, 18 : *Concepimus, et quasi parturivimus, et pepe-
rimus spiritum...*, « nous avons conçu dans la douleur et
enfanté du vent; nous n'avons pas donné le salut à la terre! ».

J'écrivais cela en 1938 : la situation, depuis, n'a fait
qu'empirer; le recul de la confiance en l'histoire apparaît
comme une des manifestations de la crise de la vérité.
l'un des symptômes les plus graves de notre mal, plus
grave même que la « décadence de la liberté » (D. Halévy),
car c'est là une blessure qui atteint au plus profond de l'être.
On se souvient des mots atroces de Hitler dans *Mein Kampf* :
« Un mensonge colossal porte en lui une force qui éloigne le
doute... Une propagande habile et persévérante finit par
amener les peuples à croire que le ciel n'est au fond qu'un
enfer, et que la plus misérable des existences est au contraire
un paradis... Car le mensonge le plus impudent laisse toujours
des traces, même s'il a été réduit à néant » : ces rodomon-
tades d'un prisonnier, et d'un fou, *aegri somnia*, se sont
trouvées réalisées par la pratique courante de la vie politique au cours de notre génération; le mépris de la vérité
historique s'est partout affiché; je dis partout, car si les
exemples qui viennent spontanément à l'esprit sont ceux des
États totalitaires (ainsi l'utilisation par les coupables de-
l'incendie du Reichstag, du massacre de Katyn...,), les démo-
craties occidentales ne sont pas sans péché : qu'on pense à
l'usage de calomnies incontrôlées par les « chasseurs de sor-
cières » aux États-Unis, ou chez nous aux mensonges balbu-
tiants que sont les « démentis officiels » de nos ministres, —
dont l'emploi est devenu si normal que nous finissons par
n'y voir que figure de rhétorique et usage d'étiquette!

Dans ce monde détraqué, quelle place reste-t-il à l'histoire? Elle n'est plus qu'un jeu de masques dans le maga-
sin aux accessoires des comédiens de la Propagande. Heureux sommes-nous quand ils ne vont pas jusqu'à fabriquer
de toutes pièces une histoire qu'ils savent fausse : au mieux,
ils voient dans la connaissance du passé un répertoire d'anec-

dotes pittoresques, de parallèles ou de précédents utiles à invoquer.

Ainsi sous Pétain : vouliez-vous exalter la soi-disant « Révolution nationale » (ou vous moquer sans danger du pouvoir : Thrasybule étant un nom qui prête à sourire)? Il suffisait d'invoquer Thrasybule et le redressement d'Athènes après sa défaite de 404; honnir au contraire le régime hypocrite qui s'installait sous l'œil complaisant du vainqueur? Alors nous parlions de la tyrannie des Trente et de l'infamie des « oligarques »[8]. C'est rabaisser l'histoire à la conception naïve que s'en faisaient les rhéteurs de l'Antiquité (un recueil d'*exempla* à l'usage de l'orateur en mal de copie) : la facilité de l'opération la vide de tout sérieux. Ainsi : les partisans de la frontière Oder-Neisse invoquent l' « exemple » de Boleslas le Vaillant et de la Pologne du temps des Piast; mais comme la frontière occidentale des Slaves a varié des Bouches de l'Elbe (vers le Ve siècle) à Stalingrad (un instant en 1942), quelle que soit la ligne intermédiaire sur laquelle la politique de force stabilisera momentanément cette frontière, nous lui trouverons un « précédent » et une « justification » historiques!

Dès lors, l'effort par lequel notre philosophie critique va tenter de fonder en raison la validité de l'histoire apparaît non seulement comme une justification de la technique dont nous faisons profession, mais aussi comme une participation au combat pour la défense de la culture, pour le salut de notre civilisation. Mais il y a beaucoup plus : si l'histoire « scientifique » est de la sorte devenue à beaucoup suspecte ou méprisable, jamais cependant on n'a aussi volontiers parlé de l'Histoire, d'interprétation, de « sens » de l'Histoire : c'est devenu un principe de vie, un axiome de gouvernement (dans l'usage impitoyable qu'on en fait, la notion prend un caractère inhumain qui rappelle la fascination et l'oppression, que l'idée de Destin a exercées, à certains

8. Titre du petit livre publié dans la clandestinité par J. Isaac, Éd. de Minuit, 1942.

moments, sur les âmes antiques). Ce besoin de comprendre, de savoir, et non plus seulement de douter, répond, dans notre temps, à des exigences profondes: elles se sont fait jour, peu à peu, au cours de l'entre-deux-guerres. Au problème que la prise de conscience de la multiplicité des civilisations, de leur relativité et de leur fragilité essentielle, avait posé à la génération de 1918 (Spengler, Valéry, Ferrero, Toynbee, Sorokin...) : « Où en sommes-nous? Déclin de l'Occident? Possibilité de rebondissement? », s'est progressivement substituée une interrogation plus angoissée encore, plus profonde : « Soit, les civilisations naissent, mûrissent et meurent, mais sommes-nous sur la terre simplement pour construire, puis détruire, des civilisations, ces fabriques provisoires, *machinas transituras* [9], comme une génération de termites construit sa termitière, qui sera détruite et reconstruite dans la permanence indifférente de l'espèce [10]? Faut-il se résigner à cette perspective sans grandeur, ou au contraire faut-il reconnaître une valeur, une fécondité, un sens à ce pèlerinage, tour à tour triomphal et douloureux, de l'humanité à travers la durée de son histoire? »

Problème qui, une fois conçu comme possible (des civilisations entières l'ont, de fait, ignoré), ne peut plus être éludé et doit nécessairement recevoir une solution, fût-elle négative, comme inclinent à la formuler certaines philosophies anhistoriques de l'absurde ou du désespoir. On ne peut donc s'étonner du renouveau que connaît aujourd'hui la philosophie — et la théologie — de l'histoire; mais il faut s'inquiéter du dogmatisme naïf, de l'assurance intrépide et barbare dont continuent à faire preuve ces philosophes : on les voit spéculer sur une Histoire conçue comme objet pur, de façon tout à fait indépendante du problème de la connaissance; pratiquement, ils ne cessent de mettre en œuvre les résultats, ou de prétendus résultats, de notre

9. Saint Augustin, *Sermon 362*, 7 : « Architectus aedificat per machinas transituras domum manentem. »
10. L. Frobenius, *Le Destin des civilisations*, 1932, trad. fr., p. 1-3.

science historique, sans assez se préoccuper des conditions d'élaboration qui déterminent leur validité et la limite de celle-ci. On s'étonne de l'indifférence de tant de nos contemporains à l'égard de la question préalable que pose la réflexion critique : de cette histoire que vous invoquez si volontiers, *que* savez-vous et *comment* le savez-vous?

Comportement si étrange qu'il demande un effort d'élucidation : j'y aperçois un effet de ce mouvement pendulaire qui semble présider au développement de la pensée; de même qu'on avait assisté à la fin du XIXe siècle, et notamment en Allemagne, à un « retour à Kant », en réaction contre les excès de cette tyrannie hégélienne que seul un Kierkegaard avait osé contester de son temps, de même nous assistons aujourd'hui à un renouveau de l'influence de Hegel et notamment de sa *Philosophie der Geschichte* (il faut ici incriminer le marxisme qui, sous la forme diffuse et souvent abâtardie qui a si profondément pénétré la mentalité commune de notre génération, a largement contribué à reposer le problème de l'histoire en termes d'époque 1848 ou même 1830) : il faut dénoncer le caractère anachronique, philosophiquement rétrograde, de cette influence, et cela d'autant plus que le point visé, le dogmatisme hégélien, était particulièrement vulnérable.

Hegel a assisté à la première floraison d'une histoire véritablement scientifique : il est le contemporain de Niebuhr et de Ranke [11] que nous vénérons comme les initiateurs et les premiers maîtres de la forme actuelle de notre science. Hegel connaît bien l'œuvre de Niebuhr et s'y réfère volontiers, mais, chose curieuse, c'est toujours pour la refuser, la critiquer, la couvrir de sarcasmes faciles [12] : il n'a retenu que les

11. *L'Histoire romaine* de Niebuhr a commencé à paraître en 1811; la première œuvre de Ranke, *Histoire des peuples latins et germaniques de 1494 à 1535* est de 1824; les célèbres *Leçons sur la philosophie de l'histoire*, éditées après la mort de Hegel, ont été prononcées de 1822 à 1831.

12. *Vorlesungen...*, éd. Lasson (*Werke*, t. IX), p. 7, 8 (n. 1), 176, 665, 690, 697.

aspects en effet fragiles de son *Histoire romaine*, ces hypothèses un peu hâtivement lancées au-dessus des ruines de la
tradition, qui étaient bien en effet des « imaginations *a
priori* ». Il n'a pas aperçu tout ce qu'apportait de neuf cette
application systématique à l'histoire des méthodes critiques.

Hegel était par ailleurs un trop grand penseur pour ne
pas apercevoir l'existence du problème, il l'a même défini
en passant en des termes d'une précision qui n'a pas été
dépassée [13], mais c'est pour l'écarter aussitôt d'un revers
de main. En face de Niebuhr il nous apparaît (tel déjà autrefois saint Augustin en face de saint Jérôme) comme le philosophe pressé de conclure et de dogmatiser, incapable de
supporter les longs délais qu'exige (si je puis me permettre
ce terme scolastique) la subalternation des sciences. On est
un peu déconcerté par l'aisance avec laquelle il élimine le
problème (« la raison gouverne le monde, l'histoire universelle est rationnelle », etc.), et se précipite tête baissée dans
la construction d'une histoire « philosophique » au moyen de
matériaux dont il n'a pas vérifié la résistance [14].

Déjà contestable chez qui écrivait entre 1822 et 1831,
telle indifférence est aujourd'hui intolérable : ce n'est
pas à des néo-hégéliens qu'il faut rappeler qu'à chaque
étape nouvelle, la pensée doit surmonter, et non pas simplement annuler, l'étape précédente (retouchant l'image
proposée plus haut d'un mouvement pendulaire, nous dirons

13. *Ibid.*, p. 7 : « Nous pourrions poser comme première condition de saisir fidèlement l'historique, mais dans de tels termes généraux comme " fidèlement ", " saisir ", réside l'ambiguïté : l'historien moyen croit lui aussi qu'il est purement réceptif, qu'il se livre
au donné; mais il n'est pas passif avec sa pensée, il fait intervenir ses
catégories et voit le donné à travers elles. » On ne peut dire mieux!
14. Pour ne prendre qu'un exemple, le chapitre des *Vorlesungen*
consacré à l'histoire byzantine (éd. Lasson, p. 768-774) reflète naïvement les préjugés voltairiens de Gibbon (« suite millénaire de crimes,
faiblesses, bassesses, manque de caractère, le tableau le plus affreux
et par suite le moins intéressant »); sur cette base branlante, la puissante « Raison » prend son élan et découvre bien entendu des motiva-
tions très profondes à cette histoire imaginaire, d'où de nouveaux
contresens (p. 770-771).

que le progrès de la pensée exige qu'elle décrive une hélice et non pas simplement un cercle); il n'est pas permis d'affecter d'ignorer les problèmes soulevés par la philosophie critique de l'histoire et les solutions que depuis Hegel elle en a, entre temps, proposées. Car une telle philosophie critique n'est pas à promettre ou à improviser; elle est déjà, quant à l'essentiel, très largement constituée. Sa source principale est représentée par l'œuvre, à tant d'égards si féconde, de Wilhelm Dilthey (1833-1911).

Bien que son œuvre critique fondamentale soit l'*Einleitung in die Geisteswissenschaft* (1883), on retiendra comme symbolique la date (1875) de son article *Ueber das Studium der Geschichte...* où se trouve déjà posée la distinction entre sciences de la nature et sciences de l'esprit [15], point de départ de tout le développement ultérieur de sa doctrine. 1875 : un an après les *Considérations inactuelles;* mais il ne faudrait pas voir purement et simplement dans Dilthey une réponse au défi porté par Nietzsche : quels que soient leurs points de contact (refus de l'idole scientiste, la vie comme catégorie suprême), leur pensée ne se développe pas sur le même plan. Loin de partir d'une protestation contre l'histoire, Dilthey au contraire manifeste son admiration pour la grandeur de ses conquêtes (dans un discours prononcé à l'occasion de son soixante-dixième anniversaire il a rendu un magnifique hommage aux grands historiens de la première partie du xixe siècle, Böckh, Grimm, Mommsen, Ritter, Ranke [16]), grandeur qui lui paraît aussi incontestable que la validité de la physique de Newton pouvait l'être pour Kant; d'où son projet : faire la théorie de cette pratique si féconde.

Dilthey est aujourd'hui assez oublié en Allemagne, mais c'est ce qui arrive quand une pensée, ayant exercé une grande et durable séduction, devient démodée et comme inutile pour avoir été profondément assimilée. Son influence

15. Trad. fr. dans *Le Monde de l'esprit*, t. I, p. 58.
16. *Ges. Schriten*, t. V, p. 7, 9.

en effet a été extrêmement profonde [17] ; elle explique notamment l'attention portée aux problèmes de l'histoire, et la façon même de poser ces problèmes, qu'on relève chez les philosophes du « retour à Kant », Windelband, Rickert, Simmel. Déjà chez Dilthey lui-même, si conscient de son opposition à Hegel, la référence à Kant est évidente : il n'a cessé de présenter son entreprise comme l'élaboration d'une *Critique de la raison historique* [18], donc comme un prolongement, ou un équivalent transposé, de la *Critique de la raison pure*. Mais ce serait réduire la portée de son effort et de ses successeurs que de lier trop exclusivement la philosophie critique de l'histoire à ce moment de l'histoire de la philosophie allemande et d'en faire la chose propre à « l'école néo-kantienne de Heidelberg » [19]. Il y a dans leur œuvre toute une part d'observations et de conclusions qui demeurent acquises et dont la validité n'est pas liée au système dans lequel leurs auteurs les avaient insérées. On ne peut s'en étonner : logique appliquée, la philosophie des sciences (dont relève notre théorie de l'histoire) bénéficie dans une assez large mesure du même privilège d'invariance technique qu'on s'accorde à reconnaître, bien entendu également dans une mesure déterminée, à la logique formelle : l'*Organon* n'est pas tout entier relatif à la validité du système aristotélicien !

Aussi bien, le mouvement de pensée inauguré par Dilthey, et dont nous cherchons ici à rassembler l'héritage, a-t-il débordé de toutes parts l'école néo-kantienne au sens strict : on ne saurait annexer à celle-ci, quel que soit le lien de filiation qui le rattache à Rickert, un homme comme Max

17. Même hors d'Allemagne : ainsi en Espagne, J. Ortega y Gasset, *Historia come sistema* (2ᵉ éd. 1942), trad. fr. dans *Idées et Croyances*, p. 103 : « Dilthey, l'homme à qui nous devons le plus sur l'idée de la vie et à mon sens le penseur le plus important de la seconde moitié du XIXᵉ siècle. »
18. Discours cité, *Ges. Schriten*, t. V, p. 9, et déjà *Introduction aux Sciences de l'Esprit*, *Ges. Schr.*, t. I, p. 116.
19. L. Goldmann, *Sciences humaines et Philosophie*, p. 26.

Weber dont l'œuvre théorique (car il fut aussi, et surtout, un économiste et un sociologue) représente une contribution essentielle à l'édification de notre philosophie critique. Nous aurons aussi à intégrer un apport non négligeable venu de la Phénoménologie : bien que le contexte de leur problématique fût tout différent, des hommes comme Husserl, Jaspers et surtout Heidegger ont eux aussi rencontré le problème de l'élaboration de la connaissance historique, les deux premiers lorsque le développement de la crise européenne les eut à leur tour confrontés au problème si actuel du sens de l'histoire [20], le dernier, de façon plus centrale peut-être dans l'analyse de la situation ontologique de l'homme qui fait apparaître sa « temporalité » et son « historicité » essentielles.

Si originales que soient la méthode et l'orientation de ces philosophes, leur pensée, sur ce point, n'a pas manqué d'être influencée par l'atmosphère irradiée de Dilthey à l'influence duquel Heidegger par exemple a tenu à rendre hommage dans *Sein und Zeit* [21].

En France (je parle surtout du milieu des techniciens de l'histoire) on a longtemps paru ignorer ce puissant mouvement.

Soyons juste : quelque écho en parvenait chez nous grâce aux efforts de la *Revue de synthèse historique*, mais les préjugés positivistes qui régnaient dans l'équipe groupée autour de Henri Berr ont stérilisé l'effort si remarquable d'information auquel elle s'appliquait.

Quand j'arrivai à la Sorbonne en novembre 1925, j'y fus accueilli par la voix affaiblie, mais toujours convaincue, du vieux Seignobos (Lucien Febvre et Marc Bloch étaient

---

20. P. Ricœur, *Husserl et le Sens de l'histoire* (d'après les œuvres, en grande partie inédites, de 1935-1939), *Revue de métaphysique et de morale*, t. LIV, 1949, p. 281-316 (souligne bien tout ce qui dans l'œuvre antérieure de Husserl paraissait exclure « une inflexion de la phénoménologie dans le sens d'une philosophie de l'histoire »); K. Jaspers, *Vom Ursprung und Ziel der Geschichte*, 1949, trad. fr., 1954.

21. *Sein und Zeit*, § 77.

encore exilés à Strasbourg [22]); le positivisme était toujours
la philosophie officielle des historiens et nous n'avions encore
à lui opposer qu'un refus instinctif, presque viscéral, encore
qu'il commençât à se formuler à la lumière de Bergson. On
en était toujours au point où Péguy était parvenu en 1914;
Péguy, hélas! n'était pas revenu dans sa boutique et n'avait
pu écrire cette *Véronique* qui devait constituer une contrepartie positive à son amère *Clio*... Il a fallu attendre 1938
pour qu'avec les deux thèses retentissantes de Raymond
Aron [23] la philosophie critique de l'histoire fût enfin intégrée
à la culture française; si personnelle que soit sa position,
Aron vient se placer dans le prolongement de la lignée
Dilthey-Rickert-Weber; le mérite du petit livre, brillant,
trop brillant peut-être, d'Eric Dardel [24] a été de nous faire
entendre un son de voix plus directement inspiré de Heidegger.

Si vaste qu'elle soit, la zone d'influence de Dilthey
n'embrasse pas tout : depuis que, sortant de cette autarcie
nationale où nous sommes si longtemps restés enfermés,
nous avons commencé à nous découvrir les uns les autres et
à penser européen, la Grande-Bretagne, elle aussi, nous a
révélé une lignée de penseurs attachés à ce même problème,
lignée originale qui prend sa source lointaine dans l'empi-
risme d'un Hume [25], est représentée vers 1830-1850 par le
groupe curieux des « Anglicans libéraux » Thom. Arnold,
Rich. Whately, etc. [26], et plus près de nous par F. H. Brad-
ley, dont la carrière philosophique commence par un essai,

22. Je n'ai pu être ni leur compagnon ni leur élève : d'où l'intervalle
dissonant qui me relie à l'équipe des *Annales*.
23. *Introduction à la philosophie de l'histoire, essai sur les limites de
l'objectivité historique; La Philosophie critique de l'histoire, essai sur une
théorie allemande de l'histoire.*
24. *L'Histoire, science du concret*, 1946.
25. Dont il faut rappeler l'*Essai sur les miracles* (dans l'*Enquiry
concerning human understanding*, 1748).
26. Sur ces théologiens et historiens d'Oxford (que Stuart Mill
désignait sous le nom de *Germano-Coleridgean school*) voir M. D. For-
bes, *The liberal anglican Idea of History*, Cambridge, 1952.

The Presuppositions of critical History [27], écrit à la date, toujours plus symbolique de 1874, et ses successeurs, notamment Michael B. Oakeshott [28], et surtout R. G. Collingwood, cet esprit curieux, un peu bizarre, bien connu des historiens comme une autorité en matière d'archéologie de la Bretagne romaine, mais dont la pensée philosophique [29] mérite aussi le plus attentif examen.

Collingwood d'ailleurs n'est pas de filiation uniquement britannique : il se situe lui-même dans la zone d'influence de Benedetto Croce. On sait combien le vieux sophiste napolitain, historien lui aussi de vocation autant que philosophe, a accordé d'attention aux problèmes théoriques de l'histoire, de son premier mémoire, *l'Histoire ramenée au concept général de l'art* (1893) [30], à l'œuvre de sa vieillesse, *la Storia come pensiero e come azione* (1938), en passant par sa *Logica* (1904) et *Teoria e storia della storiografia* (écrite en 1912-1913).

La personnalité encombrante de Croce a souvent paru résumer, aux yeux des étrangers, toute l'activité de la spéculation italienne; vue sommaire et injuste, notamment en ce qui concerne notre sujet, comme tant de preuves sont venues récemment l'attester [31].

Quelle que soit l'originalité de chacun de ces penseurs, la variété de leurs prises de position et, je ne l'oublie pas, le caractère toujours ouvert du débat, l'apport de ces trois quarts de siècle révèle bien, à l'examen, une certaine conver-

27. Réimpr. dans *Collected Essays*, t. I, p. 1-70.
28. *Experience and its Modes*, Cambridge, 1933, chap. III.
29. Pour le sujet qui nous concerne, voir surtout son livre posthume, *The Idea of History*, Oxford, 1946, et déjà *Autobiography*, Oxford, 1939.
30. Recueilli dans *Primi Saggi*, p. 3-41.
31. Voir par exemple *Il problema della storia*, *Atti dell' VIII. Convegno di studi filosofici cristiani* (Gallarate), Brescia, 1953. Mes lecteurs américains s'étonneront peut-être de ne pas voir figurer dans ce tableau la thèse bien connue de M. Mandelbaum, *The Problem of historical Knowledge* (New-York, 1937); ce livre, précieux par les analyses qu'il renferme dans sa partie documentaire, m'apparaît *as the bravest if the less succesful attempt to give « an Answer to Relativism »*.

gence dans la manière de poser le problème comme dans les solutions qui en sont proposées : à partir d'une analyse des servitudes logiques pesant sur l'élaboration de la connaissance historique, on est bien arrivé à constituer *une* philosophie critique de l'histoire, ou du moins un certain ensemble de principes fondamentaux qu'il est permis désormais de tenir pour acquis, au même titre par exemple que la théorie de l'expérimentation, dans les sciences de la nature, est acquise, disons depuis J. S. Mill et Claude Bernard.

C'est pourquoi il m'a paru que le moment était venu d'en dresser un inventaire systématique; non certes que je prétende distiller à partir de ces tentatives diverses une illusoire *philosophia perennis* de la raison historique : l'exposé qui va suivre sera lui aussi une mise en forme inspirée d'un point de vue personnel. Mais il m'a semblé qu'à la condition de s'en tenir aux problèmes fondamentaux et à des solutions de caractère très général, il était possible de présenter une mise au point raisonnable et pondérée. J'ai moins cherché l'originalité qu'à rassembler, filtrer, vérifier, préciser ce qui, sous des formes plus ou moins différentes, allait partout se répétant. Je parlerai d'un ton tranquille et modéré : la philosophie de l'histoire a trop souvent été présentée jusqu'ici de façon agressive et polémique (et je n'excepte pas de cette critique mes écrits antérieurs sur le sujet) : sans doute, c'est qu'il y avait des tyrannies à renverser, des portes à enfoncer; la voie est libre maintenant... Je ne rechercherai ni le pathétique, ni le paradoxe : on a beaucoup abusé de l'un et de l'autre (l'existentialisme a mis à la mode un pathos outrancier qui met en danger le sérieux même de la pensée); je suis trop fidèle à la tradition humaniste pour vouloir que la philosophie se passe des Muses, mais la Muse philosophique doit être une vierge de style sévère, qui n'abusera pas du *make-up*.

En publiant ce livre je réalise un projet, formé il y a plus de vingt-cinq ans, qui n'a cessé de m'accompagner depuis que j'ai débuté dans le métier d'historien. Entre-temps, les circonstances m'avaient amené à écrire une série d'articles qui en ont représenté comme autant d'esquisses successives. Il n'était pas question de les réimprimer, mais j'ai très soigneusement récupéré tout ce qui, dans chacun d'eux, me paraissait encore utile : je n'en donne la liste ci-dessous que pour prémunir le lecteur contre le soin de les relire.

1. « Tristesse de l'historien » (à propos des thèses de R. Aron), *Esprit*, avril 1939, p. 11-47.

2. « Bergson et l'histoire », dans l'hommage posthume à *Henri Bergson*, publié en 1941 par les éditions de la Baconnière (repris ensuite dans la collection des « Cahiers du Rhône »), p. 213-221.

3. « Qu'est-ce que l'histoire? » dans le recueil *Le Sens chrétien de l'histoire*, coll. « Rencontres », vol. IV, Lyon, Éd. de l'Abeille, 1942 (depuis, Paris, Éd. du Cerf), p. 9-34.

4. « L'histoire et l'éducation », discours prononcé à la séance solennelle de rentrée, *Annales de l'université de Lyon*, *L'Université de Lyon en 1941-1942*, Lyon, 1943, p. 26-36.

5. « De la philosophie à l'histoire », dans l'hommage à *Étienne Gilson, philosophe de la chrétienté*, coll. « Rencontres », vol. XXX, Paris, Éd. du Cerf, 1949, p. 71-86.

6. « De la logique de l'histoire à une éthique de l'historien », dans le numéro consacré aux *Problèmes de l'histoire*, par la *Revue de métaphysique et de morale*, juillet-octobre 1949, t. LIV, p. 248-272.

7. Rapport sur l' « Histoire de la civilisation, I, Antiquité », présenté au Xe Congrès international des sciences historiques, Paris, 1950, et publié dans les *Actes* de ce congrès, t. I, Paris, A. Colin, 1950, p. 325-340.

8. « D'une théorie de la civilisation à la théologie de l'histoire » (sur l'œuvre d'Arnold J. Toynbee), *Esprit*, juillet 1952, p. 112-129.

9. « Philosophie critique de l'histoire et " sens de l'histoire " » dans *L'Homme et l'Histoire, Actes du VIe congrès des sociétés de philosophie de langue française, Strasbourg, 1952*, Paris, PUF, 1952, p. 3-10.

10. « La méthodologie historique : orientations actuelles », à propos d'ouvrages récents, *Revue historique*, avril-juin 1953, t. CCIX, p. 256-270.

11. « Lettre à M. André Piganiol » (en réponse à son article : « Qu'est-ce que l'histoire? »), *Revue de métaphysique et de morale*, juillet-septembre 1955, p. 248-250.

12. « L'histoire et les historiens », seconde chronique de méthodologie historique, *Revue historique*, avril-juin 1957, t. CCVXII, p. 270-289.

Ce projet, enfin, n'aurait peut-être pas encore abouti si Mgr L. De Raeymaeker, président de l'Institut supérieur de philosophie de l'université de Louvain, ne m'avait fourni l'occasion de le réaliser en m'invitant à occuper la chaire Cardinal Mercier pour l'année 1953. Je tiens à remercier mes auditeurs de Louvain (et avec eux nos collègues du Centre national de recherches de logique, à Bruxelles) pour leur accueil si attentif : mon livre aura beaucoup profité des observations et critiques qu'ils m'ont si amicalement formulées.

Je n'oublierai pas non plus mes anciens étudiants de l'École normale et de la Sorbonne avec qui j'ai si souvent et, pour moi, si utilement discuté — et en particulier Alain Touraine, Dom Jean Becquet, le R. P. Pierre Blet, Odette Laffoucrière, l'abbé Jean Sainsaulieu, Pierre Vidal-Naquet, le Dr Jean-Marie Harl, Violette Méjan; je dois une particulière reconnaissance à Jean-François Suter et à Maurice Crubellier qui ont relu mon manuscrit et m'ont aidé à le mettre au point.

Certains des points de vue défendus dans ce livre ont été repris dans :

Encyclopédie Française, t. XX. *Le Monde en devenir*, p. 20. 18. 7-16, « Les limites aux apports de l'histoire ».

Encyclopédie de la Pléiade, *L'Histoire*, t. I, Introduction : « Qu'est-ce que l'histoire? », p. 1-33, et Conclusion : « Comment comprendre le métier d'historien? », p. 1465-1540.

« L'épistémologie de l'histoire en France aujourd'hui »,
Denken über Geschichte, Wien, 1974, p. 97-110.

On trouvera d'autre part ici, reproduit en appendice
(p. 279), deux articles où l'auteur s'est efforcé de répondre
à certaines objections soulevées.

1

L'histoire comme connaissance

Nous partirons d'une définition et nous demanderons : Qu'est-ce que l'histoire? Ce n'est là, bien entendu, qu'un artifice pédagogique; il serait naïf d'imaginer qu'une définition, élaborée spéculativement et ainsi posée *a priori*, puisse étreindre l'essence, le *quid sit*, de l'histoire. Ce n'est pas ainsi que procède la philosophie des sciences : elle part d'un donné, qui est telle discipline déjà constituée, et s'attachant à analyser le comportement rationnel de ses spécialistes, elle dégage la structure logique de leur méthode. Les diverses sciences se sont développées, généralement au départ d'une tradition empirique (la géométrie est issue de l'arpentage, la médecine expérimentale de la tradition des guérisseurs...), avant que le philosophe soit venu en faire la théorie.

La sociologie ne constitue pas une exception, mais une preuve supplémentaire de cette loi : son développement a été gêné, et non pas favorisé, par l'amoncellement de spéculations méthodologiques qu'Auguste Comte et Durkheim lui offrirent en guise de berceau.

De même, l'histoire existe; nous ne prétendons pas, au point de départ, définir la meilleure histoire concevable comme possible; nous avons à constater l'existence de notre objet, qui est ce secteur de la culture humaine exploité par un corps spécialisé de techniciens, l'ordre des historiens; notre donné, c'est la pratique reconnue comme valable par les spécialistes compétents. La réalité d'un tel donné ne peut faire de doute : il est bien certain que le corps des historiens est en possession d'une tradition méthodologique vigoureuse qui, pour nous Occidentaux, commence avec Hérodote et Thucydide et se continue jusqu'à, disons, Fernand Braudel (pour choisir un des derniers « chefs-d'œuvre » présentés par un jeune maître * au jugement des membres de la corporation); tradition bien déterminée : nous savons bien, nous gens du métier, quels sont nos pairs, quels sont parmi les historiens d'hier ou d'aujourd'hui ceux dont le travail est valable, ceux, comme on dit, « qui font autorité » — ceux au contraire qui sont suspects de comportement plus ou moins irrégulier... A première approximation, ainsi qu'il convient au point de départ, cette réalité de l'histoire n'est délimitée qu'en gros et doit admettre, quant à ses frontières, une marge plus ou moins floue. Notre tradition méthodologique n'a cessé de se transformer : Hérodote, par exemple, nous apparaît moins comme le « Père de l'histoire » que comme un aïeul un peu retombé en enfance et la vénération que nous professons pour son exemple n'est pas exempte de quelque sourire protecteur; bien que, dès Thucydide ou Polybe, nous reconnaissions, quant à l'essentiel, notre manière de travailler, nous admettons que l'histoire véritablement scientifique n'a achevé de se constituer qu'au XIXe siècle, quand la rigueur des méthodes critiques, mises au point par les grands érudits des XVIIe et XVIIIe siècles fut étendue du domaine des sciences auxiliaires (numismatique, paléographie...) à la construction même de l'histoire : *strictiore sensu*, notre tradition n'est définitivement inaugurée que par B.G. Niebuhr et surtout Leopold von Ranke.

Même imprécision marginale pour l'histoire actuellement pratiquée : s'il est bien vrai qu'en gros les experts s'accordent, au sein de la corporation, pour juger de la validité de leurs recherches, ce *consensus* ne va pas sans quelques dissonances et se voit par moments contesté : si, trop rigoureux, les spécialistes disqualifient volontiers

---

* Écrit en 1953; disons aujourd'hui : « Emmanuel Le Roy Ladurie (*Les Paysans de Languedoc*, 1966) en attendant de pouvoir renvoyer à Paul Veyne. »

l' « amateur », ils s'entendront reprocher l'étroitesse de
la « science officielle ». En fait le champ de l'histoire, le
champ où opèrent les historiens, est occupé par une équipe
de chercheurs déployée en éventail : à une extrémité, les
érudits minutieux, occupés à « faire la toilette » des documents à publier, qu'on finira par suspecter de n'être que des
philologues, pas encore tout à fait des historiens : des prépa-
rateurs ou des laborantines, pas encore de vrais savants; à
l'autre bout, de nobles esprits, épris de vastes synthèses,
embrassant d'un vol d'aigle d'immenses tranches de devenir :
on les contemple, d'en bas, avec quelque inquiétude, suspects qu'ils sont de dépasser le niveau de l'histoire, cette fois
par en haut...

Pour l'instant, tolérons cette souplesse dans la délimitation des frontières; laissons au goût, ou plutôt à la vocation
de chacun, le droit de valoriser, ou de disqualifier, tel ou tel
aspect de cette pratique multiforme. Nous voyons les uns,
par exemple, condamner la biographie, comme un genre
fondamentalement anti- ou an-historique [1], alors que
d'autres [2] en feraient au contraire presque le genre historique par excellence (en la comprenant comme une vision
ramassée de toute une époque ou même une civilisation,
appréhendée dans l'un des plus grands de ses fils).

Il m'est arrivé d'écrire, pour contester l'autorité que la
théorie de l'histoire chez Croce recevait de son expérience
d'historien : l'œuvre historique de Croce oscille entre deux
genres, la petite histoire locale *(la Révolution napolitaine
de 1799, le Théâtre à Naples de la Renaissance à la fin du
XVIIIe siècle)* et la grande synthèse qui domine les faits,
les « pense » mais ne travaille pas directement sur les sources
*(Histoire de l'Italie, 1871-1915; Histoire de l'Europe au
XIXe siècle);* oserai-je insinuer que l'axe de la véritable

  1. Collingwood, *Idea*, p. 304; R. Aron, *Introduction*, p. 81-82.
  2. Comme Dilthey, dont les grandes œuvres historiques sont des
biographies : *Vie de Schleiermacher*, t. I, 1870; *Histoire de la jeunesse de Hegel*, 1906.

histoire passe entre les deux? — Mais chacun déterminera cet axe à sa guise et je sais bien qu'on pourra opposer à ma théorie [3] qu'elle est celle d'un historien de l'antiquité, d'un historien de la culture, trop exclusivement orienté vers les problèmes d'ordre sipirituel ou religieux, et qu'elle eût été autrement nuancée si j'avais pris comme terrain d'expériences l'histoire contemporaine et ses problèmes économiques ou sociaux...

Acceptons provisoirement cette diversité de points de vue, en refusant à chacun son exclusivité et cherchons à appréhender dans sa réalité complexe et toute sa variété l'histoire telle qu'elle existe, réalisée par l'œuvre des historiens.

Nous pouvons laisser de côté les tentatives, toujours renouvelées, des théoriciens qui cherchent à démontrer la possibilité, la nécessité, l'urgence d'une autre histoire que celle des historiens, une « histoire » qui serait plus scientifique, plus abstraite, cherchant par exemple, à dégager les lois les plus générales du comportement humain, tel qu'il se manifeste dans l'histoire empirique (contingence, nécessité...): la « synthèse scientifique » de Henri Berr [4], l' « histoire théorique » de P. Vendryès [5], la « *theoretische Geschiedenis* » de J. M. Romein [6]. A supposer que ces disciplines se montrent un jour aussi fécondes que l'espèrent leurs fondateurs, elles ne supprimeront pas l'histoire traditionnelle dont elles postulent l'existence : notre philosophie critique demeurera nécessaire et légitime.

Qu'est-ce donc que l'histoire? Je proposerai de répondre : *L'histoire est la connaissance du passé humain.* L'utilité

3. Comme me l'objectait Georges Bidault, au cours d'une discussion mémorable à la Société lyonnaise de philosophie, le 18 juin 1942.
4. *La Synthèse en histoire, son rapport avec l'histoire générale* 1911, 2e éd. 1953.
5. *De la probabilité en histoire, l'exemple de l'expédition d'Égypte*, 1952.
6. *Theoretische Geschiedenis*, Groningen, 1946, sur cette conception, beaucoup plus compréhensive que les deux précédentes, voir la communication de J.-H. Nota, *Actes* du XIe Congrès international de philosophie, Bruxelles, 1953, t. VIII, p. 10-14.

pratique d'une telle définition est de résumer dans une brève formule l'apport des discussions et gloses qu'elle aura provoquées. Commentons-la :

Nous dirons *connaissance* et non pas, comme tels autres, « narration du passé humain [7] », ou encore « œuvre littéraire visant à le retracer [8] »; sans doute, le travail historique doit normalement aboutir à une œuvre écrite (et nous examinerons ce problème pour terminer), mais il s'agit là d'une exigence de caractère pratique (la mission sociale de l'historien...) : de fait, l'histoire existe déjà, parfaitement élaborée dans la pensée de l'historien avant même qu'il l'ait écrite; quelles que puissent être les interférences des deux types d'activité, elles sont logiquement distinctes.

Nous dirons *connaissance* et non pas, comme d'autres, « recherche » ou « étude » (bien que ce sens d' « enquête » soit le sens premier du mot grec *historia*), car c'est confondre la fin et les moyens; ce qui importe c'est le résultat atteint par la recherche : nous ne la poursuivrions pas si elle ne devait pas aboutir; l'histoire se définit par la vérité qu'elle se montre capable d'élaborer. Car, en disant *connaissance*, nous entendons connaissance valide, vraie : l'histoire s'oppose par là à ce qui serait, à ce qui est représentation fausse ou falsifiée, irréelle du passé, à l'utopie, à l'histoire imaginaire (du type de celle qu'a écrite W. Pater [9]), au roman historique, au mythe, aux traditions populaires ou aux légendes pédagogiques — ce passé en images d'Épinal que l'orgueil des grands États modernes inculque, dès l'école primaire, à l'âme innocente de ses futurs citoyens [10].

---

7. O. Philippe, *L'Homme et l'Histoire*, *Actes* du Congrès de Strasbourg, 1952, p. 36.

8. R. Jolivet, *ibid.*, p. 11.

9. *Imaginary Portraits*, 1888, pour ne rien dire de *Marius l'épicurien* ni de *Gaston de Latour*.

10. On trouvera dans le beau livre de R. Minder, *Allemagnes et Allemands*, 1948, l'analyse comparée des stylisations antithédiques (« stichomythie ») que l'enseignement élémentaire a données en France et en Allemagne, des mêmes figures historiques : Charlemagne, etc.

Sans doute cette vérité de la connaissance historique est-elle un idéal, dont, plus progressera notre analyse, plus il apparaîtra qu'il n'est pas facile à atteindre : l'histoire du moins doit être le résultat de l'effort le plus rigoureux, le plus systématique pour s'en rapprocher. C'est pourquoi on pourrait peut-être préciser utilement « la connaissance *scientifiquement élaborée* du passé », si la notion de science n'était elle-même ambiguë : la platonicien s'étonnera que nous annexions à la « science » cette connaissance si peu rationnelle, qui relève tout entière du domaine de la *doxa;* l'aristotélicien, pour qui il n'y a de « science » que du général sera désorienté lorsqu'il verra l'histoire décrite (et non sans quelque outrance, on le verra) sous les traits d'une « science du concret » (Dardel), voire « du singulier » (Rickert). Précisons donc (il faut parler grec pour s'entendre) que si l'on parle de science à propos de l'histoire c'est non au sens d'*epistémè* mais bien de *tekhnè*, c'est-à-dire, par opposition à la connaissance vulgaire de l'expérience quotidienne, une connaissance élaborée en fonction d'une méthode systématique et rigoureuse, celle qui s'est révélée représenter le facteur *optimum* de vérité.

Connaissance du *passé*, même s'il s'agit d'histoire tout à fait contemporaine (pensons à l'agent de la circulation qui dresse — acte historique élémentaire — le procès verbal de l'accident qui vient de se produire, il y a un instant, sous ses yeux); connaissance du *passé humain :* nous ne préjugeons rien de ce qu'il a pu être; nous résistons en particulier aux exigences préliminaires que voudrait nous imposer le philosophe-de-l'histoire, notre pire ennemi (à nous, logicien et philosophe des sciences) : lui sait, ou prétend savoir ce qui constitue l'essence de ce passé; nous refusons, ici, de le savoir et nous acceptons dans sa complexité tout ce qui a appartenu au passé de l'homme, tout ce que nous pouvons réussir à en appréhender.

Aussi disons-nous *passé humain*, repoussant toute addition ou spécification comme suspecte d'arrière-pensées.

Pourquoi, par exemple, ajouter : passé « des hommes vivant
en *société* [11] » ? Ou bien c'est inutile, nous savons depuis
Aristote que l'homme est cet animal qui vit en société organisée (l'historien de l'érémitisme découvre avec étonnement
que la fuite au désert ne sépare pas l'homme de la société :
devant Dieu, le contemplatif assume toute l'humanité),
— ou bien c'est tendancieux : je ne peux admettre qu'on
veuille exclure de l'histoire les aspects les plus personnels
de la reprise du passé — qui sont peut-être sa plus précieuse
conquête. De même pourquoi préciser « des *faits* humains
du passé [12] » ? Inutile si « faits », s'opposant au fantaisiste
ou à l'imaginaire, signifie simplement réalité; infiniment
suspect si par là on glisse à exclure les idées, les valeurs,
l'esprit; aussi bien, nous ne verrons rien de moins clair que
la notion de fait en matière d'histoire.

Le seul élément qui demeure peut-être ambigu dans notre
définition est celui de passé *humain :* nous entendrons par
là le comportement susceptible de compréhension directe,
de saisie par l'intérieur, actions, pensées, sentiments, et
aussi toutes les œuvres de l'homme, les créations matérielles
ou spirituelles de ses sociétés et de ses civilisations, œuvres
au travers desquelles nous atteignons leur créateur, en un
mot le passé de l'homme en tant qu'homme, de l'homme déjà
devenu homme, par opposition au passé biologique, celui
du devenir de l'espèce humaine, qu'étudie non plus l'histoire
mais la paléontologie humaine, branche de la biologie.

Nous aurons l'occasion de revenir sur la distinction entre
ces deux passés de l'homme, l'évolution biologique et l'histoire. On peut déjà la saisir utilement en accordant quelque
réflexion au statut de cette discipline frontière que nous appelons la préhistoire. Discipline non seulement frontière,
mais complexe (le cas est fréquent : les sciences particulières sont des entités d'ordre pratique qui n'ont pas d'unité

11. Ch. Seignobos, *Lettre à F. Lot* (1941), *Revue historique*, t. CCX,
1953, p. 4.
12. Id., *ibid.* (et déjà H, Berr, *La Synthèse en histoire*, p. 1).

logique) : par son objet comme par ses méthodes, c'est un mixte.

Il y a dans le travail du préhistorien tout un secteur relevant de la paléontologie : lorsqu'il analyse les restes de squelettes humains, leurs caractères somatiques, même si ces observations (portant par exemple sur le volume de la boîte crânienne, sur la station debout plus ou moins affirmée) le conduisent à des hypothèses sur le psychisme de ces races lointaines, je ne vois là rien de spécifiquement historique; la paléontologie applique au passé les méthodes utilisées dans le présent par l'ethnologie (en tant qu'opppsée à l'ethnographie, qui est proprement l'étude des civilisations « primitives ») : objet et méthodes relèvent bien de la biologie.

Mais quand le même préhistorien étudie les objets qui portent la trace d'une action volontaire de l'homme, ce que l'anglais appelle *artifacts,* et qu'au travers il s'efforce de comprendre les techniques matérielles ou spirituelles (magie, religion), et dans une certaine mesure les sentiments ou les idées de leurs auteurs, ce qu'il fait relève de l'archéologie, qui est une branche de l'histoire, et sous cet aspect la préhistoire est déjà de l'histoire au sens plein du mot.

Lorsque par exemple Norbert Casteret découvre dans la grotte de Montespan [13] une maquette d'argile représentant un quadrupède et que venait compléter un crâne d'ourson, maquette lardée de coups de sagaie, il n'a pas de peine à reconstituer le rite de magie « sympathique » (analogue à celui qu'ont encore pratiqué de nos jours des Eskimos) auquel s'étaient livrés là des chasseurs préhistoriques.

Nous comprenons par le dedans un tel comportement, et cette compréhension directe est quelque chose de très différent de celle du physicien qui « comprend » la désintégration de l'atome : c'est notre connaissance intérieure de l'homme, de ses possibilités, qui nous permet de comprendre ces chasseurs préhistoriques, en ce sens parfaitement

13. P. Charlus, dans *Seizième semaine de synthèse : A la recherche de la mentalité préhistorique* (1950), 1953, p. 147-148, 151.

historiques. De fait nous ne retenons comme « artifacts »
que les objets qui *nous* paraissent porter une trace intelligible de l'action de l'homme; nous hésitons devant des cas
douteux : ainsi, dans certains gisements paléolithiques chinois on hésite à reconnaître l'action de l'homme dans certaines pierres éclatées par le feu : ne sont-elles pas l'effet
d'un phénomène accidentel? Ou bien devant certains signes
gravés ou peints d'époque disons néolithique, on se demande
s'ils sont simplement décoratifs ou si, significatifs, ils ne
représenteraient pas une ébauche d'écriture.

Il n'est pas exclu que nos fouilleurs n'aient laissé échapper
des documents précieux, simplement parce qu'ils n'ont pas
su y reconnaître cette trace de l'homme. Nous montrerons
que la richesse de la connaissance historique est directement
proportionnelle à celle de la culture personnelle de l'historien : le fait s'observe déjà en préhistoire où c'est l'ethnographie qui, élargissant notre expérience de la variété des
techniques humaines, est l'instrument de culture qui rend
l'historien plus capable de son objet : à qui a étudié des
objets analogues chez les Eskimos de l'Alaska, les prétendus
« bâtons de commandement » magdaléniens se révèlent
avoir été des « redresseurs de flèche » (obtenant des flèches
rectilignes avec des branchettes courbes); tels « bâtons-
messages » néolithiques sont peut-être des baguettes de
libation comme les « relève-moustaches » des Aïnou [14].

Connaissance du passé humain, connaissance de l'homme,
ou des hommes, d'hier, de jadis, d'autrefois, par l'homme
d'aujourd'hui, l'homme d'après, qu'est l'historien, cette
définition fait résider la réalité de l'histoire dans le rapport
établi de la sorte par l'effort de pensée de l'historien; on
peut ainsi poser :

$$h = \frac{P}{p}$$

14. A. Leroi-Gourhan, *La Civilisation du renne*, 1936, p. 58, 60, 63;
G. Montandon, *La Civilisation Aïnou*, 1937, p. 52-59.

Par cette image, je veux simplement mettre en évidence le fait que, de même qu'en mathématiques la grandeur du rapport est autre chose que chacun des termes mis en relation, de même l'histoire *est* la relation, la conjonction, établie, par l'initiative de l'historien, entre deux plans d'humanité, le passé vécu par les hommes d'autrefois, le présent où se développe l'effort de récupération de ce passé au profit de l'homme, et des hommes d'après. *Omne simile claudicat :* la comparaison demeure imparfaite, car dans un rapport mathématique les deux termes possèdent une réalité propre, tandis que dans l'histoire, ces deux plans ne sont saisissables qu'au sein de la connaissance qui les unit. Nous ne pouvons isoler, sinon par une distinction formelle, d'un côté un objet, le passé, de l'autre un sujet, l'historien.

Rien de plus significatif à ce sujet que l'équivoque remarquable entretenue par le langage : celui-ci ne se contente pas d'unir nos deux plans, mais, par une métonymie tour à tour agaçante et instructive, tolère qu'on se serve du même mot, l'histoire, pour désigner tour à tour soit le rapport lui-même, soit son numérateur. Il est sans doute légitime de distinguer par la pensée les deux notions, le développement de notre analyse va l'exiger à chaque instant, et, une fois la distinction posée, il faudra bien adopter quelque forme convenable d'expression. On en a proposé ou essayé plus d'une.

La plus simple, sinon la plus pratique, consiste à opposer réalité historique et connaissance historique (plutôt que : histoire objective et histoire subjective). Pour se faire comprendre, Hegel un jour s'est exprimé en latin, distinguant les *res gestae* elles-mêmes de l'*historia rerum gestarum;* en allemand on a souvent essayé [15], jouant sur les doublets du vocabulaire (mots d'origine germanique et emprunts au français) de spécialiser, pour chacun des deux sens, *Geschichte* d'un côté, *Historie* de l'autre; en italien, ou du moins

15. Déjà Kant, *Idée d'une histoire universelle...* (1784), *Werke*, t. IV, p. 165 (éd. Cassirer).

dans la langue très personnelle de B. Croce, la même distinction est rendue par le couple *storia / storiografia* (qui prête le flanc à notre objection : la connaissance historique existe même si, ou quand, elle n'est pas encore écrite). En français, la combinaison la plus ingénieuse est celle imaginée par Henry Corbin [16], *Histoire* et *histoire*, la majuscule pour le réel, le passé vécu par des hommes de chair et de sang, la minuscule pour l'humble image que s'efforce d'en recomposer le labeur de l'historien, ce qui exprime assez bien la valeur péjorative attachée aux pauvres fiches des professeurs d'histoire, objets de tant de sarcasmes de Hegel à Péguy; combinaison malheureusement inapplicable en anglais, où *History* peut, sans article, se trouver au début d'une phrase et ainsi usurper la majuscule [17]...

Mais, et c'est là ce qui importe, en dehors des moments où la pensée du logicien se fixe volontairement sur cette distinction, le génie du langage, exprimant (comme il arrive souvent) la sagesse implicite des nations, se refuse à l'entériner. Que le lecteur s'écoute parler et il constatera que dans sa bouche, *histoire* reçoit tour à tour l'une et l'autre acception; et il ne s'agit pas là, comme on l'a souvent pensé, d'un manque de richesse ou de technicité du français, sans prendre garde (ah! le prestige du « mot allemand »...) que la distinction *Geschichte / Historie* était très artificielle, *Historie* n'est pas un mot réellement vivant en allemand et *Geschichte* s'emploie constamment aussi au sens de « connaissance, ou de littérature, historique » : nous avons à ce sujet des déclarations explicites et autorisées qui vont de Hegel [18] à Heidegger [19]. Le fait est général : dans toutes nos

16. Dans sa traduction des § 46-76 de *Sein und Zeit*, parue dans M. Heidegger, *Qu'est-ce que la métaphysique?* 1938, p. 115-208 (voir p. 175, n. 1), parti suivi par E. Dardel, *L'Histoire, science du concret.*

17. G. J. Renier, *History, its Purpose and Method*, Londres, 1950, p. 81.

18. *Vorlesungen* sur la philosophie de l'histoire, *Werke*, t. VIII, p. 144-145 (éd. Lasson) : « Dans notre langue (l'allemand!), *Geschichte* réunit l'aspect objectif et l'aspect subjectif et désigne aussi bien *l'historiam rerum gestarum* que les *res gestas* elles-mêmes... »

19. *Sein und Zeit*, § 73, p. 178, trad. Corbin.

langues de culture, que ce soit l'anglais, l'espagnol, l'italien (j'en surprends l'aveu précieux à recueillir sous la plume même de Croce [20]), le néerlandais, le russe..., on retrouve la même ambiguïté.

Il ne faut pas glisser de la distinction formelle à la distinction réelle, du critique à l'ontologique : en fait, on a trop volontiers utilisé, jusqu'à l'abus, des antithèses du type *Geschichte / Historie : Kultur / Zivilisation* [21], *Gemeinschaft / Gesellschaft*, Sacerdoce / Prophétisme, Apollon / Dionysos, etc. L'antithèse est un instrument d'analyse assez grossier : deux pôles entre lesquels se reclasse, mais aussi se décompose, le réel. Le réel ici, la seule réalité qu'ait jamais désignée le langage, c'est la prise de conscience du passé humain, obtenue dans la pensée par l'effort de l'historien; elle ne se situe ni à l'un, ni à l'autre des deux pôles mais dans le rapport, la synthèse qu'établit, entre présent et passé, l'intervention active, l'initiative du sujet connaissant.

Bien entendu, puisqu'elle se définit comme connaissance (et nous avons précisé connaissance authentique), l'histoire suppose un objet, elle prétend bien atteindre le passé « réellement » vécu par l'humanité, mais de ce passé nous ne pouvons rien dire, rien faire d'autre que de postuler son existence comme nécessaire, tant qu'une connaissance n'en a pas été élaborée, dans les conditions empiriques et logiques que notre philosophie critique va s'efforcer d'analyser. S'il est permis de continuer, à la manière de Dilthey, de s'exprimer en termes empruntés à Kant (précisons, pour n'être pas accusés de « néo-kantisme », qu'il s'agit là d'un usage métaphorique : nous transposons ce vocabulaire du transcendantal à l'empirique), nous dirons que l'objet de l'histoire se présente en quelque sorte à nous, ontologiquement, comme

---

20. Cf. *Noterelle polemiche* (1894), dans *Primi Saggi*, p. 46, n. 3.

21. Elle aussi assez artificielle : la valeur des termes opposés à bien changé de W. von Humboldt (1836), à F. Tönnies (1887) et M. Weber (1912) : voir A. L. Kroeber et C. Kluckhohn, *Culture, a critical Review of Concepts and Definitions*, Papers of the Peabody Museum, vol. XLVII, n° 1, 1952.

« noumène » : il existe, bien sûr, sans quoi la notion même d'une connaissance historique serait absurde, mais nous ne pouvons le décrire, car dès qu'il est appréhendé, c'est comme connaissance qu'il l'est, et à ce moment il a subi toute une métamorphose, il se trouve comme remodelé par les catégories du sujet connaissant, disons mieux (pour ne pas continuer le jeu de métaphores) par les servitudes logiques et techniques qui s'imposent à la science historique.

S'il faut poser la distinction, on devra éviter de désigner ce passé, antérieurement à l'élaboration de sa connaissance, par le même mot d' « histoire » que celle-ci (fût-ce avec une majuscule), ou par un mot de même racine ou de même sens : tôt ou tard l'équivoque du langage commun sera de nouveau insinuée dans l'esprit et mettra en péril la validité de la distinction. Puisqu'il faut choisir un nom, je proposerai de s'arrêter (de préférence à « devenir » ou à « genèse ») à celui d'*Évolution* de l'humanité, bien qu'il ne soit pas non plus sans inconvénient.

Tel qu'il a été mis au point par la biologie, ce terme d'évolution désigne l'écheveau enchevêtré de relations causales, déployé dans le temps, qui relie l'être vivant à ses antécédents directs. Il est légitime d'appliquer par analogie cette expression au temps, incomparablement plus court et plus proche, vécu par l'*homo sapiens* depuis l'émergence de son type. La différence d'échelle entre les deux durées, l'essence distincte des phénomènes observés n'opposent pas d'obstacle insurmontable à l'extension sémantique suggérée. Du concept initial, notre transposition analogique ne retient que la notion fondamentale : l'état présent d'un être vivant s'explique par l'héritage de son passé. De même que les stylets du canon d'un cheval sont le résultat de la réduction progressive du métatarse de ses ancêtres tertiaires, de même les Français d'aujourd'hui sont ce que les ont faits les années d'après la Libération, et 1940-1945, et l'Entre-deux-guerres, et 1914-1918, et ainsi de suite, en remontant jusqu'à Jules César, Vercingétorix, nos ancêtres les Gaulois, les défricheurs néolithiques, et plus loin encore... *Même s'il les ignore* (nous nous plaçons en dehors de toute tentative d'histoire-connaissance), le comportement des citoyens français devant l'impôt, des catholiques français devant le Denier du Culte, s'explique par des habitudes mentales héritées de leurs ancêtres et contractées sous la monarchie absolue ou par les effets du Concordat de 1515.

Comme le représentant d'une espèce biologique, l'homme de telle société, de tel milieu de civilisation est le fils de son passé, de tout son passé (c'est même ici qu'on a le droit de parler d'une hérédité des caractères acquis!) : les révolutions les plus novatrices ne réussissent pas à abolir tout cet héritage; ainsi, pour qui connaît un peu l'histoire de la Russie, cette même URSS, qui se veut tout entière marxiste, doit bien des traits de sa civilisation (la bonne conscience, par exemple, dans le recours à la terreur policière) à sa mère la Russie des Tsars et aux antécédents byzantins de celle-ci.

Redoublons de précautions; il est normal qu'une discipline emprunte un concept à une de ses voisines (la biologie, symétriquement, aime à parler de phénomènes « historiques » lorsqu'elle étudie, par exemple, les effets de telle période glaciaire sur la répartition des espèces botaniques ou animales dans telle aire donnée), mais il faut bien souligner qu'en étant utilisé dans un domaine de l'expérience différent de celui pour lequel il avait été élaboré, tout concept scientifique perd peu à peu de sa validité et que cet usage nouveau n'a qu'un caractère analogique, donc limité. Pour ma part, je suis très sensible à l'abus qu'on pourrait faire de la notion d' « évolution » biologique en la transposant sans modification dans le domaine de l' « histoire » : celle-ci n'est pas purement et simplement une phrase nouvelle et ultime de celle-là; nous aurons l'occasion de revenir là-dessus (p. 263).

Mais ce « passé réellement vécu », cette évolution de l'humanité n'est pas l'histoire; celle-ci n'est pas un simple décalque de celle-là, comme on aurait pu se le représenter

dans une théorie pré-kantienne de la connaissance. En
reprenant vie dans la conscience de l'historien, le passé
humain devient autre chose, relève d'un autre mode de l'être.
On a trop abusé, pour analyser l'essence de l'histoire, des
formules fameuses de Ranke ou de Michelet : « montrer
purement et simplement comment les choses se sont pro-
duites », *wie es eigentlich gewesen*, « résurrection intégrale
du passé », phrases d'ailleurs qui gagnent à être replacées
dans leur contexte et non pas simplement à passer de main
en main comme une pièce de monnaie chaque jour un peu
plus fruste [22].

De même, je trouve extrêmement malheureuse cette
autre formule à laquelle R. G. Collingwood, dans son effort
vers une théorie vraiment rationnelle de l'histoire, s'était
finalement arrêté : « re-actualisation de l'expérience du
passé », *History as re-enactment of past experience*.

Il faut le déclarer avec force : l'historien ne se propose
pas pour tâche (à supposer que la chose soit concevable
sans contradiction) de ranimer, de faire revivre, de ressusciter
le passé; ce ne sont là que des métaphores; sans doute, en
un sens, il rend à nouveau à l'existence du présent quelque
chose qui, devenu du passé, avait cessé d'être, mais en devenant « histoire », en étant connu, le passé n'est pas simplement reproduit tel qu'il avait été quand il était le présent.
Sans parler encore des innombrables transformations
(transpositions, déformations, sélections) que lui auront fait
subir les manipulations par lesquelles la raison historique
aura élaboré sa connaissance, qu'il nous suffise pour l'instant de souligner que le passé assumé par l'histoire se trouve,
par là même, affecté d'une qualification spécifique : il est
connu en tant que passé.

22. Cf. Th. von Laue, *Leopold Ranke, the formative Years*, Princeton Studies in History, vol. IV, 1950, p. 25-26; O. A. Haac, *Les Principes
inspirateurs de Michelet*, 1951, p. 73-80; pour le contexte, voir *Geschichte
der romanischen und germanischen Völker, Sämtl. Werke*, t. XXXIII,
p. VII; *Histoire de France*, t. I, p. IV, XI, XXI-XXII, XXXI.

Quand il était « réel », il était tout autre chose pour ses acteurs, pour les hommes qui l'ont vécu : il était pour eux du présent, c'est-à-dire le point d'application d'un nœud grouillant de forces qui faisaient surgir hors de l'avenir incertain ce présent imprévisible, où tout était mouvant en-train-de-devenir, *a-becoming*, *in fieri;* retrouvé comme passé (même s'il est d'hier, d'il y a un instant), l'être a franchi le seuil de l'irrévocable : c'est de l'ayant-été, du devenu, *geschehen* (le *dagewesenes Dasein* de Heidegger), grammaticalement : du parfait. Constatation élémentaire, mais dont les conséquences vont se révéler profondes, et menant loin. Qu'il suffise pour l'instant d'en dégager trois :

a) Loin de se faire, comme on l'a trop répété, le « contemporain » de son objet, l'historien le saisit, le situe en perspective dans la profondeur du passé; il le connaît en tant que passé, c'est-à-dire que l'acte même de cette connaissance pose à la fois le fait évoqué comme ayant-été-un-présent et la distance, plus ou moins grande, qui nous en sépare : il n'est pas vrai, comme l'écrivait Proust vers la fin du *Temps retrouvé*, que « la mémoire, en introduisant le passé dans le présent sans le modifier, tel qu'il était au moment où il était le présent, supprime précisément cette grande dimension du Temps »; Proust a été mieux inspiré lorsque, dans la dernière page de son œuvre il s'aperçoit « juché » au « sommet vertigineux » de son passé : « J'avais le vertige de voir au-dessous de moi et en moi pourtant, comme si j'avais des lieux de hauteur, tant d'années... comme si les hommes étaient juchés sur de vivantes échasses grandissant sans cesse... »

C'est même dans cette capacité de sentir de façon également aiguë et la réalité du passé et son éloignement que réside, semble-t-il, ce qu'on appelle proprement le sens historique, celui dont nous constatons l'absence chez les peintres du Moyen Age ou de la Renaissance lorsqu'ils représentent des personnages de l'antiquité classique ou chrétienne vêtus comme leurs contemporains du xive ou

du xve siècle. Je connais saint Paul d'une autre manière
que les hommes de son temps, que saint Luc par exemple
l'a connu (et cela à contenu égal de notre connaissance,
c'est-à-dire en supposant que saint Luc ne connût ni plus
de choses, ni plus précises ou certaines que moi) parce que
je le connais comme un homme du Ier siècle, je l'aperçois
au bout de ces dix-neuf cents ans qui nous séparent, différent
de moi par toute l'évolution entre-temps déroulée. J'ai
choisi l'exemple à dessein (plutôt que de dire : je ne connais
pas César comme Cicéron l'a connu), parce que, chrétien,
je me sens et me sais en communion avec saint Paul sur tout
ce qu'il considérait lui-même comme l'essentiel de sa
pensée; je professe comprendre, et partager, sa foi dans le
Christ — mais il reste que, si je suis historien, j'écoute son
enseignement en ayant le sentiment aigu des différences
spécifiques qui le séparent (encore une fois à qualité égale
du contenu théologique) d'un homme d'Église d'aujour-
d'hui.

J'ai eu à ce sujet une polémique avec l'exégète américain
Edgar J. Goodspeed qui, dans sa traduction modernisée du
Nouveau Testament, rend la salutation *khairete* par *good
morning* (Matth., 28, 9) ou *goodbye* (Phil., 4, 4). A mes
yeux c'est là trahir son auteur et tromper son lecteur, lui
laissant croire que saint Matthieu ou saint Paul écrivaient
comme des Américains du xxe siècle, alors qu'ils l'ont fait
en Grecs du Ier, usant d'une langue où, pour se saluer, on
ne bredouillait pas une formule inintelligible, « *How d'y'
do* » ou « *Byebye* », comme les Anglo-Saxons d'aujourd'hui,
mais où on disait fort clairement : « Réjouis-toi »; — qu'ils
aient eu parfaitement conscience de ce sens de *khaire,
khairete*, c'est ce que montre le verset de Phil., 4, 4 : « Réjouis-
sez-vous dans le Seigneur, je tiens à le redire, réjouissez-
vous » qu'il est parfaitement inepte de transcrire : « *Goodbye..
Again I say, goodbye* [23] ! »

23. E. J. Goodspeed, *Problems of New Testament Translation*,
Chicago, 1945, p. 45-46, 174-175.

b) Mais cet intervalle qui nous sépare de l'objet passé n'est pas un espace vide : à travers le temps intermédiaire, les événements étudiés — qu'il s'agisse d'actions, de pensées, de sentiments — ont porté leurs fruits, entraîné des conséquences, déployé leurs virtualités et nous ne pouvons pas séparer la connaissance que nous en avons de celle de ces séquelles.

Saisissons l'occasion de souligner combien notre analyse théorique se révèle riche de conséquences pratiques : de ce fait découle ce que j'aime à appeler la Règle de l'Épilogue. Toute étude historique qui ne conduit pas son objet « des origines à nos jours » doit commencer par une introduction qui montre les antécédents du phénomène étudié et par un épilogue qui cherche à répondre à la question : « Qu'arrivat-il ensuite? » Il ne faut pas que l'étude commence et finisse abruptement, comme au cinéma l'écran s'illumine au début du film pour s'obscurcir à la fin.

On ne peut exposer l'histoire de Luther sans évoquer ce qu'était devenues la piété catholique et la théologie nominaliste à la fin du XVe siècle, ni celle de la France religieuse du XVIIe siècle sans montrer comment a pu se préparer l'explosion de la Régence et l'irréligion triomphante du XVIIIe.

Comme toutes les règles de la méthode historique, celle-ci demande à être appliquée avec esprit de finesse; il ne faut pas projeter indûment les développements ultérieurs sur la situation précédente, rendre par exemple Platon « responsable » du scepticisme de la Nouvelle Académie, ni saint Augustin de Jansénius. Mais l'effort même qui me conduit à établir que le Jansénisme est un développement bâtard de l'Augustinisme m'aide puissamment à mieux comprendre ce dernier.

c) Enfin, quand il était du présent, ce passé était comme le présent que nous vivons en ce moment, quelque chose de pulvérulent, de confus, multiforme, inintelligible : un réseau touffu de causes et d'effets, un champ de forces infi-

niment complexe que la conscience de l'homme, qu'il soit
acteur ou témoin, se trouve nécessairement incapable de
saisir dans sa réalité authentique (il n'y a aucun poste
d'observation privilégié — du moins sur cette terre). Il faut
ici reprendre l'exemple, classique depuis Stendhal et Tolstoï [24], des batailles napoléoniennes, le Waterloo de la *Chartreuse*, ou mieux (car Napoléon lui-même, pour Tolstoï, y
est aussi perdu que le Prince André ou Pierre Bezoukhov),
l'Austerlitz et le Borodino de *Vojna i Mir*...

L'historien ne saurait se contenter d'une telle vision, si
fragmentaire et superficielle; il veut en savoir, il cherche à
en savoir beaucoup plus « long » qu'aucun des contemporains de l'époque étudiée n'en a su, n'en a pu savoir; non
certes qu'il prétende retrouver la même précision dans le
détail, la même richesse concrète que celle de l'expérience
vécue (cela, il le sait, est impossible et d'ailleurs ne l'intéresse
pas au premier chef) : la connaissance qu'il veut élaborer
de ce passé vise à une intelligibilité; elle doit s'élever au-
dessus de la poussière des petits faits, de ces molécules dont
l'agitation en désordre a constitué le présent pour y substituer une vision ordonnée, qui dégage des lignes générales,
des orientations susceptibles d'être comprises; des chaînes
de relations causales ou finalistes, des significations, des
valeurs. L'historien doit parvenir à jeter sur le passé ce
regard rationnel qui comprend, saisit et (en un sens) explique — ce regard que nous désespérons de pouvoir jeter sur
notre temps, d'où cet appel à Clio (que Péguy s'amusait à
relever sous la plume de Hugo dans ses *Châtiments*), cette
attente de l'histoire, qui un jour, nous l'espérons, permettra
de savoir ce que nous n'avons pas su (tant de données essentielles ont échappé à notre information, à notre expérience),
et surtout de comprendre ce que dans la chaleur de nos
combats, entraînés par des courants de forces que nous ne

24. Qui a été profondément influencé par l'exemple de Stendhal :
cf. I. Berlin, *Lew Tolstoy's historical Scepticism*, Oxford Slavonic Papers,
1951, t. II, p. 17-54.

pouvions contempler d'en haut, nous ne pouvions pas saisir, qu'il était impossible de saisir tant que les forces en action ne s'étaient pas révélées par l'accomplissement de tous leurs effets, tant que le devenir n'était pas réalisé au parfait. devenu. Ne comparons pas trop vite l'historien au dramaturge ou au romancier, car il doit être toujours bien souligné que cette intelligibilité doit être vraie, et non pas imaginaire, trouver sa raison dans la « réalité » du passé humain; mais cela rappelé, il est vrai de dire [25] que l'histoire doit chercher à élaborer une connaissance qui soit aussi intelligible que du Shakespeare ou du Balzac.

On peut ici récupérer utilement une dictinction chère à Croce, qui aimait à opposer la véritable histoire à la simple chronique (Sorokin dit en américain *newsreel*), à l'annalistique, à un récit qui rapporte fidèlement mais absurdement le passé dans tout le désordre de son expérience directe : c'est le défaut que nous reprochons souvent à l'histoire locale ou régionale qui, se croyant scrupuleuse et exhaustive, s'oblige à aligner avec minutie mille petits faits, ne nous faisant grâce de rien, pas même d'un pot de chambre vidé sur la tête d'un passant le 16 août 1610 : Archives Nationales, Z^2 3265, f° 99 v°, « plain un pot de grosse et menue matière orde et puant... » [26].

Ce n'est pas encore de l'histoire, parce que l'esprit de l'historien n'a pas dépensé là assez d'efforts pour penser son donné brut, pour le rendre pensable, c'est-à-dire susceptible d'être compris.

Avant de passer à l'analyse de cette transformation profonde, de cette transmutation que le processus d'élaboration de la connaissance historique fait subir au passé-noumène, il faut souligner encore les conséquences immédiates que la simple constatation de sa réalité va entraîner sur notre pra-

---

25. W. H. Walsh, *Introduction to Philosophy of History*, p. 33.
26. F. Lehoux, *Le Bourg de Saint-Germain-des-Prés, depuis ses origines jusqu'à la fin de la guerre de Cent ans*, 1951, p. 129.

tique, notamment en ce qui concerne la critique des sources. Il est naïf d'imaginer qu'un témoignage sera d'autant plus précieux pour l'historien qu'il adhérera de plus près à l'événement, comme le suppose la théorie classique [27] de la « critique d'exactitude » : le témoin était-il bien placé pour observer? S'est-il donné la peine de bien observer? N'a-t-il pas été victime d'une hallucination, d'une illusion, d'un préjugé? Le fait affirmé était-il observable?

Cela est vrai s'il s'agit d'établir la matérialité d'un fait objectivable (les circonstances d'un accident d'automobile : le document le plus sûr sera en effet le procès-verbal rédigé sur les lieux, immédiatement après l'événement, enregistrant les déclarations de plusieurs témoins indépendants, etc.). Mais ce n'est pas là l'unique tâche de l'historien, ni la plus essentielle : plus que d'établir les « faits », il lui importe de les comprendre, et d'ailleurs les événements qui l'intéressent sont le plus souvent d'une essence plus subtile que ces constatations matérielles. Comme l'a montré L. Massignon dans un essai justement célèbre [28], le contenu d'un instant d'illumination mystique est plus *exactement* connu, parce que plus profondément compris, par les considérations qu'à dix ans de distance le héros, éclairé par tout l'enrichissement ultérieur de son expérience spirituelle, développe à ce propos que par le mémorial griffonné pendant la Nuit fameuse.

Opposons en effet le feuillet de Pascal aux *Confessions* de saint Augustin, si profondément élaborées et par cela même si révélatrices, qu'une critique myope croyait pouvoir disqualifier.

27. Ch.-V. Langlois et Ch. Seignobos, *Introduction aux études historiques*, 1898, p. 145-150.

28. *L'Expérience mystique et les Modes de stylisation littéraire*, Le Roseau d'or, Chroniques, IV, 1927, p. 141-176.

2

L'histoire est inséparable
de l'historien

Si on la dépouille de ses outrances polémiques et de ses formulations paradoxales, la philosophie critique de l'histoire se ramène finalement à la mise en évidence du rôle décisif que joue, dans l'élaboration de la connaissance historique, l'intervention active de l'historien, de sa pensée, de sa personnalité. Nous ne dirons plus : « l'histoire est, hélas! inséparable de l'historien [1] »...

On ne peut s'empêcher d'évoquer la réplique de Gide : « Tant pis! reprit Ménalque. Je préfère me dire que ce qui n'est pas, c'est ce qui ne pouvait pas être. » Ni *hélas* ni *tant pis* ne sont des catégories philosophiques.

Nous enregistrons ce fait, inscrit dans la structure de l'être, sans surprise ni colère; nous ne pouvons que constater la situation faite à l'historien par les conditions de la connaissance (structure de l'esprit et nature de l'objet) et c'est à l'intérieur de ces nécessités que nous cherchons à montrer à quelles conditions et dans quelle limite une connaissance authentique, c'est-à-dire vraie, du passé humain se trouve accessible.

C'est ici que je me sépare de Raymond Aron dont la prise de position me paraît encore trop polémique; le sous-titre de sa thèse est bien révélateur : « Essai sur les limites

1. L.-I. Halkin, *Initiation à la critique historique*, 1953, p. 86, citant P. Valéry.

de *l'objectivité* historique » (« Une science historique uni-
versellement valable est-elle possible? Dans quelle mesure
l'est-elle? [2] »). Le vrai problème est le problème « kantien »
(A quelles conditions la connaissance historique est-elle
possible?), ou pour mieux dire celui de la vérité de l'histoire,
dont l'objectivité n'est pas le critère suprême.

Il est devenu classique et il peut être encore utile, pédago-
giquement, d'opposer cette prise de conscience, qui suffit à
définir ce que nous appelons avec fierté le nouvel esprit
historique, ce principe fondamental, aux illusions de nos
prédécesseurs positivistes. Ils rêvaient, je ne crois pas qu'il
soit calomnieux de le dire, d'aligner l'histoire sur ce qu'ils
appelaient, le mot est bien révélateur, les sciences « exactes »,
la physique, la chimie, la biologie — sciences d'ailleurs dont
ils se faisaient une image bien naïve, si élémentaire qu'elle en
devenait fausse (nous aurons l'occasion d'y revenir en précisant la distinction, essentielle mais qui demande à être
nuancée, entre sciences de la nature et sciences de l'esprit) :
éblouis et un peu intimidés par les triomphes incontestables
de ces sciences, les théoriciens positivistes essayèrent de
définir les conditions auxquelles devrait satisfaire l'histoire
pour atteindre, elle aussi, à l'honorable rang de science
positive, de connaissance « valable pour tous », — à l'objectivité. Leur ambition avouée était de promouvoir « une
science exacte des choses de l'esprit ». Le mot est de Renan :
il faut relire *l'Avenir de la science* pour mesurer la tragique
assurance avec laquelle les hommes de 1848 se sont engagés,
et ont engagé avec eux la culture occidentale, sur une voie
qui s'est révélée aujourd'hui une impasse; s'il reste quelque
amertume dans notre voix lorsque nous évoquons ces
hommes, qui furent nos maîtres, je demande à mes jeunes
lecteurs de mesurer quelle fut l'ampleur du redressement
que nous avons été contraints d'effectuer.

2. R. Aron, *Introduction*, p. 10.

Pour mettre à son tour leur position en formule, nous poserions, conservant les mêmes symboles que plus haut :

$$h = P + p$$

Pour eux, l'histoire c'est du Passé, objectivement enregistré, plus, *hélas!* une intervention inévitable du présent de l'historien, quelque chose comme l'équation personnelle de l'observateur en astronomie, ou l'astigmatisme de l'ophtalmologiste, c'est-à-dire une donnée parasitaire, quantité qu'il faudrait s'efforcer de rendre aussi petite que possible, jusqu'à la rendre négligeable, tendant vers zéro.

Dans cette conception, on paraît admettre que l'historien, et déjà avant lui le témoin dont il utilise le document, ne pourraient, par leur apport personnel, que porter atteinte à l'intégrité de la vérité, objective, de l'histoire; qu'il fût positif ou négatif — lacunes, incompréhensions, erreurs dans le second cas, considérations oiseuses, fleurs de rhétorique dans le premier —, cet apport serait toujours regrettable et devrait être éliminé. On eût aimé faire de l'historien, et déjà de ses informateurs, un instrument purement passif, comme un appareil enregistreur, qui n'aurait qu'à reproduire son objet, le passé, avec une fidélité mécanique — à le photographier, comme on eût dit, j'imagine, vers 1900.

Et l'image eût été magnifiquement trompeuse, car nous avons appris entre-temps à reconnaître tout ce que pouvait avoir de personnel, de construit, de profondément informé par l'intervention active de l'opérateur ces images obtenues pourtant avec des moyens aussi objectifs que des lentilles et une émulsion de bromure d'argent — du *Baudelaire* de Nadar aux *Images à la sauvette* de Cartier-Bresson.

Feuilletons le parfait manuel de l'érudit positiviste, notre vieux compagnon le Langlois et Seignobos : à leurs yeux, l'histoire apparaît comme l'ensemble des « faits » qu'on dégage des documents; elle existe, latente, mais déjà réelle, dans les documents, dès avant qu'intervienne le labeur de l'historien. Suivons la description des opérations techni-

ques de celui-ci : l'historien trouve les documents puis procède à leur « toilette », c'est l'œuvre de la critique externe,
« technique de nettoyage et de raccommodage » : on dépouille
le bon grain de la balle et de la paille; la critique d'interprétation dégage le témoignage dont une sévère « critique
interne négative de sincérité et d'exactitude » détermine
la valeur (le témoin a-t-il pu se tromper? A-t-il voulu nous
tromper?...); peu à peu s'accumulent dans nos fiches le
pur froment des « faits » : l'historien n'a plus qu'à les rapporter avec exactitude et fidélité, s'effaçant derrière les témoignages reconnus valides.

En un mot, il ne construit pas l'histoire, il la retrouve :
Collingwood, qui ne ménage pas ses sarcasmes à une telle
conception de la « connaissance historique préfabriquée,
qu'il n'y aurait qu'à ingurgiter et recracher », appelle cela
« l'histoire faite avec des ciseaux et un pot de colle », *scissors
and paste* [3]. Ironie méritée, car rien n'est moins exact qu'une
telle analyse, qui ne rend pas compte des démarches réelles
de l'esprit de l'historien.

Une telle méthodologie n'aboutissait à rien de moins qu'à
dégrader l'histoire en érudition, et de fait c'est bien à cela
qu'elle a conduit celui de ses théoriciens qui l'a pratiquement
prise au sérieux, Ch.-V. Langlois qui, à la fin de sa carrière,
n'osait plus composer de l'histoire, se contentant d'offrir à
ses lecteurs un montage de textes (ô naïveté, comme si le
choix des témoignages retenus n'était pas déjà une redoutable
intervention de la personnalité de l'auteur, avec ses orientations, ses préjugés, ses limites!) : voir par exemple *la Connaissance de la nature et du monde d'après les écrits français
à l'usage des laïcs* (1911, rééd. en 1927 comme t. III de
la Vie en France au Moyen Age du XIIᵉ *au milieu du* XIVᵉ *siècle*).

Mais non, « il n'existe pas une *réalité historique*, toute
faite avant la science qu'il conviendrait simplement de

3. *The Idea of History*, p. 257; cf. p. 237.

reproduire avec fidélité [4] » : l'histoire est le résultat de
l'effort, en un sens créateur, par lequel l'historien, le sujet
connaissant, établit ce rapport entre le passé qu'il évoque
et le présent qui est le sien. On sera tenté ici de recourir de
nouveau à une comparaison avec l'idéalisme, pour qui la
connaissance reçoit sa forme, sinon même sa réalité tout
entière, de l'activité de la pensée. J'hésite cette fois à le faire,
étant bien conscient des dangers que comporte l'abus de
telles références, car à trop insister sur l'apport créateur de
l'historien, on en viendrait à décrire l'élaboration de l'histoire comme un jeu gratuit, le libre exercice d'une imagination fabulatrice se jouant parmi un matériel hétéroclite
de textes, dates, gestes et paroles avec la liberté du poète
qui jongle avec ses rimes pour composer un sonnet [5]...

Or une telle conception, qui ruine le sérieux de notre
discipline et la validité de sa vérité, ne saurait passer pour
une description adéquate de l'activité réelle de l'historien,
telle que nous en faisons l'expérience dans notre labeur
de chaque jour. Il vaut mieux donc renoncer à toute comparaison par trop boiteuse et chercher à s'exprimer sans
détours métaphoriques. Je me rallierai volontiers à la formule, sans prétention ni paradoxe, qu'a proposée un de nos
confrères britanniques, le professeur V. H. Galbraith de
Cambridge : *History, I suppose, is the Past — so far as we
know it*, « l'histoire, c'est le passé, dans la mesure où nous
pouvons le connaître [6] ».

Oui, beaucoup mieux que l'orgueil du philosophe idéaliste, assuré de construire (comme il dit) le réel avec les
seules ressources de la pensée, beaucoup mieux que la
myopie consciencieuse de l'érudit positiviste, content

4. Aron, p. 120.
5. Cf. ma discussion avec D. de Rougemont, à propos de son livre
l'Amour et l'Occident, dans *Esprit*, septembre 1939, p. 760-768.
6. *Why we study History*, Historical Association Publications,
n° 131, 1944. Mais je sépare la formule du contexte, par moments un
peu sceptique, où l'a insérée l'auteur.

d'accumuler des « faits » dans sa boîte à fiches, la modestie, et la précision logique, de cette formule me paraît apte à résumer l'essentiel de notre expérience d'historiens : elle ne saurait être décrite comme le paisible labeur de l'un ni comme l'expansion triomphante de l'autre; elle est quelque chose de beaucoup plus risqué, en un sens de tragique, d'où nous sortons haletants, humiliés, toujours plus qu'à demi vaincus, quelque chose comme la lutte de Jacob avec l'Ange de Yahvé au gué du Yabboq : nous n'y sommes pas seuls, nous nous rencontrons dans les ténèbres avec un Autre mystérieux (ce que j'appelais plus haut la réalité nouménale du passé), réalité à la fois ressentie comme terriblement présente et comme rebelle à notre effort : nous essayons de l'étreindre, de la forcer à se soumettre, et toujours finalement, en partie au moins, elle se dérobe... L'histoire est un combat de l'esprit, une aventure et, comme toutes les équipées humaines, ne connaît jamais que des succès partiels, tout relatifs, hors de proportion avec l'ambition initiale; comme de toute bagarre engagée avec les profondeurs déroutantes de l'être, l'homme en revient avec un sentiment aigu de ses limites, de sa faiblesse, de son humilité.

Car nous sentons bien quelle est la tâche qu'il faudrait pouvoir assumer; à force de nous colleter avec ce réel déroutant, nous finissons par le situer assez bien pour savoir ce qu'il nous |faudrait, et ce qui nous manque, pour pouvoir le connaître de façon authentique et totale; notre raison parvient à concevoir quel esprit devrait être celui de l'historien pour devenir capable d'une telle connaissance (au sens où la géométrie nous parle d'un arc capable d'un angle donné). Il devrait tout savoir, tout ce qui a été réellement senti, pensé, accompli par tous les hommes du passé; saisir cette complexité sans ignorer, ni briser, ni altérer les relations internes, délicates, multiples, enchevêtrées, qui relient, dans le réel, ces manifestations de l'activité humaine et dont la connaissance lui confère une intelligibilité.

Si limitée que soit notre expérience, elle suffit à nous révéler l'existence de ce réseau serré de relations où les causes prolongent leurs effets, où les conséquences se recoupent, se nouent, se combattent, où le moindre « fait » (cette rencontre, d'où va, peut-être, dépendre l'orientation de tout mon futur...) est le point d'aboutissement d'une série convergente de réactions en chaîne; tout problème d'histoire, si limité soit-il, postule, de proche en proche, la connaissance de toute l'histoire universelle.

Je reprendrai l'exemple, déjà devenu classique, proposé par Ch. Morazé : soit l'avènement de Jules Ferry à la tête du gouvernement français [7]; son historien doit reconnaître évidemment les conditions précises de son accession au pouvoir, les tractations qui l'ont amenée, et donc quelle était la situation parlementaire française en septembre 1880; parlementaire? disons de façon plus générale et plus profonde la situation politique, donc sociale, économique, etc. Française? On ne peut négliger la conjoncture internationale : l'enquête va se déployer sur de nouveaux registres. Mais revenons à Jules Ferry : qui est cet homme? Un tempérament, une psychologie, l'aboutissement en 1880 d'une histoire personnelle déjà longue (notre confrère, le psychanalyste, insistera pour la prolonger jusqu'à l'étape prénatale); mais l'homme Ferry est-il seulement le produit d'une évolution commencée à l'instant de sa conception? Jules Ferry, c'est aussi Saint-Dié, l'émigration alsacienne, les cotonniers de Mulhouse, le protestantisme français, etc. (car il faudra remonter jusqu'aux origines chrétiennes); mais il y a une autre piste : la bourgeoisie industrielle, l'effondrement des prix agricoles, et une nouvelle série qui nous conduira, par l'étude des structures agraires de la campagne française, jusqu'aux défrichements de la préhistoire... Et il ne s'agit dans tout cela que des enquêtes que notre esprit conçoit comme possible; mais nous savons bien à quel hasard est suspendu le fait que nous

7. *Trois Essais sur histoire et culture*, 1948, p. 1-10.

sommes avertis, pour chacune, de sa possibilité; il devient légitime de postuler l'existence de bien d'autres séries causales que celles qui viennent d'être énumérées.

Ainsi en extension comme en compréhension le problème posé par le passé humain se révèle d'une structure doublement et indéfiniment complexe : on pourrait transposer à l'objet de l'histoire le thème pascalien du double infini; je n'en pousserai pas l'esquisse plus loin, il suffit que le vertige nous ait effleurés.

Si tel est le problème posé par ce programme de l'histoire, quel Esprit peut s'en déclarer capable? Nous répondrons : un tel Esprit existe, c'est le Seigneur notre Dieu, YHWH, dont la Sagesse incréée «est en effet en elle-même un Esprit intelligent, subtil, agile, pénétrant, clair, tranchant, incoercible, solide et sûr, " capable " de tout, qui domine tout, qui pénètre tout [8]... » Il convient que le philosophe s'arrête et prononce avec adoration le Nom ineffable — car sa méditation suffira à écarter de lui la tentation la plus dangereuse, celle qui n'a cessé de menacer toute philosophie de l'histoire, l'erreur fatale, le péché de la démesure, *hybris* : l'historien doit se souvenir à temps qu'il n'est qu'un homme et qu'il convient aux mortels de penser en mortels, comme disaient les Grecs, *thnèta phronein*.

J'ai parlé en chrétien, mais la formule d'Euripide montre que cette vérité possède une valeur absolue. La référence à la pensée chrétienne s'impose à tout Occidental, témoin Aron qui est contraint d'écrire : « Dieu seul pourrait peser la valeur de tous les actes, mettre à leur place les épisodes contradictoires (?), unifier le caractère et la conduite. Avec la théologie doit disparaître la notion de cette vérité absolue [9]. » En fait elle ne disparaît pas, étant toujours concevable comme possible, et le théologien, chrétien ou païen, disons mieux le

8. *Sag. Sal.*, VII, 22-23.
9. *Introduction...*, p. 71.

philosophe, la proclame inaccessible à la condition humaine.

Le premier principe de conduite pratique que nous formulerons à l'adresse de notre disciple sera (s'il est permis de parler en termes familiers) : tu n'es pas le bon Dieu, n'oublie pas que tu n'es qu'un homme. Ce rappel ne doit pas être interprété comme un aveu d'impuissance, une invite au renoncement et au désespoir (saint Thomas qui exalte la vertu du *magnanimitas*, nous met en garde contre cette ruse du péché : il n'y aurait là qu'une forme subtile de l'orgueil) : le philosophe doit se réjouir d'avoir précisé, quelle qu'elle soit, la vérité au sujet de l'être — la vérité, ici, au sujet de l'être de l'historien. Mais oui, mon fils, tu n'es qu'un homme, ce n'est pas une raison pour renoncer à faire ton métier, ton métier d'homme-historien, humble, difficile, mais, dans ses limites, assurément fécond.

Notre philosophie elle aussi est humaine et ne peut avancer que d'un pas à la fois; cette fécondité, réelle mais limitée, nous l'établirons en son temps; il fallait, pour l'instant, assurer ce premier point : la disproportion fondamentale entre l'objet auquel s'attache l'histoire, cette réalité historique nouménale que seul peut étreindre Dieu, et les moyens limités dont elle dispose, les pauvres petits efforts de l'esprit humain, ses méthodes, ses instruments. Je me souviens avoir suivi du haut d'un rocher les efforts d'un pêcheur dans un lac de montagne; j'apercevais, brillant dans l'eau transparente, les belles truites, qu'il convoitait de la rive, se jouer loin de sa ligne trop courte... Ainsi en est-il souvent de l'historien : ses moyens limités ne lui permettent pas de balayer dans ses filets toute l'étendue du lac du passé; l'histoire ce sera *the Past so far as...*, ce qu'il pourra en saisir dans ses filets. Ce n'est pas rien, nous le verrons, mais ce n'est pas tout, et surtout ce n'est pas la même chose : l'histoire, c'est ce que l'historien réussit à étreindre du passé, mais en passant à travers ses instruments de connaissance, ce passé a été si re-élaboré, retravaillé qu'il en est tout renouvelé, qu'il est devenu, ontologiquement, tout autre. Mais il est temps de passer à l'étude de cette transmutation.

Pour découvrir ce que va devenir l'histoire, il faut cesser de méditer sur son objet, cet indéterminé, cet *apeiron*, mais partir de l'historien, suivre ses démarches sur la voie qui le conduira à la connaissance : l'histoire sera ce qu'il aura réussi à élaborer.

Ouvrons notre Langlois-Seignobos : livre I, chap. i, première ligne : « L'histoire se fait avec des documents », formule que reprendra la conclusion : « L'histoire n'est que la mise en œuvre de documents [10]. » J'entends bien, mais, logiquement parlant, ce n'est pas le document qui est au point de départ; l'historien n'est pas un simple ouvrier attaché à la transformation d'une matière première, ni la méthode historique une machine-outil dans laquelle on introduirait comme par un entonnoir du document brut et d'où sortirait un fin tissu continu de connaissance. Notre travail suppose une activité originale, issue d'une initiative : l'histoire est la réponse (élaborée évidemment au moyen des documents : nous allons y revenir) à une question que pose au passé mystérieux la curiosité, l'inquiétude, certains diront l'angoisse existentielle, de toute façon l'intelligence, l'esprit de l'historien. Le passé se présente à lui, tout d'abord, comme un vague fantôme, sans forme ni consistance; pour le saisir il faut l'enserrer étroitement dans un réseau de questions sans échappatoires, le contraindre à s'avouer; aussi longtemps que nous ne l'attaquons pas de la sorte il demeure voilé et silencieux. Logiquement, le processus d'élaboration de l'histoire est déclenché, non par l'existence des documents, mais par une démarche originale, la « question posée », qui s'inscrit dans le choix, la délimitation et la conception du sujet.

Pratiquement il peut arriver qu'une recherche historique soit mise en branle par la rencontre fortuite d'un

---

10. *Introduction aux études historiques*, p. 1, 275.

document; la chèvre broute où elle est attachée (par combien de collègues, interrogés sur leurs travaux, ai-je entendu donner cette raison) : la proximité de tel dépôt d'archives, les ressources de telle bibliothèque, la mise au jour, au hasard des fouilles, d'un monument nouveau (le cas est fréquent en histoire ancienne où les documents sont rares et tout matériel nouveau le bienvenu) peuvent paraître comme l'origine de tels travaux — mais cela ne change rien à la priorité logique de la « question » que l'historien posera à ces documents.

L'analyse en apparence superficielle de Langlois et Seignobos s'explique (soyons justes) par la conception étroite qu'on s'est longtemps faite de l'histoire et dont, quoi qu'ils en eussent, ils demeuraient prisonniers. On la limitait, pratiquement, à ce qui s'appelait l'histoire générale, l'étude des « grands » événements historiques, c'est-à-dire, d'abord, les guerres, les négociations diplomatiques qui les avaient préparées ou terminées, puis les vicissitudes de la politique intérieure étudiée à la tête : le roi, ses ministres, la cour — ou bien les leaders du milieu gouvernemental, les assemblées et leur vie parlementaire. Si on ajoute à cela quelques catastrophes naturelles, telles qu'une épidémie de peste, c'est là à peu près tout ce que Thucydide par exemple a estimé utile de nous rapporter sur la Grèce de son temps, et pendant des siècles les historiens se sont contentés d'un programme analogue; tout au plus, depuis Voltaire, ajoutaient-ils à leur récit, en appendice et comme en hors d'œuvre, un tableau de l'état des sciences, des lettres et des arts. Dans ces conditions le programme était tout tracé, les questions étaient posées d'avance et la conception du sujet se ramenait au choix d'une période. Aujourd'hui a triomphé une conception tout autre de l'histoire, « à la fois élargie et poussée en profondeur. » L'expression est de Marc Bloch [11] : il n'est que juste de souligner la part que l'équipe Lucien

11. *Apologie pour l'histoire* ou *Métier d'historien*, p. xvii.

Febvre-Marc Bloch a prise, en France, dans cette lutte victorieuse contre la vieille idole de l'histoire politique, événementielle, « histoire historisante ». Mais la réaction a été très générale et n'est pas le bien propre d'une école : déjà Lord Acton donnait comme consigne à ses étudiants : « Étudiez des problèmes et non des périodes » et tout le long du XIXᵉ siècle on assiste aux progrès de l'histoire de la civilisation, *Kulturgeschichte*, qui s'oppose à sa vieille rivale, l' « histoire-batailles ».

L'histoire politique est presque suffoquée par le foisonnement des recherches concernant les histoires « spéciales », histoire économique et sociale, histoire des idées, des mentalités, des *Weltanschauungen*, histoire des sciences, de la philosophie, de la religion, de l'art, cela même au point qu'il est peut-être devenu nécessaire de réagir, au moins sur le plan pédagogique : à trop rechercher compréhension et profondeur, la culture historique court le risque de quitter la réalité concrète pour se dissoudre en fumées abstraites : rappelons sans cesse aux jeunes travailleurs que l'histoire de la civilisation (et chacune de ses histoires spéciales) doit se projeter sur un réseau serré de noms, dates, événements précis et que les faits politiques, d'ordinaire les mieux documentés, fournissent la trame solide d'un tel canevas.

Dès lors, quand il va aborder l'étude d'une certaine époque ou d'un milieu, l'historien ne se voit pas imposer, ou, si l'on préfère, n'a pas à sa disposition un programme de recherche fixé *a priori* et en quelque sorte passe-partout : ce programme, c'est à lui de le fixer et par suite tout le développement ultérieur de la recherche et la connaissance elle-même à laquelle on aboutira se trouvent orientés et prédéterminés par les questions posées.

Je dis « questions » pour faire court, mais quand l'esprit élabore une question, il formule aussitôt une ou plusieurs réponses possibles : une question précise (et seule une question précise est utile en histoire) se présente sous la forme d'une hypothèse à vérifier : « Ne serait-il pas vrai que...? »

Sans doute en cours de vérification, l'hypothèse se trouvera le plus souvent reprise, corrigée, transformée jusqu'à devenir méconnaissable, mais il reste qu'au point de départ il y a eu un effort créateur de l'historien qui a commencé par élaborer une image provisoire du passé.

Préoccupons-nous d'exorciser à nouveau le dangereux fantôme de l'idéalisme : limitons la part de « construction » autonome que comporte une telle élaboration du questionnaire et de ses hypothèses annexes : sans parler du fait que la validité de l'hypothèse reste suspendue au processus de vérification de sa convenance par rapport aux données documentaires, il est bien évident que la connaissance historique ne part pas de zéro : c'est par analogie avec une situation humaine déjà connue que nous formulons cette image hypothétique du passé à connaître et la part de la transposition y reste assez faible, car le plus souvent (le cas excepté d'une civilisation nouvellement découverte et tout à fait aberrante; mais alors qu'en pourrat-on savoir?) l'historien sait déjà en gros quelles sont les questions vraiment susceptibles d'être posées, quels sont les sentiments, les idées, les réactions, les performances techniques qui peuvent être attribués aux hommes d'une époque et d'un milieu donnés. Ses hypothèses de départ ont d'autant plus de chance de se montrer fécondes qu'elles contiendront une moindre part d'extrapolation.

C'est ici qu'il faut introduire la notion de progrès à l'intérieur d'un développement homogène de la recherche : lorsque la science historique aborde l'étude d'un domaine nouveau, il lui est à peu près impossible d'éviter de commettre l'affreux péché d'anachronisme : on ne sait pas encore quelles sont les questions à poser, l'esprit ne dispose pas d'instruments d'analyse assez précis pour construire un questionnaire adéquat.

C'est pourquoi par exemple je ne jetterai pas la pierre à Michelet pour avoir fait d'Abélard un libre esprit, un apôtre de la raison contre les « obscurantins scolastiques »; les caté-

gories héritées de l'*Aufklärung* ne donnaient pas à ce libéral
romantique l'équipement mental nécessaire pour comprendre
la pensée chrétienne du XIIᵉ siècle; si nous y réussissons
mieux aujourd'hui, c'est grâce aux progrès réalisés, grâce aux
efforts dispensés avec continuité, de Michelet lui-même à
Étienne Gilson.

Il reste que la connaissance d'un objet historique peut
être dangereusement déformée ou appauvrie par le biais
maladroit suivant lequel elle a été abordée au départ.

Un exemple de question mal posée : on s'est disputé pendant une génération, à propos de saint Augustin, en se
demandant si en 386 à Milan il s'était converti au néoplatonisme *ou* au christianisme : or, P. Courcelle nous a maintenant fait comprendre qu'à cette époque le néoplatonisme
était la philosophie officielle du milieu intellectuel chrétien
de Milan, à commencer par son évêque, saint Ambroise [12].

Exemple d'appauvrissement : voici les deux histoires qui
ont été publiées de la petite ville de Gap [13] : elles ne s'éten-
dent guère que sur le Moyen Age et sur cette période même
se réduisent à une série de monographies sur les évêques
successifs dont on nous retrace presque exclusivement les
démêlés d'ordre politique qui les ont opposés soit à la muni-
cipalité, soit au suzerain, le comte de Forcalquier, puis le
Dauphin... Rien sur l'histoire même de la population de cette
petite cellule humaine, son activité économique, sa structure
sociale, l'évolution de l'une et de l'autre (j'entrevois pourtant
ici ce que J. Schneider a si bien su analyser à Metz [14], une
bourgeoisie qui, enrichie, se transforme en noblesse terrienne); rien sur la vie spirituelle : pourtant la crise de la
Réforme a été ici extrêmement grave comme dans tout le
Dauphiné (Gap est la patrie de Farel, un des principaux

---

12. Voir notamment ses *Recherches sur les Confessions de saint
Augustin*, 1950.
13. Th. Gautier, *Histoire de la ville de Gap et du Gapençais*, 1842,
publ. par P.-P. Guillaume, Gap, 1909; J. Roman, *Histoire de la ville de
Gap*, 1892.
14. *La Ville de Metz aux* XIIIᵉ *et* XIVᵉ *siècles*. Nancy, 1950.

Réformateurs), mais on ne m'en montre que les effets politiques, les guerres de religion. Sur les origines, des banalités : pourtant on pouvait, comme l'a fait A. Déléage [15] pour la Bourgogne, exploiter systématiquement le matériel toponomastique représenté par les « lieux-dits » attestés tant de nos jours que dans les censiers médiévaux, ce qui permettrait par l'analyse étymologique de reconstituer les étapes successives de l'occupation du sol et donc du peuplement, en remontant jusqu'aux défrichements pré-celtiques. On pouvait par l'étude des légendes hagiographiques et par l'analyse de la répartition des saints titulaires des diverses églises de la région reconstituer les étapes de l'implantation du christianisme dans ce pays, à la fin de l'antiquité et au début du Moyen Age [16].

J'interromps là l'analyse de ces possibilités, qui sont indéfinies, car, il faut le souligner, chaque époque, chaque milieu humain, chaque objet historique soulève toujours une pluralité de problèmes, est, logiquement parlant, susceptible de se prêter à une infinité de questions. La connaissance que l'historien en acquerra dépendra évidemment de celle ou de celles qu'il choisira d'approfondir et ce choix à son tour sera directement fonction de sa personnalité, de l'orientation de sa pensée, du niveau de sa culture, de la philosophie générale enfin qui lui assure ses catégories mentales et ses principes de jugement.

Prenons un phénomène historique bien déterminé : le monachisme chrétien à ses origines dans l'Égypte du ${IV}^e$ siècle. On peut l'étudier du point de vue de l'histoire du christianisme en tant qu'il est un épisode de celle-là, un aspect du développement de celui-ci; on peut l'étudier du point de vue comparatif de l'histoire des religions, comme une des manifestations de l'idéal de solitude, d'ascèse et de contem-

15. *La Vie rurale en Bourgogne jusqu'au début du ${XI}^e$ siècle*, Mâcon, 1941.
16. Comme l'a tenté, mais sans une méthode assez rigoureuse, G. de Manteyer, *Les Origines chrétiennes de la ${II}^e$ Narbonnaise*, Gap, 1924.

plation qui s'est incarné de tant d'autres manières dans l'humanité (brahmanisme, jaïnisme, bouddhisme, taoïsme, et jusque paraît-il dans les civilisations pré-colombiennes). On peut y voir l'aspect social, la fuite au désert, l'« anachorèse » (littéralement la « montée au maquis ») étant un phénomène très général dans l'Égypte gréco-romaine (criminels, débiteurs et surtout contribuables insolvables, a-sociaux de toute espèce, et non pas seulement religieux). On peut encore en étudier la fonction économique : les cénobites de saint Pachôme qui par milliers sortaient de leurs couvents pour venir faire la moisson dans la vallée du Nil et gagner ainsi en quelques jours leur maigre subsistance de l'année, apparaissent comme une réserve de main-d'œuvre, un *Lumpenproletariat*, l'équivalent de ces travailleurs saisonniers de Californie décrits par Steinbeck dans *les Raisins de la colère*...

Chacun de ces points de vue est en soi légitime, peut-être fécond, appréhendant en partie, ou sous un aspect, la réalité du passé. Remettons à plus tard l'examen du lien ombilical qui relie chacun d'eux à la personnalité de son historien, et des conséquences qui en résultent pour la validité de la connaissance; préoccupé d'esquisser au fur et à mesure notre traité des vertus de l'historien, nous soulignerons simplement pour l'instant que la richesse de la connaissance historique dépendra directement de l'habileté, de l'ingéniosité avec laquelle seront posées ces questions initiales qui vont conditionner l'orientation d'ensemble de tout le travail ultérieur. Le grand historien sera celui qui, à l'intérieur de son système de pensée (car, si vastes que soient sa culture, et, comme on dit, son ouverture d'esprit, tout homme, par cela même qu'il revêt une forme, accepte des limites), saura poser le problème historique de la manière la plus riche, la plus féconde; saura voir quelle question il y a intérêt à poser à ce passé. La valeur de l'histoire, et j'entends aussi bien son intérêt humain que sa validité, est par là étroitement subordonnée au génie de l'historien — car, comme disait Pascal, « à mesure que l'on a plus d'esprit.

on trouve qu'il y a plus d'hommes originaux », plus de trésors à récupérer dans le passé de l'homme.

Voyez la vision singulièrement enrichie que le génie (autant que la richesse d'information) du grand Rostovtsev nous a procurée de la civilisation hellénistique [17] : elle nous apparaît maintenant comme l'admirable maturité de la civilisation antique — « ce long été sous l'immobile soleil de midi » —, au lieu d'en représenter déjà la décadence, comme le voulait un certain purisme de l'humanisme, trop centré sur la notion d'un siècle d'or, ou comme le voulait une histoire romantique, trop uniquement sensible aux valeurs d'originalité, de création, de jaillissement initial (ce qui la portait à s'intéresser davantage à l'archaïsme, à la « jeunesse » d'un art, d'une pensée, d'une civilisation).

17. *The social and economic History of the hellenistic World*, 3 vol. Oxford, 1942.

3

L'histoire
se fait avec des documents

Une fois la question posée, il faut y trouver réponse et ici intervient la notion de document : l'historien n'est pas ce nécromant que nous imaginions, évoquant l'ombre du passé par des procédés incantatoires. Nous ne pouvons pas atteindre le passé directement, mais seulement à travers les traces, intelligibles pour nous, qu'il a laissées derrière lui, *dans la mesure où* ces traces ont subsisté, où nous les avons retrouvées et où nous sommes capables de les interpréter (plus que jamais il faut insister sur le *so far as...*). Nous rencontrons ici la première et la plus lourde des servitudes techniques qui pèsent sur l'élaboration de l'histoire.

Les philosophes ne l'ont pas assez soulignée, peut-être parce que notre philosophie critique est née, avec Dilthey, dans la période d'euphorie où la science historique, enivrée de ses triomphes, avait tendance à oublier ses limites. Il importe pourtant d'y arrêter la pensée car :

Nous saisissons là une des causes principales de la distinction réelle que nous avons signalée entre le devenir (nouménal) de l'humanité et notre histoire. J'évoquerai ici la mauvaise querelle que Spengler soulève quelque part contre Ranke [1] : celui-ci, en bon technicien, a écrit dans la préface

---

1. *Der Untergang des Abendlandes*, II, chap. I, § 11, trad. fr., t. II, p. 49 (2ᵉ éd.).

de son *Histoire universelle* : « L'histoire ne commence que là où les monuments deviennent intelligibles et où existent des documents dignes de foi. » Là-dessus Spengler éclate en invectives : « La vie n'est-elle donc un fait que si on parle d'elle dans les livres? » Il n'a pas de peine à montrer qu'il a *dû* exister des événements d'importance capitale dont, faute de documents, nous ne saurons jamais le premier mot, ce qui lui permet de déverser son ironie sur les vieux savants myopes, incapables de voir plus loin que le bout de leurs fiches et il brandit triomphalement la formule d'Ed. Meyer : « Est historique ce qui est ou a été actif. » Sophisme! (ce pseudo-prophète, ce maître d'erreurs sombres qu'est Spengler n'en est pas à un sophisme près), qui repose sur l'équivoque déjà signalée : oui, l'histoire c'est « ce qui a été actif », ce passé qui a été vécu, réellement, par des hommes de chair et de sang sur cette terre concrète — mais en tant que nous le connaissons, et nous ne pouvons le connaître que s'il nous a légué des documents; or comme l'existence et la conservation des documents sont dues au jeu d'un ensemble de forces qui n'ont pas été ordonnées en vue des exigences d'un historien éventuel (c'est ce que symbolise le mot irrationnel de « hasard »), il en résulte que nous ne saurons jamais de ce passé tout ce qu'il a été ni même tout ce que nous sommes capables de désirer en savoir. S'en étonner, s'en irriter est aussi absurde que de s'emporter contre une voiture en panne faute d'essence : l'histoire se fait avec des documents comme le moteur à explosion fonctionne avec du carburant.

Beaucoup d'entre les problèmes que pourrait soulever l'historien, d'entre les questions qu'il pose effectivement au passé doivent demeurer sans solution ni réponse faute d'une documentation adéquate.

Ce ne sont pas les questions les plus intéressantes qui sont le mieux documentées : étudiant par exemple la Palestine au Ier siècle, nous avons plus de choses sur la vie sentimentale du roi Hérode que sur la date de la naissance du Christ,

sur le *ius gladii* du *praefectus* de Judée que sur les idées
religieuses de Ponce Pilate.

Même lorsqu'une connivence s'établit entre les héros du
passé et leurs historiens à venir (quand Darius ou Shâpuhr
font sculpter leurs reliefs, funéraire ou triomphal, sur le
rocher de Naksh-i-Rustum, quand les États modernes orga-
nisent et entretiennent leurs dépôts d'archives), l'harmonie
préétablie n'est pas parfaite : ce n'est pas toujours sur ce
que nous voudrions savoir d'eux qu'ils nous ont informés.

Les documents conservés ne sont pas toujours (l'expérience suggère presque d'écrire : ne sont jamais) ceux
que nous voudrions, ce qu'il faudrait qu'ils soient. Ou il n'y
en a pas, pas assez : c'est le cas général en histoire ancienne
où nous travaillons le plus souvent sur des sources littéraires,
toujours trop sommaires, au demeurant secondaires ou
tertiaires (car Tite-Live par exemple n'a pas élaboré son
histoire sur les documents originaux, mais s'est contenté
de refaire le récit de ses prédécesseurs, Polybe ou Valerius
Antias); le peu de sources primaires que nous possédons est
représenté par les documents archéologiques, les inscriptions,
les papyri découverts au hasard des fouilles, en vertu donc
d'une sélection arbitraire.

Jusqu'aux découvertes récentes de Doura et du désert
de Juda, nous ne possédions guère de manuscrits anciens en
dehors des papyri d'Égypte : sélection aveugle, due à la
sécheresse du climat, qui déformait notre connaissance du
monde hellénistique ou romain, car l'Égypte était un pays
très différent des autres régions où rien ne se passait exactement comme ailleurs, et ce n'est pas le pays où se sont
produits les événements les plus importants (qu'on songe à
la position très excentrique qu'a longtemps occupée l'Égypte
dans l'histoire du christianisme).

Un malin génie semble intervenir pour nous priver comme
à plaisir du renseignement cherché : que de fois un papyrus
apparaît déchiré à la ligne où il commençait à devenir intéressant! Ou encore : voyez J. Carcopino s'efforcer de déterminer

la date précise de la mort d'Attale III de Pergame [2] (il importe en effet à l'image qu'on se fera du mérite respectif des deux Gracques de savoir à quel moment de l'année 133 le fait s'est produit) : Carcopino a bien trouvé deux inscriptions pertinentes, mais l'une utilise un calendrier local que nous ne savons pas traduire, l'autre se sert du calendrier romain, mais par malchance la pierre est mutilée à cet endroit et on lit seulement : *le ...ième jour du mois de ...embre!*

Ou bien les documents sont trop : c'est le cas normal en histoire contemporaine, où le chercheur succombe sous le poids des archives accumulées et désormais trop bien conservées; les problèmes réellement intéressants deviennent inabordables, parce qu'ils supposeraient des dépouillements pratiquement infinis, ou du moins hors de proportion avec les résultats espérés; on doit se limiter à des monographies-échantillons — ou bien condamner des équipes de chercheurs (mais quelle société nous les fournira?) à un travail monotone et ingrat.

On étudiera par exemple la Terreur dans le Nord et le Pas-de-Calais, le Fédéralisme en Haute-Garonne, la Vente des biens des émigrés dans le district de Rouen, la Conscription en Charente, les Subsistances dans l'Yonne et particulièrement dans le district d'Auxerre [3]...

Un des plus beaux sujets que présente l'histoire de la Révolution française est cette remarquable innovation pédagogique qu'ont été les Écoles centrales (celle de Grenoble a formé Stendhal). Un de mes anciens élèves nous a donné une excellente monographie sur celle de Lyon; l'intérêt de ses trouvailles l'orientait tout naturellement vers le sujet d'ensemble; mais il a existé une centaine d'Écoles centrales; là-dessus cinquante environ ont déjà été étudiées, de façon plus ou moins satisfaisante; pour connaître chacune des autres, il fallait compter, vu les conditions faites par notre

2. *Autour des Gracques, études critiques*, 1928, p. 37-38.
3. Voir les monographies de L. Jacob, M. Albert, M. Bouloiseau, G Vallée, C. Porée.

société au chercheur, un an de travail en moyenne. L'importance du sujet méritait-elle qu'on y consacrât la vie entière d'un chercheur?

Et j'ai pris jusqu'ici des exemples où la pertinence du document était facilement repérable, ce qui simplifiait la recherche; mais dès qu'il s'agira d'un problème plus subtil, la réponse sera fournie par la convergence de mille indices dispersés : qui guidera l'explorateur dans ce dédale?

On peut présenter ces constatations de fait sous une forme logique plus rigoureuse : nous évoquions plus haut, à l'exemple de Ch. Morazé, le double infini que révèle, à l'analyse, la structure de l'objet historique. Il en résulte des conséquences pour le problème de l'heuristique : oui, l'historien voudrait, devrait tout savoir. Tout — les faits les plus précis (l'analyse atteint très vite à une exigence extrême : la solution d'un problème dépend finalement de la date, par exemple, d'une décision prise par tel individu, d'une démarche accomplie, qu'il faudrait fixer au mois, au jour, à l'heure près : la probabilité pour que de telles précisions aient été correctement enregistrées par des témoignages conservés tend rapidement vers zéro). Tout — le réseau infiniment complexe des causes et des effets qui viennent converger sur le point précis du passé humain que nous voudrions connaître : qui prétendra ici venir à bout de l'immense matériel documentaire dont une enquête réellement approfondie exigerait le rassemblement?

Nous dégageons là une des limites les plus étroites, les plus rigides où se trouve enfermée la connaissance historique : sa possibilité, sa précision, son intérêt, sa valeur se trouvent déterminés (avant toute enquête) par le fait brutal, tout extérieur, de l'existence, ou de l'absence, d'une documentation conservée concernant chacune des questions que la recherche se proposera d'aborder.

Ce n'est pas tout : dans la mesure où les documents existent, il faut encore parvenir à s'en rendre maître; ici interviendra de nouveau la personnalité de l'historien, ses qualités d'esprit, sa formation technique, son ingéniosité, sa culture. Retouchons, pour la compléter, l'esquisse ébauchée : le grand historien ne sera pas seulement celui qui saura le mieux poser les problèmes (car il y a des esprits chimériques habiles à soulever des questions insolubles — ce qui est du temps perdu), mais celui qui, en même temps, saura le mieux élaborer un programme pratique de recherches permettant de trouver, de faire surgir les documents les plus nombreux, les plus sûrs, les plus révélateurs.

Car cette chasse au document, ou, pour employer le terme consacré, l'heuristique est tout un art.

Nos prédécesseurs s'en sont fait trop souvent une image un peu simpliste; ainsi Langlois-Seignobos : « La quantité des documents qui existent, sinon des documents connus, est donnée; le temps, en dépit de toutes les précautions qui sont prises, la diminue sans cesse; elle n'augmentera jamais (... où l'on voit qu'aucun de nos deux auteurs n'était archéologue!). L'historien dispose d'un stock de documents limité, etc. [4]. » Ou encore, à la fin de sa vie le même Seignobos : « Excepté les trouvailles d'objets faites par hasard et les démarches auprès des détenteurs de papiers de famille ou de collections particulières, " l'heuristique " se réduit en fait à l'usage des bibliographies [5]. »

Les choses sont bien plus complexes : un stock déterminé de documents représente une masse inépuisable de renseignements, car il existe un nombre indéfini de questions différentes auxquelles, bien interrogés, ces documents sont susceptibles de répondre : l'originalité de l'historien consistera souvent à découvrir le biais par lequel tel groupe de documents, déjà, croyait-on, bien exploités, peut être versé au dossier d'une question nouvelle.

On a trituré en tous sens les *Conlationes* de Jean Cassien, qui se présentent comme un reportage auprès des Pères du Désert, pour en tirer un enseignement sur le monachisme

4. *Introduction aux études historiques*, p. 275.
5. « Lettre à F. Lot » (1941), *Revue historique*, t CCX, 1953, p. 5

égyptien et on concluait, non sans regret, que son témoignage n'était pas très sûr. Un jour un historien anglais, le Révérend Owen Chadwick [6] s'est avisé que ce récit était avant tout une source directe de l'atmosphère théologique et spirituelle qui régnait dans les milieux monastiques de la Provence des années 425-430 dans lesquels et pour lesquels Cassien a formulé *son* enseignement, placé dans la bouche de ses maîtres égyptiens comme Platon a placé le sien dans la bouche de Socrate.

Il y a dans la bibliothèque de l'École normale un exemplaire d'Hérodote qu'un vieil archicube a farci de notes relatives à la position religieuse de l'homme Hérodote (sa conception de la jalousie des dieux, etc.); je me souviens l'avoir vu entre les mains de mon camarade, le regretté Ch. Lecœur, que la chose amusait fort, car pour lui, sociologue, ce qui faisait l'intérêt du témoignage d'Hérodote c'était les traits de psychologie collective, les mœurs plus ou moins archaïques, les faits de mentalité « pré-logique » que rapportait l'historien, et non ce que celui-ci en pensait.

La sélection des documents utilisables pour telle question posée n'est donc pas une opération purement mécanique et le talent du chercheur trouve là une occasion de s'exercer. Pour commencer, l'heuristique est un « art », au sens antique, *ars*, *tekhnè*, qui comporte des règles, des instruments de travail, des tours de main traditionnels. On ne s'improvise pas historien (les travaux d'amateurs où tant de sincère effort se consume souvent en pure perte sont là pour l'attester) : il faut apprendre à connaître l'existence, la nature, les conditions d'utilisation des diverses catégories de sources historiques. Il serait vain de chercher ici à tracer les grandes lignes d'une telle initiation technique car la science historique a dû adapter sa méthode de recherches aux conditions extrêmement diverses des périodes et des aspects qu'elle

6. *John Cassian, a Study in primitive Monasticism*, Cambridge, 1950, et ma recension dans *L'Antiquité classique*, 1952, p. 240-243.

étudie dans le passé : ce ne sont pas les mêmes genres de documents, ni par conséquent les mêmes répertoires ni les mêmes méthodes d'enquête, qu'utiliseront les historiens de l'Égypte pharaonique, de la philosophie grecque, de la société féodale, de l'art baroque ou de l'économie capitaliste; il aura suffi ici d'en souligner l'évidente nécessité.

A la recherche des sources s'associe intimement l'exploration de la « bibliographie » du sujet; quand on commence un travail historique, il faut lire ce qui a déjà été écrit sur le même sujet, ses alentours et de façon générale son domaine. D'abord pour éviter un travail inutile (que d'amateurs, par ignorance, s'imaginent découvrir l'Amérique), ensuite, et surtout, pour orienter l'heuristique, apprendre de nos prédécesseurs le genre de sources où nous avons chance de trouver quelque chose. Utilisation qui demande du tact, car à trop se laisser influencer par la tradition établie, le novice risque de voir le passé à travers les lunettes d'autrui, de perdre le sens de la question originale et féconde qu'il aurait pu, lui, poser...

L'heuristique est aussi un art au sens moderne du mot car, si perfectionnés que soient, dans certains secteurs, les instruments de travail dont nous disposons, comme leurs compilateurs n'ont pas pu avoir présentes à l'esprit, avoir même conçu comme possibles toutes les questions que nous sommes amenés à poser aux documents, ils ne nous fournissent pas les moyens de découvrir ceux-ci. Souvent l'existence de la documentation ne se révèle que le jour où un historien, s'intéressant, le premier, à *ce* problème, la réclame, la recherche, la fait surgir au moyen de procédés ingénieux, imaginés à cet effet.

Un de mes collaborateurs, l'abbé J. Sainsaulieu, a entrepris une vaste enquête sur l'érémitisme en France, ayant découvert à la fois l'intérêt et l'existence du sujet qui avaient jusque-là échappé aux historiens; du coup les Inventaires d'archives publiés, si bien faits qu'ils fussent, avaient négligé de prévoir une rubrique *Ermites* à leur index et les archivistes consultés répondaient invariablement : phénomène inconnu — ou du moins exotique, archaïque, accidentel. J. Sainsaulieu a donc été amené à élaborer un « guide pour la recherche », véritable *méthodus ad eremitas inveniendos :* *a*) partir de la toponymie : rechercher grâce aux dictionnaires topographiques, aux cartes anciennes à grande échelle (Cassini, etc.) les lieux-dits l'Hermitage (chapelle, ferme, hameau), bois des Ermites, fontaine du Reclus; ... *b*) sur place, interpréter les restes archéologiques : les réclusoirs, transformés en chapelles ou débarras, sont reconnaissables à leur fenestrelle gothique tournée vers l'autel; ... *c*) dans les archives, le document de base, du XVIe au XIXe siècle, est l'acte de décès, porté sur le registre paroissial et normalement suivi dans l'année du compte rendu de prise d'habit ou d'installation du suivant, etc. [7]. Résultat, en trois ans, plus de cinq mille ermites ou ermitages situés dans l'espace et le temps !

Mais l'ingéniosité de l'historien ne se manifestera pas seulement dans l'art de découvrir les documents : il ne suffit pas de savoir où et comment les trouver, il faut aussi, et surtout, savoir *quels* documents chercher. Il faut ici réfléchir sur la notion même de document, de source historique, dont la théorie classique ne donne pas une définition assez compréhensive : tant que l'enquête se limite au domaine très élémentaire de ce que nous appelions l'histoire événementielle, il est assez facile de déterminer ce qu'est le document pertinent; la notion se fait beaucoup plus complexe et surtout beaucoup plus floue lorsque, au-delà de la vérification matérielle de la réalité d'un « fait » précis (c'est-à-dire d'une manifestation extérieure de l'activité humaine), on recherche tous ses tenants et ses aboutissants, ses causes, ses effets, sa signification, sa valeur (pour les acteurs, les contemporains... pour nous).

7. Voir le tract *Enquête sur l'érémitisme*, publié en 1950 par la Bibliothèque d'histoire des religions, Sorbonne.

Reprenons notre enquête sur l'érémitisme; aussi longtemps qu'il s'agit simplement de repérer l'existence d'un ermite ou d'un reclus à telle époque, à tel endroit, la pertinence d'un document est aisée à reconnaître : est-il daté? est-il situé? mentionne-t-il un ermite? Mais lorsqu'on voudra s'élever au-dessus de cette poussière de constatations isolées pour embrasser les problèmes que pose l'existence de ces ermites, problèmes, comme toujours, infiniment variés : religieux, psychologiques, sociaux... et à l'intérieur des problèmes religieux : canoniques, doctrinaux, spirituels... il faudra envisager une enquête embrassant bien d'autres sources d'information que les pièces d'archives : le folklore (proverbes, chansons populaires), les arts plastiques (J. Sainsaulieu nous apprend à distinguer les représentations d'ermites de celles de moines ou de pèlerins), la littérature, des chansons de geste et des fabliaux à Molière (mais oui) et à Claudel, l'histoire du droit (nombreux statuts diocésains, jurisprudence des cours royales sur la capacité civile de l'ermite), et toute l'histoire de la civilisation (chaque promotion d'ermites reflète les grands mouvements d'idées qui ont agité leur temps)...

Est un document toute source d'information dont l'esprit de l'historien sait tirer quelque chose pour la connaissance du passé humain, envisagé sous l'angle de la question qui lui a été posée. Il est bien évident qu'il est impossible de dire où commence et où finit le document; de proche en proche, la notion s'élargit et finit par embrasser textes, monuments, observations de tout ordre.

Ainsi, lorsque avec Marc Bloch [8] ou Roger Dion [9], nous étudions l'histoire de la structure agraire de la France (*open field*, assolement triennal...), un paysage contemplé d'avion ou analysé sur une carte à grande échelle est un document historique dans la mesure où nous savons y voir autre chose

8. *Les Caractères originaux de l'histoire rurale française*, 1931, 2e éd. 1952.
9. *Essai sur la formation du paysage rural français*, Tours, 1934.

que les seuls effets des lois naturelles (géologie, pédologie, climatologie, botanique...) et y reconnaître l'intervention de l'homme.

C'est ce qui a permis à L. Febvre d'écrire [10] : « L'histoire se fait avec des documents écrits, sans doute. Quand il y en a. Mais elle peut se faire, elle doit se faire avec tout ce que l'ingéniosité de l'historien peut lui permettre d'utiliser... Donc, avec des mots. Des signes. Des paysages et des tuiles [11]. Des formes de champ et de mauvaises herbes. Des éclipses de lune et des colliers d'attelage [12]. Des expertises de pierres par des géologues et des analyses d'épées en métal par des chimistes [13]. »

En un mot tout ce qui, dans l'héritage subsistant du passé, peut être interprété comme un indice révélant quelque chose de la présence, de l'activité, des sentiments, de la mentalité de l'homme d'autrefois — entrera dans notre documentation. Définie de la sorte, cette notion apparaît comme une fonction de deux variables indépendantes : autant que du passé (représenté par le matériel de tout genre qui est parvenu de lui jusqu'à nous), elle dépend de l'historien, de son initiative, de son habileté à utiliser ses instruments de travail et ses connaissances, mais d'abord de ce qu'il est en lui-même, de son intelligence, de son ouverture d'esprit, de sa culture.

Les historiens français de ma génération, à qui le cycle d'études qui nous était imposé a donné l'expérience et le goût de la géographie, sont très sensibles à la fécondité que pré-

10. *Combats pour l'histoire*, p. 428.
11. J'explicite les allusions : il s'agit ici de la Carte des toits (répartition des tuiles plates et des tuiles creuses en France) de J. Brunhes, dans G. Hanotaux, *Histoire de la nation française*, 1920, t. I, p. 438-444.
12. Comte Lefebvre des Noëttes, *L'Attelage, le Cheval de selle à travers les âges*, 1931 (2e éd. du livre paru en 1924 sous le titre : *La Force animale à travers les âges*).
13. E. Salin, *Rhin et Orient*, t. II. *Le Fer à l'époque mérovingienne, technique et archéologique*, 1943; *La Civilisation mérovingienne, d'après les sépultures, les textes et le laboratoire*, 1949-1952.

sente pour la recherche proprement historique l'étude des conditions du milieu; voici ce qu'écrit par exemple un grand épigraphiste, L. Robert, l'auteur des *Études anatoliennes* [14] :

« Ce n'est pas un paradoxe que d'insister sur le profit, pour nos études, des journées de voyage où nous n'avons pas trouvé à copier une seule inscription : sur les hauts plateaux, dans les pâturages, dans la tente de poil noir où un yürük hospitalier nous offre le yogourt et la crème — à travers les immenses forêts de pins, solitaires et silencieuses...; — à la source, au bord du sentier, même si nous ne découvrons pas de dédicace aux Nymphes, les Nymphes sont là, présentes, au milieu des platanes et des lauriers-roses, et elles redonnent courage aux hommes et aux bêtes, comme elles ont fait pendant des siècles pour les Cariens et pour les Grecs qui s'arrêtaient là et les priaient en se reposant »... J'abrège (toute la page serait à citer) : il est bien évident qu'il faut d'abord avoir acquis le sens géographique du paysage avant de pouvoir concevoir l'idée d'y chercher une source d'information sur l'Asie Mineure dans l'antiquité!

On comprend pourquoi le romancier anglais Rob. Graves prête à son personnage, notre confrère Asinius Pollion, cette boutade : « L'histoire est un sport pour l'âge mûr », *History is an old man's game!* Plus l'historien aura accumulé en lui de connaissances variées, d'expérience humaine, d'ouverture sur les possibilités indéfinies de l'action, de la pensée, du cœur de l'homme (*accedet homo ad cor altum* [15]), plus il saura apercevoir de possibilités insoupçonnées de documentation. Tout naturellement la formule pascalienne : « A mesure que l'on a plus d'esprit... » se présente à nouveau sous la plume, et à bon droit : l'élargissement de la notion de document progresse de pair avec l'approfondissement de celle d'histoire; la conception étroite du « texte topique » convenait à une histoire historisante, strictement événe-

---

14. *Actes du IIe Congrès international d'épigraphie grecque et latine (Paris, 1952)*, Paris, 1953, p. 11-12.
15. Ps. LXVIII, 7 (Vulg.).

mentielle; à une histoire qui pose désormais au passé des questions toujours plus nouvelles, plus variées, plus ambitieuses ou plus subtiles, correspond une enquête élargie en tout sens à travers les traces de toute espèce que peut nous avoir laissées ce passé multiforme et inépuisable.

Le principe est aujourd'hui établi hors de toute contestation, si bien qu'il nous paraît surtout utile de préciser désormais les limites de l'intervalle utile où il doit être appliqué. Résistons au goût si répandu du paradoxe : Collingwood par exemple s'est laissé emporter à dire : « N'importe quoi peut devenir un document pour n'importe quelle question », *everything in the world is potential evidence for any subject whatever* [16]. C'est vrai, à condition d'insister sur le coefficient potentiel : en droit il n'y a pas de limite imposée aux rapprochements possibles, mais, en fait, il n'est pas vrai que, pour un sujet déterminé, on puisse toujours trouver « quelque part » un matériel documentaire suffisant, ni surtout que dans le matériel rassemblé tous les documents soient également pertinents.

Il m'est arrivé d'écrire, en un jour d'enthousiasme : « On ne comprend pas le rôle de la métaphore de l'« illumination » dans la théorie de la connaissance chez un néo-platonicien comme saint Augustin, tant qu'on n'a pas connu, dans la splendeur d'un matin de printemps, ce que peut être la lumière du ciel méditerranéen [17] »; ce qui n'est pas sans quelque vérité, mais il faut peut-être ajouter qu'il est encore plus nécessaire à l'historien de repérer avec précision les sources immédiates de la doctrine augustinienne dans tel passage des *Ennéades* de Plotin ou dans le prologue de l'*Évangile de Jean*.

L. Febvre polémique contre la valeur restrictive qu'il aperçoit dans la formule attribuée à Fustel de Coulanges :

---

16. *The Idea of History*, p. 280.
17. « Un historien en Sardaigne », *Revue de géographie de Lyon*, 1951, t. XXVI, p. 141.

« L'histoire se fait avec des textes » [18]. Il a bien raison d'insister sur l'existence de mille autres sources de documentation, mais peut-être faut-il avertir ses jeunes lecteurs que, si l'histoire ne se fait pas uniquement avec des textes, elle se fait surtout avec des textes, dont rien ne peut remplacer la précision. Voici par exemple l'admirable portrait de Henri VIII par Holbein, dans le Hall de Christ Church : certes aucun texte ne saurait m'apprendre autant de choses, d'aussi profondes, d'aussi nuancées, sur la psychologie si complexe de cet homme — mais il faut que, par des textes, je sache que c'est bien là le portrait d'Henri VIII; le même tableau ne serait pas un document aussi significatif s'il n'était pour nous qu'un portrait d'Inconnu...

Enfin il nous faut souligner pour finir que cette nouvelle intervention de l'esprit de l'historien, de sa capacité et de son ingéniosité à sélectionner les documents impose encore une autre limitation à la connaissance historique : il ne suffit pas que des documents aient échappé à la destruction, il faut encore que l'historien parvienne à les récupérer! Même si l'on se fait du document l'idée étroite que nous avons critiquée (*le* texte pertinent), même s'il s'agit d'une catégorie de témoignages bien connue, bien pourvue de moyens d'accès (textes d'auteurs classiques, inscriptions latines, cartulaires médiévaux, pièces d'archives diplomatiques : tous domaines où abondent éditions, répertoires, guides de toute sorte), l'historien ne peut jamais être sûr de ne pas avoir laissé échapper quelque pièce essentielle, et cela si méthodiques, si soigneux, si approfondis qu'aient été ses dépouillements. *A fortiori*, si maintenant nous envisageons le problème de la documentation sous la forme généralisée que nous lui avons attribuée, qui pourra se flatter d'avoir épuisé toutes les sources possibles d'information, de n'avoir négligé aucune catégorie possible de renseignements nouveaux? Logiquement parlant, il faut bien

---

18. *Combats pour l'histoire*, p. 4-5, 71, 428...

constater qu'aucune étude historique ne peut nous donner l'assurance d'avoir épuisé tout le matériel documentaire existant.

Si maintenant nous passons à la pratique, je redirai à l'apprenti historien : *thnèta phronein;* tu n'es qu'un homme, non un dieu, apprends à bien compter tes jours, à ne pas gaspiller tes efforts. Il y a, nous l'avons vu, des questions insolubles, en ce sens qu'elles réclameraient un effort colossal de documentation pour un résultat incertain ou sans grand intérêt; d'autres questions ne sont pas mûres tant que n'auront pas été achevés certains travaux préliminaires (recueils ou éditions de sources par exemple). La tentation sera grande (beaucoup y succombent) de préférer les questions vaines mais bien documentées aux problèmes profonds, réellement humains, dont la conquête exige une heuristique périlleuse. L'antinomie n'est pas facile à surmonter : la condition faite à l'historien, cas particulier de la condition humaine, n'est pas de tout repos! Pour le reste, j'aime à introduire ici la notion de rendement. Imaginons une usine métallurgique où en appliquant tel procédé on réussit à extraire, disons, 80 % du métal pur contenu dans le minerai, avec une dépense de tant par tonne traitée; si, pour élever le rendement de 80 à 85 %, il fallait décupler, centupler les frais d'extraction, quel ingénieur en accepterait la responsabilité? Il en est souvent de même dans l'heuristique historique : il vient un moment où les procédés d'enquête imaginés ont à peu près épuisé leurs vertus; pour augmenter le stock de documents recueillis il faudrait prolonger indéfiniment la recherche, dépenser des efforts immensément accrus, et cela pour un rendement infime; la raison, pratique, conseille alors de s'arrêter.

Poursuivons notre analyse du travail de l'historien : nous le trouvons en présence d'un dossier de documents rassemblés; passant à leur étude, il se saisit d'une première pièce, ce sera par exemple (imaginons qu'il étudie la vie romaine aux alentours de notre ère) l'inscription

funéraire longtemps connue sous le nom de *Laudatio
Turiae* [19]. Objectivement, ce document se présente comme
un ensemble de petits segments de droite, accompagnés
de quelques demi-cercles et (moins nombreux) de cercles
complets, assemblés de façon irrégulièrement régulière en
bandes parallèles, le tout gravé en creux sur l'original de
marbre, tracé à l'encre sur le papier d'une copie ou d'une
édition. Description paradoxale : le document ne consiste
pas dans cette réalité matérielle; il est un document dans la
mesure où cet assemblage de traits droits et courbes apparaît à l'esprit de l'historien comme constituant des lignes
d'une écriture, symbole et vecteur de pensée, utilisant un
alphabet connu (celui de la capitale latine), servant à noter
une langue, le latin classique, qu'il possède bien; en un mot,
c'est un document dans la mesure où l'historien peut et sait
y *comprendre* quelque chose.

Nous venons de prononcer le mot clé : dès ce premier
contact avec son objet matériel, le document, l'élaboration
de la connaissance historique nous montre en action l'opération logique fondamentale que toute la suite de notre analyse ne cessera de mettre en évidence à chaque niveau suc-
cessif du travail de l'historien : la compréhension, *das
Verstehen.*

Empiriquement observée, la compréhension historique
apparaît comme l'interprétation de signes (volontaires :
telle notre inscription) ou d'indices (les cendres d'un foyer,
des empreintes digitales) à travers la réalité immédiate
desquels nous réussissons à atteindre quelque chose de
l'homme d'autrefois, son action, son comportement, sa
pensée, son être intérieur ou au contraire parfois simplement sa présence (un homme a passé par là).

Parmi ces indices, tous ne sont pas nécessairement issus de
l'action, d'une intervention, de l'homme : la coulée de boue

---

19. *C.I.L.*, VI, 1527, rééditée et brillamment commentée par M. Durry
sous le titre : *Éloge funèbre d'une matrone romaine*, Paris, coll. « Budé »,
1950.

solidifiée, la couche de cendres et de lapilli qui recouvrent Herculanum ou Pompéi constituent un « document » historique au même titre que la lettre fameuse de Pline le Jeune à Tacite sur l'éruption du Vésuve en 79; ou encore : supposons qu'une vache, ayant traversé inopinément la route nationale sur le bord de laquelle elle paissait, ait provoqué un accident d'automobile; relever les empreintes de ses sabots importera autant à l'enquête que l'audition d'un témoin.

C'est que la connaissance du passé humain ne se limite pas aux seules données proprement humaines de ce passé. L'homme ne vit pas isolé, comme sous la cloche d'une machine pneumatique; il est inséparable du « milieu » dans lequel il est inséré, milieu complexe : physique, chimique, biologique, etc., autant qu'humain. Son histoire intégrera dans sa connaissance les phénomènes naturels qui, faisant partie de ce milieu, ont joué un rôle dans son passé : la peste d'Athènes dans la guerre du Péloponnèse, la vague de froid qui permit aux Alains et aux Vandales de passer le Rhin gelé à la hauteur de Cologne le 1er janvier 407...

Soulignons que, dans la vie quotidienne, l'expérience du présent offre la même association de phénomènes naturels et de faits proprement humains. Devant moi, dans la rue, un passant glisse sur une pelure de banane, tombe, se relève en grommelant et se frotte le genou; dans la prise de conscience que j'ai de cet incident, il faut faire deux parts : *a*) remontant des effets à leur cause, je reconstitue l'enchaînement des phénomènes observés en utilisant ma connaissance, implicite ou savante, des lois de la biologie et de la mécanique (l'ensemble de forces appliquées à tel instant au talon droit du passant a admis une résultante horizontale); *b*) interprétant les signes expressifs qui les manifestent, je comprends les sentiments éprouvés par la victime (douleur, indignation...).

L'histoire ne s'intéresse pas seulement à ce qu'il y a de spécifiquement humain dans le passé de l'homme : conclure de la présence d'empreintes digitales au fait « un homme a passé par là », n'est pas différent de l'interprétation des traces d'un animal, ou plus généralement d'un corps mobile animé de tel mouvement. Mais il peut arriver que ce corps mobile ait été celui d'un assassin : le fait purement physique de sa présence, en tel lieu à tel instant, sera assumé dans la connaissance de caractère synthétique qu'est l'histoire en même temps que les significations proprement humaines de son acte, et il est bien évident que c'est la compréhension de ces valeurs qui confère à la connaissance historique son caractère spécifique.

Si l'on veut pouvoir rendre compte de façon satisfaisante de ce processus de compréhension, il faut renoncer à se servir d'une transposition des méthodes des sciences de la nature (l'historien ne met en œuvre ni déduction, ni induction à proprement parler); il faut prendre son point de départ dans la connaissance dite vulgaire, celle que nous mettons en œuvre dans la vie de tous les jours. Au point de vue de la théorie de la connaissance, l'histoire, cette rencontre de l'autre, apparaît étroitement apparentée à la compréhension d'Autrui dans l'expérience du présent et rentre avec elle dans la catégorie plus générale (où elles sont rejointes par la connaissance du Moi) de la connaissance de l'homme par l'homme. Le problème de la compréhension historique débouche ainsi dans un problème plus général qu'elle suppose résolu.

Je ne me donnerai pas le ridicule d'improviser en quelques lignes une solution aux questions difficiles que soulèvent la possibilité de sortir du Moi, la rencontre de l'Autre, la réciprocité des consciences..., questions si sérieusement, si anxieusement scrutées par la pensée moderne, de Hegel [20] à nos contemporains [21]. Il me suffit de constater qu'aucune

---

20. J. Hyppolite, *Genèse et Structure de la Phénoménologie de l'esprit de Hegel*, Paris, 1946, p. 311-316.
21. On sait le rôle que la pluralité des consciences joue dans la philosophie de Husserl ou le *Mitsein* dans celle de Heidegger; comment ne pas évoquer aussi les belles thèses de M. Nédoncelle, *La Réciprocité*

pensée réfléchie ne peut se dispenser d'y répondre, fût-ce au prix de la solution paresseuse et facile du pragmatisme [22]; seul le solipsisme, position paradoxale, dont on peut douter qu'elle ait jamais été sérieusement assumée, se refusera à admettre l'authenticité de la rencontre d'autrui : toute théorie de la connaissance consciente de ses devoirs se doit d'intégrer le fait de l' « intersubjectivité » (au besoin, elle posera le « nous » comme le donné fondamental, et par suite indémontrable), d'en rendre compte, d'établir que ce fait, accepté par la mentalité commune, n'est pas illusoire.

Je laisserai donc à la gnoséologie proprement dite le soin de formuler sa réponse à cette question générale de la connaissance d'autrui; n'ayant ici à assumer que la théorie de la seule connaissance historique, il me suffira de rendre compte de la compréhension des documents relatifs au passé; j'y parviendrai en montrant qu'elle n'est pas différente, d'un point de vue logique, de la compréhension des signes et des indices qui nous rendent possible la connaissance d'autrui dans l'expérience du présent. Qu'on veuille bien suivre la gradation de ces cas successifs :

— comprendre les paroles que nous adresse un ami présent;

— comprendre un billet que le même ami, nous ayant trouvé absent, vient de griffonner sur notre table et où il a consigné la communication qu'il nous aurait faite, dans les mêmes termes, s'il nous eût rencontré;

— comprendre une lettre qu'il nous a écrite, non pas un instant auparavant, mais hier — il y a un an — il y a dix ans...;

des consciences, 1942, ou de M. Chastaing, *L'Existence d'autrui*, 1951; voir aussi F. J. J. Buytendijk, *Phénoménologie de la rencontre*, trad. fr. 1952.

22. Voir par exemple G. J. Renier, *History, its Purpose and Method*, Londres, 1950, p. 146-154.

— (sautons les degrés intermédiaires) ...comprendre les *Confessions* de saint Augustin.

Ou encore :

— comprendre une lettre que nous communique un ami et qu'un tiers, ami commun, lui a écrite;

— (sautons encore les intermédiaires) ...comprendre une lettre de saint Jérôme à saint Augustin (ne les connais-je pas, l'un et l'autre, comme des amis, et beaucoup plus profondément certes que certaines parmi mes relations contemporaines?).

Et pour finir :

— comprendre un document quelconque, émané d'un autre être humain.

J'entends bien ne pas renouveler ici les vieux sophismes hérités des Mégariques (le « tas de blé », le « chauve »), comme si « toutes les fois qu'une transition est insensible ou une frontière vague entre deux genres, on pouvait toujours de proche en proche confondre les extrêmes, ainsi le langage de la fourmi et celui du poète [23] ».

Non, cette gradation a simplement pour but de mettre en évidence le fait que, logiquement parlant, il n'y a rien de spécifique dans la compréhension relative au passé; c'est bien le même processus que met en jeu la compréhension d'autrui dans le présent et en particulier (puisque le plus souvent et dans le meilleur cas, le document envisagé est un « texte ») dans la compréhension du langage articulé.

J'inviterai ici mon lecteur à se reporter aux classiques de la psychologie du langage (Janet, Delacroix, Piaget...); il y constatera ce fait révélateur : le comportement, normal ou pathologique, qu'analysent ces auteurs est exactement le même, psychologiquement et gnoséologiquement, que celui de l'historien aux prises avec les documents du passé. On nous explique comment s'établit, dans le présent, la

---

23. P. Ricœur, critiquant la thèse de M. Chastaing dans *Esprit*, février 1954, p. 291.

compréhension de la parole entendue : comment une interprétation se forme dans la conscience, se précise, se contrôle,
se corrige : or, le travail de l'historien s'accomplit en suivant la même démarche, d'apparence paradoxale, qui
pourrait se définir à première approximation comme un
cercle vicieux (en fait l'image géométrique qui convient est
plutôt, on l'a vu, celle de l'hélice et même de l'hélice conique qui s'élargit à chaque spire), paradoxe jadis bien mis en
lumière par saint Augustin dans son *De Magistro*.

On me permettra de la définir, en termes platoniciens,
comme une dialectique du Même et de l'Autre. Pour que
je puisse comprendre un document, et plus généralement
un autre homme, il faut que cet Autre relève aussi très
largement de la catégorie du Même : il faut que je connaisse
déjà le sens des mots (ou plus généralement des signes)
qu'utilise son langage; ce qui exige que je connaisse déjà aussi
les réalités mêmes dont ces mots ou ces signes sont le symbole : nous avons besoin d'un dictionnaire illustré pour
comprendre le sens des mots désignant certains objets ou
instruments d'usage spécialisé; de façon générale, rien de
plus difficile à faire comprendre que les termes techniques
d'une « langue spéciale » (un argot de métier) à qui ignore le
métier ou la technique intéressés. Nous ne comprenons
l'autre que par sa ressemblance à notre moi, à notre expérience acquise, à notre propre climat ou univers mental.
Nous ne pouvons comprendre que ce qui, dans une assez
large mesure, est déjà nôtre, fraternel; si l'autre était complètement dissemblable, étranger à cent pour cent, on ne voit
pas comment sa compréhension serait possible.

Cela reconnu, il ne peut exister de connaissance d'autrui que si je fais effort pour aller à sa rencontre en oubliant,
un instant, ce que je suis, en sortant de moi pour m'ouvrir
sur l'autre; je proposerai (mais peut-être est-ce un détour
bien pédant) d'emprunter ici à la phénoménologie contemporaine sa notion d'*epokhè* (*Ausschaltung*), non bien entendu
sans lui faire subir les transpositions nécessaires (nous

l'appliquerions au moi, à ses préoccupations, à ce que j'appelais l'urgence existentielle — et non comme Husserl au monde naturel) : oui, la rencontre d'autrui suppose, exige, que nous « mettions en suspens », placions entre parenthèses, oublions pour le moment ce que nous sommes pour nous ouvrir sur cet autrui.

J'interromprai volontiers cette analyse pour reprendre l'esquisse de notre traité des vertus de l'historien. Il devra, à un degré éminent et comme naturellement, être capable d'une telle *epokhè*. Cela n'est pas donné à tous; chacun de nous a rencontré dans la vie des hommes qui se révèlent incapables de s'ouvrir, de prêter attention à autrui (de ces gens dont on dit qu'ils n'écoutent pas quand on leur parle) : de tels hommes feraient de bien mauvais historiens.

C'est quelquefois par étroitesse d'esprit et c'est alors manque d'intelligence (ne disons pas égoïsme : le véritable égocentrisme est plus subtil); mais le plus souvent il s'agit d'hommes qui, écrasés sous le poids de leurs préoccupations, se refusent en quelque sorte le luxe de cette mise en disponibilité. Ce type de caractère est fréquent chez les philosophes (d'où cette incompatibilité d'humeur, qu'on a souvent observée entre eux et les historiens) : le vrai philosophe, dira-t-on souvent, est l'homme possédé par un problème qui s'impose à lui comme nécessaire; il considérera volontiers comme une infidélité à sa vocation de cesser, fût-ce un instant, d'en poursuivre l'élaboration et cela dans la perspective même de sa propre dialectique; creusant toujours plus profondément son puits de mine, il devient vite incapable de lever la tête pour regarder ailleurs — pour comprendre une pensée étrangère à la sienne (d'où l'aspect « dialogue de sourds » que revêt facilement toute discussion menée par de tels philosophes); l'historien au contraire (est-il nécessaire de dire qu'il s'en rencontre, et d'éminents, chez les philosophes eux-mêmes?) sera au contraire celui qui acceptera de mettre sa pensée en vacances, d'entreprendre de longs circuits où il se dépaysera, parce qu'il sait quel

élargissement du moi procure ce détour qui passe par la
découverte d'autrui : nous reviendrons là-dessus plus à loisir (ch. x).

Mais reprenons notre analyse : comment ce circuit, ce
déplacement hors du moi est-il réalisable? Comprendre le
sens des mots (ou des signes), puis par là communier avec la
pensée ou les sentiments qui les ont inspirés, représentent
deux périodes successives du mouvement en cercle, disons
mieux, deux spires de notre hélice. Dans ce que me dit cet
autre, il y a des mots et des phrases que je connais bien, que
j'aurais pu employer moi-même; ces expressions évoquent
dans ma conscience des sensations, des impressions ou des
idées qui auraient pu avoir été les miennes; alors, je comprends sans effort : cet autre est tellement semblable à moi
que nous ne faisons qu'un. D'autres fois, l'expression
employée me surprend (« voilà quelque chose que je n'aurais
jamais pensé, que je n'ai jamais éprouvé »), mais il y a en
elle assez d'éléments communs avec le contenu de mon
expérience acquise pour que je puisse construire par analogie
une hypothèse sur ce qu'elle peut avoir signifié, avoir cherché
à dire (prenant ici analogie au sens rigoureux qu'a dans le
thomisme la notion d'analogie d'attribution). En possession de cette hypothèse, je reviens à autrui et, replaçant
mon interprétation dans le contexte, j'essaie de vérifier sa
convenance; si, à l'épreuve, elle ne se révèle pas entièrement
satisfaisante, je la reprends, la corrige et tente à nouveau de
la vérifier; le processus peut être simple ou complexe,
automatique et par suite inconscient ou, au contraire, ralenti
par la difficulté, se poursuivre en pleine conscience.

D'un tel processus, l'expérience quotidienne nous donne
mille exemples dans la vie courante : que de fois nous
arrive-t-il d'interrompre notre interlocuteur pour lui dire :
« Je ne vous suis plus : que voulez-vous dire au juste... »
ou bien : « Si je comprends bien, vous estimez que... »,
et alors nous proposons notre hypothèse à sa vérification.
C'est là évidemment le cas le plus favorable, et il est bien

différent de celui de l'historien. Mais les difficultés que doit surmonter celui-ci se rencontrent aussi dans l'expérience du présent : quelle différence entre : comprendre la conversation familière d'un ami, qu'il nous est loisible d'interrompre à volonté pour provoquer explications ou vérifications nécessaires — ou écouter un conférencier, un maître que, par déférence ou tradition, il ne sera pas possible d'interroger sur ce qu'il aura dit! Ici encore, on le voit, le caractère « Passé » de l'objet historique n'introduit pas d'élément spécifiquement nouveau dans le mécanisme de la compréhension.

Reprenons l'exemple choisi de la *Laudatio Turiae* : je comprends ce texte parce qu'il est écrit en latin classique, disons avec plus de précision dans la langue écrite qu'utilisait le milieu aristocratique de Rome à l'époque de César et d'Auguste, langue illustrée par une abondante littérature, enseignée dans nos écoles — que j'ai apprise, ayant été un bon élève. Le vocabulaire, le style de notre éloge funèbre ne déroutent pas l'humaniste, familiarisé avec l'œuvre de Cicéron et de Tite-Live; les sentiments, les idées qu'exprime cet Ancien (il s'agit d'un veuf faisant l'éloge de sa femme défunte) ne me surprennent pas trop : il exprime là des réactions d'un ordre largement humain, qui souvent ne sont pas très différentes de celles qu'en un cas analogue manifesterait un de nos contemporains. Il y a, sans doute, des aspects moins lumineux : les sentiments de ce Romain du Ier siècle ne sont pas tout à fait ceux que je puis, par sympathie, éprouver; chrétien, je suis surpris de cette indifférence toute hellénistique pour le problème religieux; citoyen d'un *Welfare state*, j'ai quelque peine à comprendre la place que tiennent les questions d'héritage et de patrimoine dans la vie conjugale de ces grands propriétaires; au surplus comme ma culture personnelle est conditionnée par l'état de la science moderne, j'ai peine à me débrouiller au milieu des énigmes juridiques que soulèvent les allusions imprécises de ce texte à des procès, criminels ou civils, mettant en œuvre la subtile technicité du droit romain... Aux prises avec ces difficultés, j'essaie de formuler des hypothèses, extrapolant mon expérience humaine et mes connaissances théoriques, hypothèses qui cherchent à rendre compte des expressions et du contexte de notre document.

Ces hypothèses seront d'autant plus précises et auront d'autant plus de chances d'être exactes qu'elles s'appuieront davantage sur le terrain solide de la similitude existant entre cet autrui et moi. Plus la part de l' « Autre » ira croissant aux dépens de la catégorie du « Même », comme il arrive à mesure que le document provient d'un passé plus lointain ou d'un milieu plus exotique, plus la compréhension deviendra difficile, hasardeuse, partielle : la langue sera moins bien connue, les réalités évoquées par ces signes appartiendront à un ordre moins familier, deviendront moins aisément concevables.

Mais si les difficultés croissent rapidement dans la compréhension du passé, le mécanisme mis en œuvre n'est pas techniquement différent de celui que suppose la vie quotidienne : qu'un artiste original apparaisse, qu'un écrivain donne un sens nouveau aux mots de la tribu, et ne sommes-nous pas aux prises avec de pareilles difficultés? Le cas typique est celui du philosophe : par définition celui-ci a jeté un regard neuf sur la connaissance, l'être, le monde ou l'homme; il en rapporte un message toujours difficilement communicable, précisément en tant qu'il contient un facteur de nouveauté, radicalement hétérogène à la culture commune.

D'où les difficultés inextricables du langage philosophique: ou il essaiera d'utiliser toutes les ressources de la langue commune (il y a des philosophes, Platon, Bergson chez nous, par exemple, qui ont su en jouer avec un art incomparable), celles de la rhétorique (figures de mots, figures de pensée...) pour suggérer *Quel che la parola non ha detto e non dice*, ce que les mots jusque-là n'avaient pas su dire et en fait ne disent pas, si bien que l'on n'est jamais sûr d'avoir compris, de ne pas être dupe de l'art même, d'une métaphore, d'une image. Ou bien le philosophe se risquera à élaborer une langue technique, truffée de néologismes, qui rebute le lecteur par son jargon abstrus et, ce qui est plus grave, substitue au réel entrevu un jeu d'abstraction, de fumées vaines [24]...

Quel que soit le parti adopté, la compréhension du « document » philosophique reste toujours difficile et en un sens précaire : nous nous scandalisons de l'incompréhension témoignée par les contemporains à la philosophie de Kant; on peut déjà s'étonner de l'écho, sonore, mais singulièrement déformé, que la lecture de Heidegger a éveillé dans la pensée de J.-P. Sartre.

Qu'il s'agisse d'un texte contemporain présentant des difficultés spéciales ou qu'il s'agisse d'un document historique provenant d'un lointain passé, le mécanisme de la compréhension est tout à fait analogue. Je renverrai à nouveau mon lecteur aux psychologues du langage. Je songe en particulier aux expériences de Piaget sur des enfants de 11 à 12 ans : « Si on glisse un mot inconnu dans la phrase, le mot, inconnu est compris en fonction du schéma d'ensemble [25]. » Mais c'est très exactement ainsi que nous procédons, philologues classiques ou historiens de l'antiquité, lorsque nous cherchons à faire avancer notre connaissance du vocabulaire des langues mortes.

J'ai essayé de montrer par exemple [26] que le mot *melographia*, qu'on traduisait, d'après l'étymologie, par « dictée musicale », signifiait au contraire « poésie lyrique chantée », en m'appuyant sur l'homogénéité du contexte des documents qui le renferment (inscriptions concernant des concours scolaires, épigramme du grammairien Apollodore : « Homère, élégie, muse tragique, *melographia* »).

24. On s'est limité ici à quelques indications sommaires : le problème vient d'être analysé avec beaucoup de bonheur par Y. Belaval, *Les Philosophes et leur Langage*, 1952.
25. H. Delacroix, *Le Langage et la Pensée*, 1924, p. 462.
26. *L'Antiquité classique*, 1946, t. XV, p. 289-296.

Mécanisme qui ne va pas sans erreurs, erreurs qu'une expérience plus complète, des rapprochements mieux analysés permettent plus tard, dans les cas favorables, de corriger; ici encore, analogie parfaite entre l'initiation au langage commun et la compréhension du passé.

« L'enfant comprend la plupart des mots autrement que l'adulte : les recevant dans une seule position de phrase il se méprend à tout instant [27]. » J'ai connu un garçon de dix-neuf ans, ouvrier bijoutier, pour qui l'adjectif « local » signifiait « pornographique » : il n'avait rencontré ce mot que sur des affiches de music-hall annonçant une « Revue *locale* à grand spectacle » — spectacle en fait assez déshabillé!

Les plus graves de nos orientalistes ne procèdent pas autrement lorsqu'ils s'efforcent de déchiffrer une langue mal connue, comme le phénicien archaïque des textes, écrits en alphabétique cunéiforme, de Ras-Shamra : dans le mot écrit par les trois consonnes T.R.KH on a d'abord reconnu le nom du père d'Abraham, Tharé ou Térah, et (d'après le contexte) on en a fait un dieu lunaire; puis on a cru mieux comprendre : ce serait l'équivalent de l'acadien *tirhatu* qui signifie « dot » ou quelque chose d'approchant (le prix à verser au beau-père pour acquérir l'épouse); d'autres hypothèses sont venues : « pierre précieuse », « coupe servant à la divination », nom d'animal [28]...

A qui s'étonnerait de tels rapprochements, et en tirerait des conclusions sceptiques (comme si l' « âge mental » de l'historien était celui d'un adolescent un peu retardé), je rappellerai que cette méthode de compréhension, cette dialectique du Même avec l'Autre (pour comprendre il faut que le même l'emporte nettement sur l'autre : si, quoi qu'il en soit du sens exact de T.R.KH, les tablettes de Ras-Shamra ont pu être, dans l'ensemble, rapidement, et à coup sûr,

---

27. M. Cohen, « *Persistance du langage enfantin* », *Journal de Psychologie*, 1933, p. 391.

28. D. De Langhe, *Les Textes de Ras-Shamra Ugarit et leurs Rapports avec le milieu biblique de l'Ancien Testament*, 1945, t. II, p. 504-519

déchiffrées, c'est que leur langage est du sémitique occidental, et même très proche de l'hébreu, famille et langue bien connues), ne s'applique pas seulement au cas relativement élémentaire du langage de la vie courante, mais rend compte également de l'initiation à tout mode d'expression, même les plus complexes, ceux par exemple de l'expression artistique.

Ainsi, la musique : un amateur, dont l'oreille a été formée exclusivement par l'usage du répertoire classique et romantique, à qui on fait entendre pour la première fois du Schönberg ou du Pierre Boulez, est aussi déconcerté que l'archéologue devant une langue inconnue — c'est pour lui du Nonsens absolu.

Comment parvenons-nous à élargir notre goût, notre compréhension dans ce domaine sinon, là aussi, par la familiarité, l'habitude, la patiente confrontation des analogies et des ressemblances, l'adaptation au contexte... ? Et cela aussi suppose, exige un esprit ouvert (il y a des gens dont le goût est si étroit, la volonté de n'en point sortir si affirmée, qu'ils ne comprendront jamais rien aux formes nouvelles que l'art pourra être amené à revêtir), une volonté de s'enrichir, de sortir de soi, une structure mentale analogue à celle que s'est révélée exiger en histoire la compréhension du document.

« Alterner tension et détente, laisser venir, laisser mûrir, se tromper et se détromper, accepter de ne plus entendre ce que l'on avait entendu, reprendre, s'assoupir, imiter du dehors avant d'aller au vrai avec toute son âme, tel est l'art auquel je me dresse... » C'est un philosophe qui parle [29] et il veut décrire la compréhension d'un auteur difficile; il n'y a pas un mot à changer à son analyse pour l'appliquer à l'amateur d'art en présence d'un style, plastique ou musical, qui le déconcerte de prime abord — ou à l'historien devant les témoins du passé.

29. Y. Belaval, *op. cit.*, p. 154.

4

Conditions et moyens de la compréhension

Parvenus en ce point, il nous faut réfléchir sur les conditions subjectives qui rendent possible — et limitent — cette compréhension. L'historien nous est apparu comme l'homme qui par l'*epokhè* sait sortir de soi pour s'avancer à la rencontre d'autrui. On peut donner un nom à cette vertu : elle s'appelle la sympathie.

A ce mot je sens sursauter dans leur tombe nos vieux maîtres positivistes : quel renversement de perspective! A lire leurs manuels, on a l'impression que pour eux au contraire la vertu première de l'historien devait être l'esprit critique : tout document, tout témoin sera pour commencer frappé de suspicion; la défiance méthodique est la forme que prendra, appliqué à l'histoire, le principe cartésien du doute méthodique, point de départ de toute science; systématiquement, on se demandera en face de tout document : le témoin a-t-il pu se tromper? A-t-il voulu nous tromper [1]?

L'image qu'il convient de nous faire de l'historien sera tout autre : non, il ne doit pas avoir en face des témoins du passé cette attitude renfrognée, tatillonne et hargneuse, celle du mauvais policier pour qui toute personne appelée à comparaître est *a priori* suspecte et tenue pour coupable jusqu'à preuve du contraire; une telle surexcitation de l'esprit critique, loin d'être une qualité, serait pour l'historien un vice radical, le rendant pratiquement incapable de recon-

1. Langlois-Seignobos, *Introduction aux études historiques*, p. 131, etc.

naître la signification réelle, la portée, la valeur des documents qu'il étudie; une telle attitude est aussi dangereuse en histoire que, dans la vie quotidienne, la peur d'être dupe, cette affectation que Stendhal aime à prêter à ses personnages (« je suppose toujours que la personne qui me parle veut me tromper »...).

Si la compréhension est bien cette dialectique du Même avec l'Autre que nous avons décrite, elle suppose l'existence d'une large base de communion fraternelle entre sujet et objet, entre historien et document (disons plus précisément : et l'homme qui se révèle à travers le document, ce signe) : comment comprendre, sans cette disposition d'esprit qui nous rend connaturels à autrui, nous permet de ressentir ses passions, de repenser ses idées sous la lumière même où il les vit, en un mot de communier avec l'autre. Le terme de sympathie est même insuffisant ici : entre l'historien et son objet c'est une amitié qui doit se nouer, si l'historien veut comprendre, car, selon la belle formule de saint Augustin, « on ne peut connaître personne sinon par l'amitié », *et nemo nisi per amicitiam cognoscitur* [2].

Non certes qu'une telle conception élimine l'esprit critique : cette tendance à la sympathie qui s'actualise en amitié se développe à l'intérieur de la catégorie fondamentale qui nous a fait définir l'histoire comme connaissance, comme conquête de la connaissance authentique, de la vérité sur le passé. Je veux connaître, je veux comprendre le passé, et d'abord ses documents, dans leur être réel; je veux aimer cet ami qui est un Autre existant, et non pas, sous son nom, un être de raison, un fantôme complaisamment nourri par mon imagination. L'amitié authentique, dans la vie comme dans l'histoire, suppose la vérité : rien n'est plus contestable que la conception que, d'après les Tharaud, Péguy se serait faite de l'amitié : à les en croire, il aimait chez ses amis l'image idéale qu'il en caressait, quitte

2 *Sur quatre-vingt-trois questions diverses*, 71, 5.

à les rejeter lorsqu'il s'apercevrait un jour qu'ils n'incarnaient pas, ou pas assez, l'archétype dont il leur avait confié le rôle. Une passion sincère n'abolit pas le sens du réel : je me réjouis en un sens de découvrir même les limites, même les défauts de celui que j'aime, parce que ce contact, parfois brutal, avec l'existant me confirme sa réalité, son altérité essentielle : puisqu'il n'est pas confondu avec mon rêve, c'est donc qu'il n'est pas le fruit d'une illusion complaisante; à qui sait aimer, cette expérience de l'autre, cette sortie de soi permettra de surmonter toute désillusion.

Si l'esprit critique et la sympathie ne sont pas, de soi, contradictoires, il s'en faut que ces deux vertus soient toujours faciles à concilier, qu'elles soient également représentées dans l'esprit de chaque savant. Mais l'élaboration de l'histoire est le fruit d'un effort collectif et les excès des uns viennent corriger les déficiences des autres. Il est utile au progrès de notre science qu'une critique exigeante, voire injuste, vienne réveiller une sympathie somnolente, en train de glisser à la complaisance et à la facilité.

Mais lorsqu'on examine de près l'apport réel de ces diverses phases de la recherche, il semble bien que ce soit toujours la sympathie, source et condition de la compréhension, qui représente la phase constructive : la critique démolit l'édifice provisoire d'une connaissance imparfaite, pose des exigences utiles à la reconstruction ultérieure, mais, par elle-même, apporte peu. Ainsi : L. Febvre a bien montré dans sa brillante monographie sur *Martin Luther* combien l'histoire du grand réformateur avait en définitive bénéficié de l'entreprise de démolition, agressive et rageuse, du P. Denifle; mais c'est surtout un bénéfice indirect : celui qui consistait à détruire l'image complaisante que s'était donnée l'hagiographie luthérienne, à souligner sa discordance avec les données réelles de nos documents. Si Denifle a cependant apporté quelque contribution positive à l'avancement de notre connaissance de Luther, ce n'est pas par sa critique, mais c'est dans la mesure où sa compétence personnelle de médiéviste, sa propre expérience de religieux et de théologien catholique, amenaient ce dominicain du XIXᵉ siècle à sympathiser, malgré lui, avec l'augustin du XVᵉ.

Autre redressement : il semblait à nos pères que l'historien trouvait dans la critique l'occasion de ses plus beaux exploits; l'équation symbolique :

$$h = P + p$$

se vérifiait dans le document avant de s'appliquer à l'historien; il semblait que les documents ne pouvaient rien contenir sinon un peu de vérité mêlée à beaucoup d'erreurs, celles que l'incapacité et le mensonge des témoins ou des agents de transmission avaient ajoutées à l'enregistrement objectif des faits. L'historien dès lors était avant tout le critique qui ne se laissait pas surprendre, qui savait déceler l'interpolation, démasquer le faussaire, retirer l'attribution usurpée... D'où, à la longue, chez lui ce parti pris déplaisant de souligner en ricanant les petitesses et les faiblesses d'autrui, cette attitude hautaine et méprisante et pour finir cette sorte d'incapacité à communier, à dire oui, à reconnaître, là où elles existent, les véritables valeurs humaines; d'où les invectives de Péguy, dans *l'Argent* et surtout *l'Argent suite*, si pertinentes et si profondes, sous l'outrance passionnée de la forme, contre cette histoire des critiques qui ne peut que nier, diminuer, détruire, qui ne rencontre partout que menteurs ou fantoches, et jamais des héros ni des saints.

On se souvient que Péguy s'en prend au compte rendu, naïvement élogieux, que son adversaire Ch.-V. Langlois avait donné, dans la *Revue critique*, du *Saint Martin* de Ch. Babut (« celui-ci a démontré clair comme le jour que saint Martin était une sorte de douteux et de détestable paltoquet... ») : ce livre peut bien servir aujourd'hui d'exemple de l'attitude critique aboutissant à l'impossibilité de comprendre : qu'en reste-t-il après la double exécution qu'en firent le bollandiste H. Delehaye et notre Camille Jullian?

Nous estimons au contraire aujourd'hui que l'expérience

de l'histoire, loin de s'accommoder d'un tel orgueil, exige de nous, développe d'ailleurs en nous, une constante et profonde humilité. L'histoire est rencontre d'autrui et nous montrerons que, pour qui n'a pas l'âme étroite et vile, elle est souvent l'expérience d'une grandeur qui nous terrasse, car les hommes d'autrefois qu'elle nous révèle étaient souvent plus grands que nous. Mais avant d'en arriver là, dès la phase préliminaire du travail qu'est le premier dialogue avec le document, notre attitude sera déterminée par le souci d'être attentif et comme réceptif à l'objet et d'abord à ce document qui le révèle. Rien de cette roideur de président des assises : « Accusé, levez-vous! » : la crainte salutaire que nous devons ressentir c'est moins d'être trompé que de nous tromper, de ne pas être capable de comprendre. Il n'est pas si facile de comprendre un document, de savoir ce qu'il est, ce qu'il dit, ce qu'il signifie. Que de fois, là où le critique croyait avoir décelé bévue ou erreur, le développement de la recherche lui révèle à sa honte qu'il n'avait pas su comprendre.

Je ne chercherai pas à battre ma coulpe sur la poitrine du voisin : dans ma jeunesse j'avais écrit tout un chapitre qui prétendait démontrer que saint Augustin ne savait pas composer. Ce jugement n'exprimait que mon incompétence de jeune barbare ignorant et présomptueux [3] : quand j'ai un peu mieux connu ce qu'était la rhétorique classique, cette technique subtile et raffinée dont saint Augustin possédait une maîtrise incomparable, je me suis aperçu que j'avais pris pour maladresse décadente ce qui était le raffinement d'un art, si parfaitement sûr de lui qu'il évitait les effets faciles et savait se risquer à la déformation expressive. A mieux le pénétrer, j'ai peu à peu dépouillé l'orgueil du moderne, cet orgueil du barbare qui méprise ce qu'il ignore et j'ai un peu mieux compris.

Chaque exigence nouvelle que nous imposons à l'historien

3. Je reprends les termes de ma *Retractatio*, 1949, à *saint Augustin et la Fin de la culture antique*, 1938, p. 665-666.

définit par contrecoup une autre limite de l'histoire. Pour que nous puissions connaître un secteur du passé, il ne faut pas seulement que des documents significatifs en aient subsisté, il faut encore qu'il se rencontre un historien capable de les repérer et surtout de les comprendre. Cela pourrait passer pour un truisme, mais l'expérience montre que le rappel d'une telle évidence n'est peut-être pas inutile. Il est difficile à un profane d'imaginer quel a pu être sur ce point l'aveuglement positiviste : on a toujours été très attentif aux exigences étroitement techniques de la recherche historique (avant d'étudier l'histoire de l'Arménie, commencer par apprendre l'arménien), mais on est resté longtemps singulièrement indifférent à ses exigences indirectes, qui ne sont pourtant pas moins sévères : pour connaître son objet, l'historien doit posséder dans sa culture personnelle, dans la structure même de son esprit, les affinités psychologiques qui lui permettront d'imaginer, de ressentir, de comprendre les sentiments, les idées, le comportement des hommes du passé qu'il retrouvera dans les documents. L'histoire de l'art exige une sensibilité esthétique assez riche et assez souple; l'histoire du christianisme demande qu'on ait au moins le sens de ce que peut être le phénomène religieux, le sens des valeurs spirituelles. Faute de l'avoir compris, que de travaux historiques nous donnent l'impression d'être de la peinture faite par un aveugle-né, de la musique contemplée par un sourd!

Voici une grosse thèse sur *la Serbie et son Église* [4]; l'auteur, visiblement insensible aux valeurs religieuses, a, avec une parfaite bonne conscience, limité son sujet à l'étude des composantes politiques de la vie religieuse du peuple serbe (ses moines orthodoxes ne sont que des maquisards faisant le coup de feu contre les Turcs : mais pourquoi y avait-il des moines?), si bien qu'on assiste à un étrange spectacle donné par un acteur invisible!

---

4. J. Mousset, *La Serbie et son Église, 1830-1904*, 1939.

La valeur de la connaissance historique est directement fonction de la richesse intérieure, de l'ouverture d'esprit, de la qualité d'âme de l'historien qui l'a élaborée. Nous avons trop tendance à l'oublier, nous, hommes du métier, si fiers de notre compétence technique, déformés que nous sommes par des années de spécialisation, par l'effort parfois surhumain qu'il nous a fallu dépenser pour l'acquérir. Notre public par contre y est très sensible (je parle de notre vrai public, la société pour laquelle nous travaillons) : l'accueil découragé que reçoivent nos productions (« histoire académique, science officielle, pure érudition »), cette indifférence, ce mépris que nous ressentons comme une injustice, proviennent du contraste que révèlent trop de nos travaux entre une exigence technique poussée jusqu'au scrupule et une philosophie générale sur l'homme, la vie et ses problèmes, dignes d'un journaliste de troisième ordre, une méconnaissance puérile des grands problèmes posés à la conscience de notre temps, et qu'une attention suffisamment éveillée aurait dû pouvoir reconnaître dans la vie de ces hommes du passé que nous prétendons redécouvrir. L'historien doit être aussi et d'abord un homme pleinement homme, ouvert à tout l'humain et non pas s'atrophier en rat de bibliothèque et boîte à fiches!

Dans la mesure où il en est capable, l'historien devra donc s'employer à comprendre son document. Nous retrouvons ici la notion d'*epokhè :* l'attitude de soumission à l'objet que nous avons définie implique que l'on oublie, momentanément, jusqu'à la question même pour laquelle on a sélectionné le document. Il faut l'écouter, le laisser parler, lui donner sa chance de se montrer tel qu'il est; on ne peut savoir à l'avance tout ce qu'il peut avoir à nous dire; lui imposer trop tôt un questionnaire établi *a priori* est le plus sûr moyen d'atrophier et de déformer son témoignage. On a trop utilisé la métaphore, renouvelée de Bacon : « mettre le document à la torture, lui faire cracher du renseignement »; mais non, il ne faut pas le brusquer, car le problème est de saisir, dans toute sa délicatesse et ses nuances, l'exacte portée de sa signification. Qu'on ne se hâte pas : l'historien doit savoir accepter d'user de longs délais; de fait, que de fois, *escam quaerens margaritam repperit!* On ne trouve pas toujours ce que l'on cherche, mais quelquefois on découvre dans un document ce qu'on n'avait pas osé espérer :

Je feuilletais un jour au Caire les *Papyrus Maspero*, y cherchant des renseignements sur l'administration d'un couvent byzantin d'Alexandrie : j'y trouvai l'origine, depuis longtemps si vainement cherchée, des diaconies romaines, cette curieuse institution ecclésiastique du haut Moyen Age qui a survécu dans les « titres » des cardinaux-diacres.

Il en est, ici encore, de la rencontre d'autrui dans l'histoire de ses documents comme dans la vie quotidienne : est-ce un bon moyen de nouer connaissance avec une relation nouvelle que de lui imposer une série de questions concernant nos préoccupations du moment? Non, il faut s'ouvrir à elle, s'oublier, chercher à la saisir en elle-même en tant qu'étrangère...

Ces considérations paraîtront sans doute élémentaires; elles suffisent pourtant à éclairer d'un jour assez nouveau la théorie classique des opérations préliminaires à faire subir au document; si on consulte les manuels de méthodologie historique [5], on les trouvera généralement présentées selon le schéma suivant :

1. Critique externe.

a. Critique d'authenticité : le « texte » entre nos mains est-il ou non tel que l'auteur l'avait écrit : avons-nous là l'original lui-même, une copie, une copie de copie(s), et dans ces derniers cas est-elle fidèle ou fautive?

---

5. La présentation n'a pas tellement varié du *Grundriss* de Droysen (1re éd. 1867) et du *Lehrbuch* de Bernheim (1889) au *Comment on écrit l'histoire* de P. Harsin (Liège, 1933, 5e éd. 1949), en passant bien entendu par Langlois et Seignobos (1898).

A cette phase on rattache parfois (il s'agit en réalité d'un tout autre aspect, beaucoup plus actif, du travail historique) la critique de restitution, « critique de nettoyage et de raccommodage », qui vise à reconstituer un original disparu.

b. Critique de provenance : par l'analyse des caractères intrinsèques — on ira s'il le faut jusqu'au filigrane du papier — par la confrontation avec les témoignages d'autres documents on cherche à répondre aux questions : qui a rédigé ce document? quand? où? comment? (forme du document), par quelles voies est-il parvenu jusqu'à nous?

2. Critique interne.

a. Critique d'interprétation : ce que l'auteur a dit, ce qu'il a voulu dire.

b. Critique de crédibilité : critique négative de sincérité, de compétence et d'exactitude : on cherche à déterminer la valeur du témoignage; c'est ici que se posent les fameuses questions : l'auteur a-t-il pu se tromper, a-t-il voulu, ou a-t-il été contraint de nous tromper? A l'examen de sa compétence se rattache le problème des sources : est-ce un témoin direct, « oculaire », ou emprunte-t-il son information à des témoins antérieurs? Si ces sources sont conservées, le document n'a plus d'intérêt; si elles sont perdues, la « recherche des sources » *(Quellenforschung)* devient vite décevante...

En dépit de son caractère systématique et raisonné, ce schéma ne possède pas la généralité à laquelle il prétend : il ne s'applique bien qu'à une histoire de type « historisant », une histoire événementielle, narrative, qui utilise avant tout des sources textuelles, littéraires.

En fait ce programme a été surtout prôné par les spécialistes de l'histoire politique ou ecclésiastique du Moyen Age occidental, domaine dont la documentation est encombrée de chroniques de seconde main, de diplômes et de chartes falsifiés, de vies de saints outrageusement antidatées.

Dans une telle conception, la recherche historique se concentre sur l'établissement de la réalité de « faits », c'est-à-dire d'actions humaines constatables objectivement; le document idéal est alors en effet l'original d'un procès-verbal établi sur-le-champ par des témoins oculaires compétents et véridiques, et tout document rencontré se voit qualifié de bon ou de mauvais suivant qu'il se rapproche plus ou moins de ce témoignage idéal. Mais, nous l'avons souligné, ce n'est plus là aujourd'hui l'ambition unique de l'histoire, ni sa plus haute ambition : nous avons appris à utiliser de bien d'autres manières bien des sortes de documents, et à leur poser des questions plus subtiles et plus variées.

D'autre part, il ne faut pas confondre la répartition empirique des diverses opérations techniques avec l'analyse logique des inférences rationnelles impliquées par ces opérations, ce qui est le problème qu'il nous importe ici d'aborder. Si on pose la question dans toute sa généralité, il faut répondre que tout le problème « critique », c'est-à-dire l'ensemble des opérations que l'historien fait subir au document avant de l'utiliser pour l'élaboration de la connaissance du passé, se ramène en dernière analyse à déterminer la nature, l' « être » de ce document : nous cherchons à savoir exactement ce qu'il est, en lui-même et par lui-même. A la notion, au fond surtout négative d'enquête « critique » (établir ce que le document n'est pas : qu'il n'est pas un faux, qu'il n'est pas menteur...), il me paraît utile de substituer la notion positive de *compréhension* du document : cette recherche vise et aboutit en fait à établir ce qu'est en réalité le document.

Inutile de souligner que souvent son « être » réel se révélera tout autre chose que ce qu'il paraissait de prime abord, autre chose souvent que ce que son auteur souhaitait qu'il parût. Notre effort de compréhension positive intègre sans difficulté ce qu'élaborait de valable la critique, externe ou interne : nous comprenons que ce document-ci *est* un original, cet autre une copie immédiate ou médiate, fidèle, fautive ou falsifiée; il *est* authentique, pseudépigraphe ou apocryphe; il *est* véridique, hâbleur ou perfidement trompeur.

Mais il n'y a pas intérêt à nous laisser enfermer dans les catégories du questionnaire imaginé pour l'histoire événementielle; en fait notre effort de compréhension aboutira à des conclusions beaucoup plus nuancées. La connaissance de l'être réel du document nous apprend à le lire comme il doit être lu, à n'y pas chercher ce qu'il ne contient pas, à ne pas l'étudier sous un point de vue déformant.

Prenons comme exemple l'interprétation des Évangiles canoniques. Que de temps perdu par la « critique » à rechercher la crédibilité du témoignage qu'ils portent sur les événements de la vie de Jésus! Nous commençons seulement (car les fondateurs de la *Formgeschichte*, encore trop soumis à la tradition établie par le xixe siècle, n'ont pas su tirer toutes les conclusions qui se dégagent des principes si féconds qu'ils ont eu le mérite de poser) à nous rendre compte qu'il fallait d'abord comprendre ce qu'était un Évangile : ce n'est pas un recueil de procès-verbaux, de constats d'événements, plus ou moins exacts ou tendancieux, plus ou moins fidèlement transmis; l'auteur ne se proposait pas de fournir un jour une documentation à l'histoire historisante, mais bien autre chose : il voulait, dans la perspective existentielle de la catéchèse ecclésiastique, transmettre à ses lecteurs la connaissance du Christ nécessaire au salut; pour élaborer cette image de Jésus, il a pu être amené à toute une manipulation de ses sources qui nous déconcerte peut-être (par son indifférence, par exemple, à la chronologie), mais qu'il serait naïf de qualifier de falsification ou de mensonge. Il serait plus naïf encore d'imaginer qu'on puisse décomposer ce témoignage et, séparant le bon grain de l'ivraie, isoler un pur noyau de « faits » authentiques : les Évangiles ne sont pas un témoignage direct sur la vie du Christ, ils sont un document primaire, et d'une valeur incomparable, sur la communauté chrétienne primitive : nous n'atteignons Jésus qu'à travers l'image que ses disciples se sont faite de lui — ce qui ne veut pas dire que cette image soit trompeuse, encore qu'elle ne soit pas celle que l'historien événementiel aimerait qu'elle eût été (nous éprouverions, par exemple, beaucoup de satisfaction à connaître la date, par le jour, le mois et l'année, de la naissance ou de la passion du Christ, curiosité qui a laissé totalement indifférents les premiers Chrétiens).

L'approfondissement de l'enquête préliminaire aboutira nécessairement à des conclusions positives : puisqu'il existe, le document possède un certain « être » qu'il s'agit de déterminer par compréhension et grâce à la sympathie.

Je transposerai volontiers à la connaissance historique et à ses documents ce que saint Augustin dit quelque part [6] de la connaissance sensible et des objets matériels : on ne peut pas dire que dans son être réel un document soit jamais « menteur » : il peut « tromper » l'historien, crédule ou inattentif, si celui-ci le prend pour ce qu'il n'est pas, mais c'est cette hypothèse fausse qui est la source de l'erreur, non l'être même du document : si nous sommes trompés, ce n'est pas *ex eo quod est* mais bien *ex eo quod non est!*

Prenons le cas majeur du « faux »; à suivre la théorie reçue, il semblerait qu'une fois reconnu comme faux, un document n'ait plus qu'à être jeté au panier; non : il faut seulement l'extraire du dossier historique où il figurait provisoirement et indûment, pour le verser à celui du faussaire, sur lequel il constitue un document positif, et souvent très révélateur (car il est rare qu'un faux ait été un acte «gratuit »).

Le cartulaire de l'abbaye Saint-Germain-des-Prés contient trois chartes [7], l'une de Charlemagne, la seconde de Louis

6. *De vera religione*, 33 (62).
7. R. Poupardin, *Recueil des chartes de l'abbaye de Saint-Germain-des-Prés*, t. I, p. 25, nº XVIII; p. 41, nº XXVII; p. 53, nº XXXIII.

le Pieux, la troisième de Charles le Chauve, qui, de toute évidence sont des faux : la démonstration [8], appuyée sur l'analyse des caractères paléographiques, diplomatiques et sigillographiques, ne laisse pas de place au doute. Évidemment, ces « documents » ne doivent pas être retenus pour l'histoire de la période carolingienne; mais ils sont tous trois de la même main, celle qui a rédigé un quatrième privilège [9], authentique celui-là, par lequel le roi Henri Ier en 1058, se référant à notre premier faux (*inspecto privilegio Karoli magni*) confirme, à la demande de l'abbé Hubert, le privilège accordé soi-disant par Charlemagne. Il faut joindre nos trois faux au dossier de cette affaire qu'ils éclairent de bien des manières, tant en nous révélant les procédés employés pour obtenir la concession du roi Henri, qu'en nous apprenant à connaître les idées juridiques de la chancellerie capétienne (valeur du précédent carolingien), les idées morales régnant dans l'entourage de l'Abbé de Saint-Germain et jusqu'aux connaissances historiques possédées par ce milieu (il est amusant de rechercher dans quelle mesure on a réussi à « faire carolingien »).

Un faux certes est un mensonge, mais l'historien averti peut, grâce à une sympathie qui lui permet de comprendre, sans être dupe, ce « crime parfait » (et qui, faut-il l'ajouter, n'est pas exclusive d'un jugement moral plus sévère), utiliser la vérité que l'acte d'avoir menti renferme au sein de son être.

La compréhension du document, avons-nous dit, se réalise par une dialectique du Même avec l'Autre. Il faut revenir là-dessus, ne serait-ce que pour contribuer à préciser, chemin faisant, une notion demeurée jusqu'ici plutôt polémique, celle de l'histoire comme connaissance du singulier.

Oui, sans doute, la connaissance historique aspire à

---

8. Aux arguments de Poupardin, joindre ceux de M. Prou, *Comptes rendus de l'Académie des inscriptions*, 1922, p. 125-130.
9. R. Poupardin, *Recueil...*, t. I, p. 101, n° LXIII.

saisir « ce que jamais on ne verra deux fois » (il n'y a pas
de véritable recommencement, répétition dans l'évolution
de l'humanité : chaque événement historique porte en lui
sa différence incommunicable) : elle saisit le singulier en
tant que tel comme (toutes proportions gardées et dans
les limites de l'analogie) le fait la connaissance divine.

D'où l'opposition qu'on établit volontiers entre l'histoire et les sciences de la nature qui, elles, cherchent, par des
lois générales, à atteindre une connaissance de ce qui est
commun : la physique ne s'intéresse pas à *cette* pomme,
chue de *ce* pommier sur la tête de l'individu Isaac Newton,
mais au mobile dont le mouvement répond à l'équation

$$e = 1/2 \, gt^2$$

Opposition qu'il faudrait nuancer, comme Rickert déjà a
eu le mérite de le souligner : l'antithèse est un procédé
oratoire, que nous avons dénoncé comme souvent grossier
(*natura non facit saltus*).

En fait, la connaissance historique elle aussi utilise des
lois (psychologiques, par exemple) et la connaissance de
l'homme en général pour connaître tel homme en particulier;
d'autre part, les sciences de la nature étudient aussi, dans
leurs domaines, des faits singuliers : ainsi en météorologie,
quand on observe, pour en prévoir la trajectoire et les
ravages, *un* cyclone déterminé de la mer des Antilles (phénomène si déterminé qu'on lui attribue un nom, comme les
militaires font pour une opération de débarquement), ou en
géologie *le* plissement alpin, *la* glaciation de Riss, ou celle
de Würm. Phénomènes que par une analogie, partielle mais
réelle, on qualifiera volontiers d' « historiques ».

Mais, inversement, il faut bien souligner (sinon nous
glissons à l'irrationnel) que cette compréhension du singulier,
de l'autre en tant que tel, est une connaissance de type
analogique construite à partir d'éléments sinon universels
du moins généraux. Je comprends un document comme je
comprends un mot, une expression du langage dans la vie

quotidienne, c'est-à-dire dans la mesure où il ne se présente pas seulement à moi comme isolé. Tout document historique doit d'une part posséder une certaine originalité, au moins numérique (celle par exemple des pièces d'or identiques qui, faisant nombre, constituent un trésor et donnent une importance, une signification particulière à la trouvaille), et d'autre part être semblable sous tel ou tel de ses aspects, disons de façon plus rigoureuse être analogues à d'autres déjà connus : il n'est connaissable qu'en fonction de cette analogie.

Soit le cas du déchiffrement d'un langage inconnu : Champollion a pu comprendre l'égyptien pharaonique parce qu'il connaissait le copte, langue qui en dérivait; par contre l'étrusque résiste à nos efforts parce qu'on n'a pas encore réussi à l'apparenter à une langue connue. Une écriture encore indéchiffrée (celle de la civilisation de l'Indus, le hiéroglyphique minoen) possède du moins assez de caractères communs avec celles que nous connaissons pour qu'on puisse comprendre qu'elle est une écriture; mais prenons le *quippu* péruvien, ce système mnémotechnique qui se présentait sous la forme d'un trousseau de cordelettes munies d'un ou plusieurs nœuds confectionnés selon diverses règles; si nous n'avions pas connu son emploi par l'expérience directe de l'ethnographie, nous ne saurions même pas qu'il est une espèce d'écriture, tant il est différent de tous les autres systèmes connus de notation de la pensée.

En fait, plus un document présentera de points communs avec une série bien homogène de documents analogues et déjà connus, plus aisément et plus sûrement sera acquise son interprétation (c'est-à-dire, encore une fois la compréhension de *ce* qu'il est en réalité, de son *quid sit*). C'est ce qui fait la force et l'utilité pratique des disciplines spécialisées qu'on appelle les sciences auxiliaires de l'histoire (archéologie, numismatique, épigraphie, paléographie, diplomatique, sigillographie...) qui reposent sur la comparaison systématique d'une certaine catégorie de documents, observent les constantes en matière d'analogie et formulent des règles, ou mieux des lois qui reposent sur cet élément de généralité que présentent les cas singuliers ainsi rapprochés.

Il faut introduire un peu de rigueur dans la terminologie; je n'appellerai pas sciences auxiliaires de l'histoire toutes les disciplines dont la connaissance se révèle utile à l'historien; comme on l'a vu, celui-ci devrait tout savoir, les sciences de la nature (pour leur interférence avec l'histoire de l'homme) et surtout les sciences humaines (psychologie, sociologie, économie politique, etc. : il n'en est pas qui n'aient un jour ou l'autre leur contribution à lui apporter) : la notion devient trop vague pour présenter une utilité.

L'usage de la conception plus étroite que nous suggérons demande lui-même quelques précautions car (nous l'avons constaté en passant à propos de la préhistoire) les « disciplines » sont des entités d'ordre empirique qui se résolvent à l'analyse; prenons le cas de la Philologie, pavillon ambitieux qui couvre bien des marchandises : je ne puis la considérer tout entière comme une science auxiliaire; la Linguistique, telle qu'on la conçoit aujourd'hui comme étude historique des langues et de leur évolution, est bel et bien une partie intégrante de notre histoire, au même titre que l'histoire de la philosophie ou l'histoire de l'art. Je ne vois à retenir comme science auxiliaire que la partie de la philologie qui concerne la critique des textes (ecdotique).

Pour qui les examine d'un point de vue logique les véritables disciplines auxiliaires elles-mêmes sont des conglomérats complexes : ainsi l'épigraphie (il faut préciser, car elle comprend bien des variétés : disons l'épigraphie latine, soit la connaissance des lois générales qu'observent les inscriptions latines, païennes, antiques) s'analyse en trois composantes : archéologie (étude des monuments sur lesquels sont gravées ou fixées les inscriptions), paléographie (déchiffrer et dater les textes d'après leur écriture), diplomatique (étude des formulaires).

Il peut être intéressant d'observer, dans un cas particulier, la méthode mise en œuvre par ces sciences auxiliaires, et sa portée; je le choisirai dans la discipline que je viens de prendre comme exemple, l'épigraphie romaine; voici :

la copie, telle que nous l'a conservée un manuscrit daté de 1521 [10], d'une inscription [11] découverte aux Saintes-Maries-de-la-Mer, en Camargue. On a vu dans ce texte un document venant à l'appui des fameuses légendes, dont on suit la popularité et bientôt le foisonnement en Provence à partir de la fin du XIe siècle, qui y font aborder miraculeusement (on devait préciser : sur la plage même des « Saintes ») tout un groupe de personnages évangéliques : Lazare le Ressuscité, ses deux sœurs Marthe et Marie (Madeleine), etc., et notamment les deux Saintes Femmes, Marie (mère de) Jacques et Salomé [12]. La basilique qui porte aujourd'hui leurs noms conserve leurs prétendues reliques, exhumées en 1448 au cours de fouilles entreprises dans ce but sous le sol de la crypte. Le rédacteur de notre manuscrit prétend, mais sans

10. Arles, *Bibl. Mun.*, ms. 113 (le « livre noir »), p. 24.
11. *C.I.L.*, XII, 120* = 4101.
12. Marc, XV, 40 (cf. Matth., XXVII, 56), XVI, I.

doute à tort [13], que l'invention des reliques aurait été facilitée par la lecture de l'inscription qu'il comprend, lisant de droite à gauche, et au mépris de l'orthographe : *Sub (h)umo muri / cava / ara*(sic) *bas*(*ili*)*ce a*(*l*)*tiori / M*(*arias*) *Iacobi* (*et*) *S*(*alome v*(*idebis*).

« Creuse sous la terre du mur de l'autel de la basilique supérieure : tu verras les Marie Jacobé et Salomé. »

Je ne surprendrai pas le lecteur en déclarant cette interprétation irrecevable; mais il faut voir pourquoi. Elle ne renferme rien de contradictoire, n'est pas *a priori* impossible. Invraisemblable? C'est ce qu'il faut démontrer. Nous connaissons des documents qui exigent une interprétation aussi *far-fetched;* voici, par exemple, le revers d'une pièce d'or [14] conservée au musée du Bardo à Tunis :

Elle porte l'inscription suivante, écrite en capitale latine : (en cercle) D S E T E R N S D S M A G N S O, et (dans le champ, horizontalement) : R T E R C N. Il s'agit d'une monnaie frappée à Carthage au début de l'occu-

---

13. Car il n'est pas fait mention de notre inscription dans le procès-verbal des fouilles de 1148, conservé aux Archives départementales des Bouches-du-Rhône, B 1192, et publié par M. Chaillan, *Les Saintes-Marie-de-la-Mer, recherches archéologiques et historiques*, Aix, 1926, p. 77-142.

14. Inédite; c'est une variété du coin décrit par H. Lavoix sous le n° 109 dans son *Catalogue des monnaies mulsumanes de la Bibliothèque nationale, khalifes orientaux*, 1887, p. 35.

pation arabe; le texte, latin mais d'inspiration musulmane, doit se comprendre : *D(eu)s etern(u)s, D(eu)s magn(u)s, o/(m)n(ium) cre(a)t(o)r,* la ligne horizontale se lisant de droite à gauche. Ce qui, certes, est au moins aussi imprévu que notre document provençal.

Si celui-ci était isolé dans sa singularité, on ne voit pas comment il serait possible de l'interpréter avec sécurité. Mais la formule finale V S L M, que notre dessinateur a fidèlement reproduite, bien que son hypothèse eût exigé V S I M, est un des assemblages de sigles que nous rencontrons le plus fréquemment, gravés de la sorte à la fin d'une inscription latine. Nous en possédons des milliers et des milliers d'exemples, provenant de toutes les parties du monde romain : il est donc exclu qu'il s'agisse ici d'une allusion particulière aux Saintes Maries. C'est une formule d'usage général; or, de fait, il arrive qu'elle apparaisse, abrégée de façon moins elliptique en VOT SOL LIB MER, ou même en toutes lettres : *Votum Solvit Libens Merito,* soit l'équivalent païen de la formule banale *ex voto.*

Nous avons donc ici une inscription votive. Dédiée à qui? Il suffit d'avoir un minimum d'expérience de la paléographie des inscriptions romaines pour lire sans difficulté (notre copie a bien su noter la « ligature » des deux lettres — NI; l'abréviation du second mot est elle aussi très usuelle [15] : *Iunonibus / Aug(ustis)*); « aux Junons Augustes », *Iunones* étant un des noms que reçoivent en latin des divinités protectrices d'origine celtique (ou pré-celtique) analogues aux *Matres* [16].

---

15. Si usuelle qu'elle nous détourne de tenir compte des traits parasites que porte la seconde lettre et qui pourraient faire penser à une ligature de Avac ou Anac (comme cherche à lire F. Benoit, *Mémoires de l'Institut historique de Provence*, 1928, t. V, p. 16).

16. On sait que les Romains avaient assimilé aux divinités du Panthéon classique celles des peuples « barbares » qu'ils avaient conquis : Junon étant à Rome l'équivalent féminin du *Genius,* des déesses protectrices ont pu sans difficulté être appelées *Iunones;* le fait est attesté par de nombreux documents, échelonnés de la Narbonnaise au Norique. Voir par exemple K. Prümm, *Religionsgeschichtliches Handbuch für den Raum der altchristlichen Umwelt,* Freiburg, 1943, p. 777.

L'examen de la forme du monument, qui est évidemment un autel votif païen (nos musées ont un grand nombre d'objets analogues), confirme archéologiquement cette interprétation. Passant enfin à la partie diplomatique de l'analyse, le schéma constant des dédicaces votives nous invite à chercher à la ligne 3, après le nom au datif des divinités, celui, au nominatif, de l'auteur du vœu : c'était une femme, portant selon les règles de l'onomastique romaine classique un gentilice, que l'état de la pierre n'a pas permis à notre auteur de copier avec clarté [17], et un *cognomen* qui était, semble-t-il, celui fort commun de *Barbara*.

Il n'est pas d'épigraphiste ni d'historien averti qui contestera cette interprétation. Mais il faut préciser ce que l'on entendra en la qualifiant de « certaine »; il ne s'agit pas de la certitude mathématique obtenue par voie de déduction rationnelle, ni de la certitude empirique que procure la vérification expérimentale. Bien qu'il s'agisse dans le cas étudié d'une des conclusions les plus assurées que puisse atteindre la recherche historique, ce n'est encore qu'une conclusion logiquement probable : nous touchons là un des principes fondamentaux de la théorie de l'histoire, qui a été bien souvent mis en évidence, de Leibnitz à R. Aron (on retiendra la formule, en style kantien, du dernier : « la modalité des jugements historiques est la possibilité [18] »). Mais cette probabilité est ici pratiquement infinie.

Sans doute on ne peut traiter de fou l'auteur de notre manuscrit qui voit dans le texte un cryptogramme rédigé par « les disciples de Notre Seigneur... le plus obscurément qu'ils purent pour cause de mescréans que estoient aux avirons *(sic)* en ce temps-là affin que les Saintes Dames ne fussent mises à ruyne ny à périr ». Mais quelle vraisem-

---

17. O. Hirschfeld a retrouvé dans un manuscrit du Vatican une copie (indépendante de la nôtre) de la même inscription qui, concordante pour l'ensemble, manifeste la même hésitation et la même impuissance devant cette ligne 3 : *Sitzungsberichte* de l'Académie des sciences de Vienne, 1884, t. CVII, p. 235.

18. R. Aron, *Introduction*, p. 196.

blance y a-t-il à cela? Pour qu'un cryptogramme puisse un
jour être déchiffré, il faut du moins qu'il soit clair qu'il est
un cryptogramme : les auteurs de notre texte auraient ici
trop bien réussi à le camoufler en dédicace aux *Iunones!* Un
contradicteur obstiné répliquera que cela même n'est
pas impossible (c'est vrai : il m'est arrivé de recevoir, pendant la Résistance, un message clandestin si astucieusement
combiné que dans ma naïveté je n'en ai compris que le
sens littéral) — mais quelle probabilité y a-t-il pour cela?

La certitude historique n'est jamais qu'une vraisemblance qu'il ne paraît pas raisonnable, que l'on n'a pas
de raison suffisante de contester : nous dirions en termes
pragmatistes *a practical satisfactoriness*.

Mais ce résultat même n'est acquis, dans le cas choisi,
et pareillement dans les conclusions analogues qu'ob-
tiennent les sciences auxiliaires, que grâce au caractère
général des faits retenus par l'argumentation. Dans la
mesure où un document devient plus singulier, plus original
— il faut ajouter, du point de vue de l'historien, plus intéressant —, la part de l'Autre s'accroît au détriment du
Même, et son interprétation devient plus délicate.

Reprenons l'inscription des Saintes-Maries : au fond, elle
ne présente pas grand intérêt au point de vue documentaire :
son originalité (mis à part le nom, d'ailleurs incertain, de
la dédicante ... *a Barbara*) est presque d'ordre simplement
numérique : *un* document de plus attestant l'existence du
culte des Junons Augustes en Narbonnaise.

Il faut le souligner, car c'est en se fondant sur les triomphes incontestables remportés depuis le xviie siècle par
le développement des sciences auxiliaires que le dogmatisme historique a conçu le rêve d'une connaissance du
passé réellement « scientifique », d'une certitude comparable
à celle des sciences de la Nature. Mais l'extrapolation est
illégitime : la méthode comparative sur laquelle reposent
les certitudes de nos sciences auxiliaires ne peut s'appliquer
qu'aux faits de répétition. Or les documents qui sont les

plus précieux pour l'historien sont ceux qui nous permettent d'atteindre les aspects proprement singuliers de la réalité du passé : l'essentiel de leur message échappe à l'emprise des règles fondées sur l'observation de certaines constantes : dès qu'une inscription devient tant soit peu développée, précise, en un mot originale, la science épigraphique n'a plus grand-chose à nous apprendre sur elle, ce n'est plus qu'un texte littéraire comme les autres, isolé dans sa singularité.

Soit toujours la *Laudatio Turiae :* il n'y a rien de spécifiquement épigraphique dans l'analyse qu'on peut faire de ce grand et beau texte (la partie conservée occupe 11 pages dans l'éd. Durry) : qu'elle ait été gravée en deux colonnes sur une plaque de marbre au lieu d'être copiée à l'encre sur du papyrus importe peu. Pour la commenter, à quelles sciences auxiliaires faire appel? Je ne vois guère que l'histoire littéraire, qui nous faisant connaître le développement pris à Rome par le genre de la *laudatio* funèbre, nous aide à situer ce texte dans une tradition. Vu le caractère mutilé des restes conservés, l'historien fera appel, pour combler les lacunes, à toutes les ressources de la critique conjecturale — mais est-ce encore une « science »? Dans les inscriptions de type banal — celles qui évoquent des faits susceptibles d'être observés par répétition —, la conjecture s'appuie sur des analogies, des parallèles et se voit souvent récompensée par la vérification expérimentale que représente parfois une découverte nouvelle. Ici par contre on va à l'aventure et les compléments suggérés sont nécessairement arbitraires. Une découverte récente vient d'en fournir la démonstration : un nouveau fragment de la *Laudatio* est venu apporter la fin, jusque-là manquante, de dix lignes du texte; les éditeurs précédents (et il y a parmi eux des noms illustres : Mommsen, Vollmer) s'étaient efforcés de combler ces lacunes : de fait, ils ne sont tombés juste qu'une fois sur huit [19]!

19. A. E. Gordon, *American Journal of Archaeology*, 1950, t. LIV, p. 223-226; M. Durry, *Revue des études latines*, 1950, t. XXVIII, p. 81-82.

C'est là le cas général : le plus souvent, dans un travail historique tant soit peu poussé en profondeur, les documents à examiner ne tombent pas sous la juridiction de ces précieuses disciplines et l'effort de compréhension ne peut guère s'y scinder en deux phases, l'une extérieure et préliminaire destinée à préciser la nature du témoignage, l'autre, plus centrale, visant à en analyser le contenu; les deux deviennent inséparables et la connaissance de cet objet singulier ne peut plus s'appuyer que sur l'analogie que nous lui découvrons avec notre expérience générale de tous les documents provenant de la même zone du passé et plus généralement encore avec notre expérience de l'homme.

Soit à interpréter un document aussi riche dans son originalité qu'un dialogue de Platon; tout ici est singulier, car si je puis invoquer ma connaissance de la langue grecque, c'est surtout du grec de Platon qu'il faudra connaître les habitudes de style, de vocabulaire (en descendant, on le sait [20], jusqu'aux plus minimes variations dans l'usage des particules); — ou celle de la littérature grecque, c'est surtout du genre à espèce unique qu'est le dialogue platonicien qu'il faudrait connaître les règles... Ce qui guide, oriente et détermine ma compréhension c'est de façon générale ce que je puis savoir de l'homme grec du temps de Platon (quel était son monde intérieur, quelles idées peuvent être reconnues comme possibles pour lui) — et finalement surtout ce que je sais de l'homme tout court, et de la pensée.

Ce sont encore des éléments généraux qui nous permettent la compréhension de ce document singulier — mais désormais c'est à l'ingéniosité, à la capacité de l'historien de déceler l'existence d'analogies possibles entre les données du document et les réalités connues ou expérimentées de la nature humaine. Comme chaque fois que

___

20. Les recherches inaugurées par L. Campbell et W. Lutoslawski ont montré que l'étude statistique de l'emploi des particules permettait des conclusions précises sur l'évolution du style de Platon et par contrecoup sur la datation des divers *Dialogues*.

notre théorie souligne une vertu nouvelle à exiger de l'historien, c'est une limite de plus qui s'impose à l'histoire : un document sera exactement compris *dans la mesure où il se rencontrera un historien capable* d'apprécier avec plus de profondeur sa nature et sa portée.

Pour en finir avec l'examen préliminaire, soulignons une autre limite à la validité de la construction historique : pour des raisons pratiques il n'est pas toujours possible à l'historien de travailler directement sur les documents originaux. Prenons le cas des œuvres littéraires antiques ou médiévales : le plus souvent, l'historien les consulte dans une édition moderne et non sur les manuscrits qui nous les ont transmises. Mais c'est là interposer entre le passé « nouménal » et notre connaissance une tranche supplémentaire de transformations résultant de l'intervention humaine. La vérité de notre histoire se trouvera suspendue à la validité des opérations effectuées, hors de notre contrôle, par l'éditeur, et d'abord à la valeur des disciplines mises en œuvre par celui-ci : un siècle et demi d'expériences nous ont rendus beaucoup plus inquiets sur la portée des méthodes mises en œuvre par la critique des textes qu'on ne l'était aux temps héroïques de Lachmann et Madvig; nous mesurons pleinement tout ce qui entre d'arbitraire, d'incertain, de subjectif dans cet « art » entre tous conjectural...

Si bien que les règles pratiques que nous donnons aux débutants (lire un texte dans sa meilleure et plus récente édition critique; être en mesure de vérifier le travail de nos prédécesseurs) n'ont qu'une valeur provisoire : à un niveau plus approfondi de la recherche, le retour aux manuscrits s'imposera. Si, par exemple, le P. M. Verheijen vient de renouveler complètement l'histoire, si obscure, de la *Règle* monastique attribuée à saint Augustin, c'est qu'il ne s'est pas contenté de lire la *Lettre 211* dans l'édition critique, généralement reçue, de Goldbacher au *Corpus* de Vienne, mais qu'il en a recherché les manuscrits, en a découvert de bien plus anciens que ceux qu'avait étudiés cet éditeur et a

de la sorte reconstitué une histoire de la tradition de ce texte
dont personne ne pouvait soupçonner la complexité [21].

Il faut insister là-dessus, car la théorie classique de la
« critique externe » négligeait ce fait brutal : ce qui est le
document qui nous relie au passé, ce n'est pas par exemple
le texte du *De Civitate Dei* tel que nous le lisons dans l'édition Dombart-Kalb, ce sont les 376 manuscrits qui en ont
été repérés; sans doute, le contenu de ces manuscrits n'est
plus du saint Augustin tout pur : il s'y ajoute les fautes
accumulées par les copistes et les corrections plus ou moins
ingénieuses apportées par ces mêmes copistes ou leurs lecteurs; mais le texte « nettoyé et raccommodé » que nous
recevons des mains du philologue ajoute encore à ces données
une couche supplémentaire de tractations, dont la valeur doit
être, en chaque cas, soigneusement appréciée. Mais plus
encore qu'aux erreurs éventuelles, je suis sensible à la mutation substantielle que subit le document en passant par les
mains de l'éditeur et de l'imprimeur : j'ai pu montrer par
exemple, par l'étude des trois plus anciens manuscrits de la
Cité de Dieu, que pour lire cet ouvrage comme saint Augustin avait voulu qu'il fût lu, il fallait négliger les divisions en
chapitres introduites par les éditeurs modernes et considérer
chaque livre comme un tout, un ample développement que
rien ne vient morceler [22] : on comprend que Helm, éditant
dans le *Corpus* de Berlin la *Chronique* d'Eusèbe-Jérôme ait
adopté le parti de calligraphier un texte en onciale, disposé
comme l'archétype, tel qu'il le reconstruisait, de notre
tradition manuscrite.

21. M. Verheijen, dans ses deux belles thèses : *La Règle de saint
Augustin*, I. *Tradition manuscrite*, et : *La Règle de saint Augustin*, II.
Recherches historiques, parues l'une et l'autre à Paris, 1967, aux « Études
Augustiniennes ».
22. *Mélanges J. de Ghellinck*, Gembloux, 1915, t. I, p. 235-249.

5

Du document au passé

Nous n'étudions pas un document pour lui-même mais en vue d'atteindre, par lui, le passé : le moment est venu d'analyser ce passage du signe à la chose signifiée, du document au passé, démarche décisive par laquelle s'accomplit l'essentiel de l'élaboration de la connaissance historique. Il faut, pour en rendre compte, se défier d'une schématisation trop simpliste : l'analyse nous amène à distinguer des opérations logiques qui, de fait, sont intimement associées et en constante interaction.

L'historien, avons-nous montré, commence par se poser une question; puis il constitue un dossier de documents y afférents, que l'analyse préliminaire conduit à affecter, chacun, de sa note de crédibilité. Image encore trop élémentaire : le progrès de la connaissance se réalise par ce mouvement dialectique, circulaire ou mieux hélicoïdal, dans lequel l'esprit de l'historien passe successivement de l'objet de sa recherche au document qui en est l'instrument et réciproquement; la question qui a déclenché le mouvement ne reste pas identique à elle-même; au contact des données du document, elle ne cesse de se transformer : on réalise, par exemple, qu'elle était absurde, anachronique (« le problème ne se pose pas »), on apprend à la formuler en termes plus précis, mieux adaptés à la nature de l'objet. C'est là le bénéfice de notre *epokhè* provisoire : au lieu d'un interrogatoire impatient qui sans cesse interrompt le témoin pour lui dire : « Revenons à la question », l'historien demande au document : « Qui es-tu? Apprends-moi à te connaître ».

Mais cette question impliquait déjà une réponse, formulée à titre d'hypothèse : à chacun de ces retours sur soi, à chaque spire successive de notre hélice symbolique, l'hypothèse est reprise, corrigée, complétée et ainsi peu à peu naît et grandit la connaissance historique. Empiriquement observée, cette élaboration de l'histoire ne s'opère pas en deux phases distinctes et successives : *a)* apprécier la valeur du document; *b)* conclure de lui au passé; il n'y a qu'un processus, homogène : c'est en « comprenant » les documents, en se familiarisant avec eux, les méditant, les reprenant sans cesse, les pénétrant peu à peu qu'on parvient à connaître et ce qu'ils sont en vérité et du même coup le passé humain dont ils conservent la trace et sur lequel ils portent témoignage. L'historien est l'homme qui acquiert cette familiarité avec les documents, grâce à laquelle il finit par savoir avec certitude quel est leur sens, leur portée, leur valeur — quelle est l'image du passé qu'ils recèlent et lui apportent.

Est-ce là un processus si différent de celui par lequel dans la vie quotidienne, dans l'expérience vécue du présent, on arrive à connaître, comprendre, rencontrer autrui? C'est en le voyant vivre, en le voyant agir, réagir, en écoutant parler, en observant les témoignages de tout ordre qu'il nous donne de son altérité que peu à peu nous nous faisons une image, finalement valable, de l'Autre; en est-il différemment en histoire? Le commerce avec les documents nous permet finalement lui aussi de connaître l'homme du passé comme aujourd'hui l'ami connaît ses amis.

Mais il faut examiner de plus près comment se réalise cette connaissance du passé signifié; il importe de distinguer plusieurs cas, entre lesquels existent tous les degrés intermédiaires et dont l'enchaînement est bien révélateur.

a) Souvent l'objet de la connaissance historique, ce passé que l'historien cherche à saisir, n'est pas distinct de l'être même du document étudié : le cas se présente dans l'histoire de la philosophie et plus généralement de la pensée, l'histoire de l'art, l'histoire des manifestations de ce que Dilthey appelait l'esprit objectif (par une transposition partielle du concept hégélien) : histoire d'une langue, d'une technique. Le travail ici se réduit à la compréhension, au *Verstehen*. Nous voici par exemple en présence d'une œuvre philosophique, les *Lois* de Platon : que signifie ce texte, quelle est la cohérence interne de la doctrine qu'il exprime... Il y a là une connaissance immédiate du passé qui n'a d'autre condition ou limite que la capacité de l'historien : je connaîtrai des *Lois* de Platon ce que je me montrerai capable d'y comprendre.

De même, il y a tout un aspect de l'histoire de l'art, bien illustré, quoique paradoxalement, par B. Berenson [1], où se retrouve la même immédiateté dans la compréhension : lorsqu'en face d'un tableau, d'un monument chargé de valeurs, nous cherchons à en analyser et approfondir le sens.

b) Il reste que la recherche amènera assez vite à poser ces questions, que certains qualifieraient de « plus proprement historiques », du type, non plus : « Quelle est la beauté propre de ce tableau? », mais « Qu'a voulu faire le peintre qui l'a conçu? »; non plus « Que signifie par luimême et en lui-même ce dialogue de Platon? », mais : « Qu'a voulu dire ici Platon? ». On se demandera, par exemple, s'il s'engage lui-même sur la vérité de ses propositions, un peu comme dans une conversation il nous arrive d'interrompre l'Autre pour lui dire : « Parlez-vous sérieusement? » — et la question, dans le cas de Platon, est souvent nécessaire, tant il est difficile de discerner chez cet esprit subtil et cet artiste raffiné l'intervalle exact où s'exerce son recours à l'ironie héritée de Socrate.

Soit, c'est l'exemple-type de la question disputée [2], l'éloge

1. Voir notamment *Aesthetics, Ethics and History*, trad. fr., 1953.
2. La bibliographie que j'en ai donnée, *Histoire de l'éducation dans l'antiquité* [6] (1965), p. 533-534, n'est plus à jour; ajouter au moins R. Schaerer, *La Question platonicienne*, Neuchâtel, 1938.

d'Isocrate à la fin du *Phèdre;* est-il sincère ou ironique? Ou
bien, sincère dans la bouche de Socrate à la date où Platon
le fait parler, exprime-t-il un regret amer des promesses non
tenues qu'Isocrate avait données dans sa jeunesse? Ou bien,
dans la personne d'Isocrate, l'orateur type, Platon n'évoque-
rait-il pas la rhétorique idéale telle qu'il la conçoit, celle,
par exemple, que le jeune Aristote doit enseigner à l'Académie? Le champ des hypothèses n'est pas limité à celles-
là...

Ce type de problème apparaît constamment : autre chose
est, lisant *Aucassin et Nicolette*, d'y trouver reflété l'idéal de
l'amour courtois, autre chose de comprendre que l'auteur en
parle pour s'en moquer. La réponse n'est jamais simple : qui
discernera jusqu'où s'étend la complicité de Cervantès avec
le Quichotte?

Problèmes difficiles, qu'on ne peut jamais être sûr d'avoir
pleinement résolus, mais que seul peut éclairer un effort
plus poussé de compréhension intérieure.

c) Il existe un autre cas, bien différent du premier, mais
où se réalise d'une autre manière la même appréhension
directe du passé dans le document : c'est quand nous
demandons à celui-ci, non pas le témoignage qu'il peut
porter sur un passé extérieur à lui, mais bien l'expression
du passé qu'il représente lui-même. Prenons Ammien Mar-
cellin : nous pouvons demander à son livre non pas un récit
des événements qui ont marqué les règnes de Constance II,
Julien l'Apostat, etc., mais de nous faire connaître l'homme
du IVe siècle après J.-C. qu'était Ammien lui-même, tel
qu'il apparaît dans sa manière de penser, de sentir, de juger.
On ne lui demandera plus ce qu'il savait (ni si ce qu'il prétend savoir est vrai), mais bien ce qu'il était : la compréhension de l'œuvre nous livre une connaissance directe de son
auteur. Il y a là un mode fréquent d'exploitation de nos
sources historiques, l'un des plus sûrs et des plus féconds :
c'est de la sorte que s'élabore l'histoire de la mentalité,
de la sensibilité, de l'atmosphère spirituelle, du *Zeitgeist*

d'une époque ou d'une société : un des secteurs les plus florissants de notre science.

Je reprends encore la *Laudatio Turiae* : on y trouve une précieuse contribution à l'histoire de l'amour. Le mari nous raconte que leur mariage étant resté stérile, son épouse lui avait spontanément proposé de divorcer; en cela elle obéissait à la vieille tradition romaine qui concevait le mariage, *liberorum procreandorum causa*, uniquement en fonction de la famille; notre homme, lui, réagit en « moderne » — disons sans anachronisme en homme hellénistique, pour qui la personne humaine a une valeur absolue —, et refuse ce sacrifice [3].

Soulignons de quelles précautions il faut s'entourer (l'effort de compréhension, disions-nous, cherchant la vérité du passé, exclut la crédulité) : le témoin peut avoir affecté des sentiments qu'il n'avait pas, de fait, éprouvés, peut avoir cherché à se faire valoir dans son document (c'est souvent le cas des auteurs de *Mémoires*, qui n'écrivent pas, en général pour se calomnier). La vérité des conclusions obtenues sera directement fonction de l'art de l'historien, de l'habileté et de la prudence avec lesquelles il saura formuler questions et réponses :

Dans l'exemple cité, il ne faudra pas conclure : « Les hommes du temps d'Auguste... » Ce serait agir comme l'Anglais légendaire qui, à peine débarqué à Calais, notait sur son carnet : « Les Françaises sont rousses »; mais on dira : « Au temps d'Auguste le vieil idéal de la cité antique avait perdu de son emprise puisqu'on peut voir un époux qui s'honore d'avoir refusé le divorce pour cause de stérilité... » D'autre part, on ne cherchera pas à savoir si notre homme a réellement éprouvé les sentiments qu'il exprime : la question historique est : « Comment cet homme a-t-il formulé l'expression d'un amour?... »

Cette vérité enfin sera bien entendu contenue dans les

---

3. *C.I.L.*, VI, 1527, II, 31-47 (éd. Durry, p. 19-23).

limites où s'enferme toujours la réciprocité des consciences :
même dans l'expérience vécue, pouvons-nous jamais être
sûrs d'avoir pénétré jusqu'au tréfonds la conscience de
l'Autre?

d) Mais, de proche en proche, l'historien sera de toute
façon amené à poser au passé des questions de « fait » :
ces « événements » auxquels nos prédécesseurs avaient si
fortement tendance à réduire l'histoire. Même si l'on refuse
cette conception étriquée de l'histoire historisante, on n'en
sera pas moins conduit à rechercher la réalité, l'existence
passée, de phénomènes humains localisés dans le temps et
l'espace, et cela dans tous les domaines de la recherche,
même les plus généralement rebelles à la pure curiosité historique, comme la pensée ou l'art. Partout se posent, par exemple, des questions de date, d'attribution : il importe à la
compréhension de tel dialogue platonicien de déterminer
sa place dans la chronologie et par suite dans l'évolution
de la pensée de Platon; il importe à l'interprétation du système d'Aristote que l'ensemble de ses traités soit du maître
lui-même, et non, comme le voudrait une hypothèse récente [4],
pour une bonne part, de son disciple Théophraste.

Ici, l'historien doit cette fois faire le saut et conclure du
document à une réalité qu'il évoque, mais qui lui est extérieure; la réalité de ce passé-là est naturellement beaucoup
plus difficile à établir et la part d'incertitude ira bientôt
croissant. La méthodologie positiviste avait élaboré à ce
propos une doctrine d'une parfaite rigueur; elle se ramène
à ceci [5] :

Aucun document, par lui-même, ne prouve de façon
indiscutable l'existence d'un fait; l'analyse critique n'aboutit
qu'à déterminer la crédibilité que paraît mériter son témoi-

---

4. J. Zürcher, *Aristoteles' Werk und Geist*, Paderborn, 1952.
5. Voir par exemple Langlois-Seignobos, *Introduction...*, p. 166 *sq*.
Le positivisme n'a pas été une maladie spécifiquement française; voir
par exemple la discussion de G. J. Renier, *History, its Purpose and
Method*, p. 131, au sujet de A. Rhomberg (1883) et W. Bauer (1921).

gnage. D'autre part, *testis unus, testis nullus :* d'un seul document, on ne peut conclure à la réalité du fait (car toutes nos affirmations resteraient affectées du coefficient d'incertitude : « Si l'on en croit notre témoin... »). Maintenant, si l'on parvient à rassembler plusieurs témoignages également autorisés, que sur le même fait leurs affirmations soient rigoureusement convergentes et qu'il soit possible d'établir que ces témoignages sont indépendants (et non dérivés les uns des autres ou d'une même source) — alors la probabilité pour qu'il soit permis de conclure à leur véracité devient plus grande et finit par atteindre la certitude pratique.

Il n'y a rien à reprendre à ces principes, sinon qu'ils ne sont presque jamais réellement applicables; tout entière déduite d'une émulation consciente avec les sciences de la nature, de l'ambition avouée de promouvoir l'histoire à la dignité de « science exacte des choses de l'esprit », la théorie positiviste définit les conditions nécessaires pour assurer la pureté voulue du Connaître, sans pouvoir garantir l'étendue, l'intérêt du Connu qui dans ces conditions sera, en fait, accessible. Les exigences posées négligent les servitudes de la condition humaine, de la situation faite à l'historien par les « hasards » capricieux qui président à sa documentation. Aucune des conditions ci-dessus énumérées ne se trouve, dans la plupart des cas, réalisée : elles supposeraient l'établissement de propositions singulières négatives, c'est-à-dire (tous les logiciens en conviendront) la chose du monde la plus difficile à obtenir.

L'indépendance des témoins? Nous pouvons, dans la mesure de nos renseignements, établir les rapports positifs de dépendance qui peuvent exister entre les documents ou, sinon, conclure : « Jusqu'à plus ample informé, ils *paraissent* indépendants »; mais quand pourrons-nous affirmer qu'ils le sont? De même pour la crédibilité : la critique interne détermine le degré maximum de crédibilité que, vu notre information, paraît mériter un document, non son degré réel, car nous ne pouvons faire le dénombrement entier des causes d'erreur possibles : quand j'aurai établi que mon témoin a bien assisté à la scène qu'il décrit, qu'il était bien placé pour l'observer, je ne pourrai jamais savoir si, par malchance, il n'a pas cligné des yeux ou éternué à l'instant décisif — celui par exemple où Napoléon, lors de son couronnement, s'est saisi de la couronne que devait lui imposer Pie VII...

L'accord de plusieurs témoignages? Il faut pour cela que l'objet de leur observation ait bien été le même; or, deux hommes différents, parce qu'ils s'intéressent à des choses différentes, parce qu'ils n'ont pas la même mentalité ni les mêmes habitudes d'esprit, ne verront jamais exactement le même objet dans le même spectacle humain placé sous leurs yeux; il est extrêmement rare de trouver deux témoignages portant réellement et exactement sur le même ensemble de données d'expérience, sur ce que, pour faire bref, on appelle le même « fait ». Sans doute, il suffit, et il arrive souvent, que les champs d'observation se recoupent : l'accord porte alors sur la partie commune de ces témoignages; mais il faut voir que cette identité ne peut porter que sur les éléments les plus extérieurs du réel, les éléments objectifs ou mieux objectivables, à propos desquels un accord peut s'établir, fondé sur la vérification expérimentale : mais ce n'est là qu'un squelette décharné par rapport à la réalité humaine totale, celle qui seule mérite d'être recherchée et connue, réalité complexe où les gestes extérieurs, les actions visibles sont inséparables des valeurs psychologiques et autres qui leur confèrent signification et portée.

Soit le « fait historique » : « César a franchi le Rubicon »; ce qui intéresse l'historien ce n'est pas que le mobile constitué par le corps du dénommé C. Iulius Casear ait, à un instant *t* de la journée du 17 décembre 50 avant J.-C. (suivant notre calendrier), passé de la rive gauche à la rive droite du petit fleuve en question — mais que ce « geste » ait eu la signification politique de déclencher la guerre civile...

On est frappé de voir combien la théorie classique que

nous venons d'exposer mutile la réalité historique pour pouvoir la saisir dans l'instrument grossier de ses catégories; elle n'est en réalité qu'une transposition, illégitime, des catégories de l'instruction judiciaire [6], qui répondent, elles, à un ordre de préoccupations tout différent et dont l'objet, toujours assez simple, nécessairement objectif, ne se confond que très partiellement avec celui, beaucoup plus riche, de la recherche historique.

Collingwood, par exemple, pour exposer sa théorie de l'histoire, choisit d'imaginer un petit roman policier sur le thème *Who killed John Doe* [7]?

Et, en effet, l'enquête policière que déclenche la découverte d'un assassinat est bien une étude d'ordre proprement historique : recherche, critique et interprétation de documents, en l'espèce les indices (traces de pas, empreintes digitales) et les témoignages recueillis; mais c'est une histoire de type très élémentaire, presque grossier, tant l'événement qu'il s'agit de reconstituer (dans le cas imaginé, un coup de poignard) est simple, objectivable, facile à repérer, à « comprendre »; l'apparition dans l'univers de l'esprit objectif de la théorie platonicienne des Idées est aussi un événement, mais qui réclame un traitement plus délicat. L'enquête judiciaire est à la théorie de l'histoire ce que les nombres entiers sont à la théorie moderne du nombre, qui doit rendre compte non seulement des entiers, mais aussi des nombres fractionnaires, algébriques, irrationnels, imaginaires, transfinis...

En face de la réalité du passé qu'il s'agit d'appréhender, c'est moins la question d'existence que la question d'essence qui préoccupe l'historien : établir la réalité de l'élément (qui, encore une fois, peut être un sentiment , une idée aussi bien qu'une action, un phénomène d'ensemble aussi bien

---

6. Comme l'a bien montré le grand bollandiste P. Peeters dans son mémoire : *Les Aphorismes du droit dans la critique historique*, dans *Bulletin* de l'Académie royale de Belgique, Cl. des Lettres, t. V, XXXII, p. 81-116.

7. *The Idea of History*, p. 266 *sq.*

qu'un geste individuel) importe certes, mais ne saurait suffire; sur le squelette événementiel, il faut pouvoir replacer et les nerfs et la chair et la peau — l'épiderme délicat et frémissant de vie; c'est la complexité du réel, de l'homme, qui est l'objet de l'histoire. Il faut s'entendre en effet sur ce qu'on appelle la vérité de l'histoire : si son objet c'est le passé *humain*, elle sera vraie dans la mesure où elle parviendra à retrouver dans toute sa richesse cette réalité de l'homme : le réduire à un corps mobile animé de mouvements repérables dans le temps et l'espace, ce n'est pas connaître l'homme. La théorie classique de vérification par convergence ne peut retenir, des divers témoignages, que leur plus grand facteur commun, ce qui conduit à négliger ce que chacun d'eux renferme de plus précieux, parce que de plus subtil, de plus nuancé — de plus réel, étant plus près de l'inépuisable complexité de la réalité humaine.

Il convient de se faire de la connaissance historique une doctrine logique, je ne dirai pas moins rigoureuse, mais moins roide : la connaissance doit être adaptée à son objet. Nos prédécesseurs positivistes ont été hantés jusqu'à l'obsession par l'idéal de l' « objectivité », entendue très précisément de la connaissance vérifiable, en quelque sorte expérimentalement — de la connaissance, comme ils aimaient à dire, « valable pour tous » : ce qui n'aboutissait à rien moins qu'à nier pratiquement la possibilité même de l'histoire.

Très logiquement, ils concluaient que lorsque nous ne disposons pas de témoignages convergents en qualité et en quantité suffisantes, il n'y avait qu'à confesser notre ignorance : « la seule attitude correcte est l'agnosticisme [8]. » Mais comme sur tous les problèmes réellement humains il est impossible que les conditions posées soient réalisées, il en résulte qu'une histoire strictement conforme aux exigences positivistes comprendrait surtout des pages blanches.

Lorsque nous nous trouvons en présence d'un docu-

8. Langlois-Seignobos, *op. cit.*, p. 133, n. 1.

ment, d'un témoin, notre grande préoccupation ne sera plus de nous demander s'il est possible de le confronter avec d'autres (en fait, encore une fois pour l'essentiel, le témoignage se révèle presque toujours unique en son genre, en sa teneur, en son orientation), si le témoin a voulu nous tromper, etc., mais avant tout de savoir s'il a compris (ou, s'il s'agit non d'un témoignage volontaire mais d'un indice impliqué par l'être même du document, de savoir s'il a pu exprimer) ce dont il nous parle, jusqu'à quel point il l'a compris ou exprimé, jusqu'à quel degré de précision, c'est-à-dire de richesse, de complexité, de profondeur, il a pu refléter, enregistrer, et par là nous transmettre la subtile réalité humaine que nous cherchons à saisir.

Soit l'exemple classique du problème de Socrate : pendant près d'un siècle, à la suite de Hegel (c'est encore une de ses erreurs bien fâcheuses), il a été entendu que le Socrate historique était celui de Xénophon, plutôt que celui de Platon : n'est-il pas évident que celui-ci n'est qu'un pseudonyme sous lequel Platon expose sa propre philosophie? (Dirons-nous que Platon a menti, a voulu nous tromper? Non, il n'a pas écrit ses *Dialogues* pour fournir du matériel documentaire aux historiens à venir de Socrate! Placer, comme il l'a fait, sa doctrine dans la bouche de son vieux maître était un hommage rendu à celui à qui il avait conscience de devoir tout ce qu'il était devenu.) On disait au contraire que Xénophon n'avait pu déformer l'enseignement de Socrate n'ayant pas de philosophie, ni même à proprement parler de pensée personnelle à lui substituer. On fut long à s'aviser (malgré l'avertissement prophétique de Schleiermacher) que précisément pour cela Xénophon n'avait peut-être pas été capable de comprendre grand-chose à l'enseignement de Socrate et n'en donnait qu'une image appauvrie, banalisée jusqu'à la caricature.

Il est presque toujours vain de se leurrer de l'espoir de contrôler, de l'extérieur, la validité de nos témoins; souvent, tout ce que nous pouvons faire, c'est en connaissant bien notre document, en nous efforçant de le pénétrer de mieux en mieux, de formuler un jugement probable sur le degré, et la nature, de sa véracité, et ensuite de décider si, faisant le pas, nous lui ferons ou non confiance.

Nous touchons ici à l'essence même de la connaissance historique : quand elle porte à plein sur son objet, c'est-à-dire sur toute la richesse de la réalité humaine, elle n'est pas susceptible de cette accumulation de probabilités qui, théoriquement, pourrait conduire à une quasi-certitude; elle repose en définitive sur un acte de foi : nous connaissons du passé ce que *nous croyons vrai* de ce que nous avons compris de ce que les documents en ont conservé.

Il n'y a pas lieu de s'en scandaliser : c'est encore un fait et notre philosophie critique n'a qu'à le reconnaître (le philosophe recherche la nature des choses et, l'ayant trouvée, s'en réjouit, *laetatur inventor* [9]), car l'être est toujours, en tant qu'il est, supérieur au non-être : le contact avec le réel, si rugueux qu'il soit, vaut mieux que de caresser une chimère.

Constater que la connaissance historique est issue d'un acte de foi (car « faire confiance » et « avoir la foi », c'est tout un, comme le montrent bien le grec et le latin, *pisteuô*, *credo*) n'est pas pour autant nier sa vérité, nier qu'elle puisse être susceptible de vérité. Encore une fois, prenons garde à ne pas confondre rigueur et roideur d'esprit : c'est une fausse rigueur que de réduire le rationnel à l'apodictique, que de restreindre la possession de la vérité aux seules conquêtes de la déduction *more geometrico* et de la vérification expérimentale des hypothèses de l'induction; recherche pusillanime de la sécurité : de peur de se tromper, on réduit la raison à l'impuissance. De fait, une philosophie authentique, soucieuse de ne rien laisser échapper, sera la première à constater le rôle, légitime, nécessaire, que joue dans la vie de l'homme la connaissance par la foi : je suis frappé d'enten-

---

9. Saint Augustin, *De libero arbitrio*, II, XII (34).

dre, à quinze siècles de distance, la voix de Karl Jaspers [10], faire écho à la réflexion si juste de saint Augustin qui, ayant nettement dégagé le rôle de la foi en histoire, montre qu'elle réapparaît dans bien d'autres domaines de la connaissance, si bien que si on refusait d'y faire appel, l'action, la vie même seraient rendues impossibles, *omnino in hac vita nihil ageremus* [11]. Et il est bien vrai que l'homme, et le philosophe lui-même, si rationnel qu'il soit et qu'il se veuille, ne cesse d'avoir recours à la foi et cela aussi bien dans le comportement le plus banal de la vie quotidienne que dans l'exercice le plus rigoureux de la pensée pure : nous « faisons confiance » à l'horaire des trains que nous fournit l'Indicateur Chaix — bien qu'il soit le premier à nous mettre en garde contre sa non-infaillibilité ; à l'autre bout, qu'on songe au rôle de l'axiome en mathématique, au caractère indémontrable des principes à partir desquels se déduit une philosophie.

Ce n'est pas là un type de connaissance exceptionnel, qui serait réservé au cas très particulier de la foi théologique. Les chrétiens seront, naturellement, particulièrement sensibles à ce cas suprême, pour eux spécialement important : à la différence d'autres religions qui ne mettent en cause que des vérités éternelles ou des symboles mythiques, le christianisme repose sur des vérités de caractère historique (... l'Incarnation, la Passion, la Résurrection,...) : est chrétien celui qui croit en Celui à qui saint Pierre a cru. Aussi bien notre théorie de la connaissance historique peut profiter de tout ce que la théologie et, si j'ose dire, la psychologie chrétiennes ont accumulé de réflexion autour de la notion de « foi divine » ; *mutandis mutatis*, et au prix des précautions nécessaires à toute transposition, on pourra dire : l'acte de foi historique ne doit pas être arbitraire, il comporte des *pream-*

10. « La Foi philosophique », conférence traduite en français dans le recueil paru sous ce titre en 1953.
11. *Confessions*, VI, v (7) : il faut relire tout le passage. On notera la netteté des termes qui concernent l'histoire : « (Mihi) consideranti quam innumerabilia *crederem* quae non uiderem neque cum gererentur adfuissem, sicut tam multa *in historia gentium...* »

bula fidei rationnels; l'effort de compréhension auquel nous
avons soumis les documents (et qui, on l'a vu, déborde de
toute part les cadres de la simple « critique » externe et
interne mais fait appel à tout ce que nous pouvons savoir du
milieu de civilisation dont les documents sont issus, et finalement à tout ce que nous savons de l'homme, de la vie, de
l'être et du néant), cet effort aboutit pour finir à un jugement
de crédibilité, jugement fondé en raison; l'historien consciencieux se gardera toujours de ce que la théorie catholique
appelle l'erreur du « fidéisme », cette tendance à minimiser
ou à nier le rôle de la raison démonstrative dans l'établissement de la croyance saine.

Condition nécessaire, mais non suffisante : une fois
reconnu que confiance n'est pas crédulité, que la foi n'est
pas arbitraire pur, l'effet d'un despotisme de la volonté
qui « captiverait » l'intelligence (en conservant au mot le
sens fort que Bossuet aimait encore à lui donner), il reste
que l'acte de foi demeure un acte libre — *credere non potest,
nisi uolens* [12] — qui engage l'homme tout entier, implique
une décision existentielle.

Nous reviendrons à loisir sur ce dernier aspect; nous
limitant pour l'instant à la seule analyse logique du comportement de l'historien, il nous faut souligner à nouveau le
fait qu'aucune des conclusions de son enquête, aucune
vérité historique, n'est à proprement parler, au sens rigoureux des termes, in-contestable, contraignante. C'est ce qui
ressort, de façon éclatante, de l'ensemble des faits rassemblés
dans le dossier si curieux de l'hypercritique, qu'il faut avoir
le courage d'ouvrir et de considérer sans scandale. Il contient en premier lieu une série d'expériences outrancière-
ment paradoxales, voulues comme telles par leurs auteurs :
ceux-ci, dans un contexte polémique (soit pour combattre
le scepticisme historique engendré par un trop strict rationa-

---

12. Saint Augustin, *Tractatus in Iohannem*, 26, 2 (P. L., t. XXXV,
c. 1607).

lisme, soit au contraire pour ramener à la prudence le dogmatique échevelé des faiseurs d'hypothèses), ont cherché à rendre en quelque sorte manifeste le caractère non nécessaire des vérités historiques en montrant qu'on pouvait en toute rigueur logique, sans tomber dans la contradiction, nier la plus évidente, contester par exemple l'existence de Napoléon Ier : les plus célèbres de ces « expériences pour voir » sont en effet celles de R. Whately, *Historic doubts relative to Napoleon Buonaparte* [13] et de J.-B. Pérès, *Comme quoi Napoléon n'a jamais existé* [14]; le premier, futur archevêque (anglican) de Dublin, membre de ce curieux groupe des libéraux d'Oxford dont j'ai signalé l'importance, voulait montrer, en passant à la limite, ce qu'avaient d'excessif les exigences rationalistes de Hume contre les miracles évangéliques [15]; le second, un ancien Oratorien devenu bibliothécaire d'Agen, fait de Napoléon un mythe solaire pour ridiculiser la théorie, en son temps fameuse, de Ch. Fr. Dupuis sur « l'explication de la fable par le moyen de l'astronomie [16] ». Ce ne sont pas les seuls cas connus : lorsque Max Müller reprit à sa manière l'hypothèse de Dupuis sur l'origine solaire des mythes grecs, on vit circuler parmi les étudiants d'Oxford un tract anonyme : *Comme quoi M. Max Müller n'a jamais existé* [17]... Et moi-même, polémiquant un jour contre un de ces amateurs qui contestent un peu facilement l'existence de Jésus, j'avais entrepris de démontrer que Descartes était lui aussi un mythe créé de toutes pièces

13. Londres, 1819, souvent réédité.

14. Agen, 1817 (ou 1827); nombreuses éditions; une des premières porte le titre significatif : *Le Nouveau Dupuis ou l'Imagination se jouant de la Vérité.*

15. Whately applique à plusieurs reprises les règles formulées par Hume dans son *Essai sur les miracles* (qui fait partie de l'*Enquiry concerning human Understanding*).

16. Titre d'un mémoire paru en 1779-1780 dans le *Journal des savants;* sa grande œuvre est *l'Origine de tous les cultes ou la Religion universelle,* 1795.

17. Traduit en français dans la revue de folklore *Mélusine*, t. II, p. 73 *sq.*

par les Jésuites de La Flèche, préoccupés de faire de la réclame pour leur collège.

A côté de cela, nous avons, et le cas est encore plus révélateur, des interprétations, elles aussi parfaitement logiques, cohérentes, ne se heurtant à aucune impossibilité rationnelle absolue, qui, cette fois, ont été soutenues très sérieusement par leurs auteurs, pour qui elles étaient une authentique vérité, mais que l'unanimité de leurs confrères, de tous les techniciens compétents de l'histoire, considèrent comme évidemment fausses, totalement irrecevables, indignes même d'être réfutées autrement que d'un haussement d'épaules.

Je citerai le cas vraiment étonnant du savant Jésuite Jean Hardouin (1646-1729), qui fut un grand érudit, et dans de multiples domaines (numismatique, philologie, etc.) un bon serviteur de l'histoire (nous utilisons encore avec profit, pour ses commentaires, sa grande édition de Themistios, et ses *Acta conciliorum* ont marqué une date dans le progrès des études ecclésiastiques), mais qui s'avisa à partir d'août 1690, de contester l'authenticité de la plus grande partie des littératures grecque et latine, classiques ou chrétiennes; ses jugements sont d'un arbitraire farfelu : il condamne l'*Enéide*, mais accepte les *Géorgiques*, comme il accepte d'Horace *Satires* et *Épîtres*, mais pour rejeter les *Odes*. Tous ces apocryphes auraient été fabriqués de toute pièce par des moines du xive siècle !

Dans la mesure où on peut essayer de comprendre ce cas vraiment limite [18], il semble que le point de départ de cet échafaudage insensé ait été la préoccupation, naïvement intéressée, de retirer aux méchants jansénistes les armes que l'œuvre de saint Augustin leur fournissait, car c'est, semble-t-il, l'authenticité des Pères de l'Église qu'il suspecta

---

18. Car il est difficile de se reconnaître au milieu de cette œuvre immense et confuse, dont la bibliographie est compliquée par l'existence d'éditions subreptcices, ou usurpées, de protestations ou de rétractations dont la sincérité est suspecte, etc. Voir par exemple M. Veyssière de la Croze, *Vindiciae veterum scriptorum contra Harduinium*, Rotterdam, 1707.

la première : il nous explique complaisamment comment à peine fabriquées, vers le milieu du XIVᵉ siècle, leurs œuvres furent utilisées par les hérétiques, comme Wyclif, avant de l'être par Luther et Calvin!

Le P. Hardouin n'est pas un phénomène isolé : vers le même temps on vit des érudits protestants, inquiets des renforts que l'apologétique catholique trouvait dans les monuments des catacombes romaines [19], entreprendre de nier le caractère chrétien de ces cimetières souterrains et attribuer leurs peintures à des faussaires du Moyen Age [20].

Au début du XIXᵉ siècle, un certain P. J. F. Muller, mû, lui, par la passion nationale, prétendit que les documents concernant le Moyen Age germanique avaient été falsifiés par des étrangers jaloux, qui avaient voulu faire oublier que les Allemands avaient été alors le peuple le plus civilisé et politiquement le plus unifié de l'Europe [21]!

Il serait facile de multiplier les exemples et d'en fournir de très récents...

Peut-on dire que nous rejetons ces billevesées comme l'Académie des sciences rejette les communications, que chaque année, paraît-il, d'aimables fous ne manquent pas de lui envoyer, concernant la valeur erronée de π ou la possibilité du mouvement perpétuel? Non, les choses sont toutes différentes, car nous ne pouvons, à proprement parler, déceler chez nos hypercritiques de vrais paralogismes, ni leur opposer des évidences réellement contraignantes. La raison historique se situe au niveau du possible, du (plus ou moins) probable; elle propose à notre assentiment, à prendre les choses au mieux, des témoignages que rien

---

19. Que venait de révéler l'œuvre posthume d'Ant. Bosio, *Roma subterranea novissima*, Rome, 1651.

20. G. Burnett, *Letters (from) Switzerland...*, Rotterdam, 1686, au moins cinq éditions en quarante ans; F.-M. Misson, *Nouveau Voyage d'Italie*, La Haye, 1691, plusieurs éditions et traductions en anglais, allemand, hollandais; P. Zorn, *Dissertatio historico-theologica de catacumbis...*, Leipzig, 1703.

21. Cf. G. J. Renier, *History, its Purpose and Method*, p. 134.

n'empêche de croire, que de bonnes raisons nous encouragent à accepter; mais que répondre à celui qui estime que ces motifs de crédibilité ne sont pas suffisants? On connaît le mot de Mgr Duchesne à un contradicteur qui l'avait traité d'hypercritique : « Et si moi je vous rétorque que c'est vous qui êtes hypocritique? »

On ne peut contraindre à la foi : d'où (chaque génération d'historiens en fait l'expérience) le caractère passionné, l'âpreté, l'infinitude des discussions suscitées par de telles hypothèses hypercritiques : on ne parvient pas à s'entendre, à faire partager sa conviction...

Sans doute il est clair qu'une sorte d'unanimité se réalise bientôt, s'est faite par exemple, dès le XVIIᵉ siècle, contre ce pauvre Hardouin; il n'est donc peut-être pas impossible de définir d'un commun accord ce qu'on pourrait appeler la zone correcte d'application de la raison historique, *a standard way of thinking about its subject-matter* [22] qu'on puisse qualifier de normal. Sans doute, et c'est bien en ce sens qu'il me paraît possible de défendre contre le scepticisme la validité de l'histoire (qui doit se chercher non pas dans l'inaccessible rigueur de l'apodictique mais sur le plan du « pratiquement satisfaisant »), mais il faut préciser les conditions logiques d'un tel accord.

Constatons d'abord que s'il existe, cet accord ne s'établit pas au même niveau d'exigence critique dans tous les domaines de la recherche historique : il y a des zones paisibles où les témoignages sont acceptés sans difficulté pour leur valeur faciale, d'autres au contraire où règnent inquiétude, scrupule et méfiance; quel contraste par exemple lorsqu'on passe (il s'agit pourtant des mêmes siècles, du même milieu de civilisation) de l'histoire de l'Empire romain à celle des origines chrétiennes!

Le contraste peut s'analyser dans l'œuvre d'un même auteur : voici, c'est un digne successeur du P. Hardouin, le

22. W. A. Walsh, *Introduction to Philosophy of History*, p. 96.

cas de Polydore Hochart, un honnête agrégé de l'enseignement secondaire français qui a consacré deux volumes, grand in-8°, à contester l'authenticité des *Annales* et des *Histoires* de Tacite [23]; qui seraient d'après lui des faux dus à la plume du Pogge, le célèbre humaniste du XVe siècle (il voyait par exemple dans *Ann.* III, 58, où il est question de l'interdiction faite aux flamines de Jupiter de sortir d'Italie, un écho des polémiques du temps sur le séjour des cardinaux loin de Rome [24]). Cette hypothèse a rencontré la plus totale indifférence, manuels ou bibliographies ne la mentionnent même pas. Par contre le même Hochart a, et cela avec d'aussi mauvaises raisons, rejeté le livre X des *Lettres* de Pline le Jeune contenant les fameuses lettres X, 96-97, sur les chrétiens de Bithynie [25]; comme il a touché là à un de ces problèmes âprement contestés, il se voit prêter attention et dûment cité (quitte à se voir reprocher son manque de jugement) par qui reprend un peu à fond l'examen de la question [26].

Pourquoi? C'est que le problème du christianisme reste pour beaucoup de nos contemporains une question posée, actuelle, impérieuse, mettant en jeu leur option fondamentale sur la vie : comment s'étonner dès lors qu'avec l'enjeu existentiel croisse parallèlement l'exigence critique? Dans ce domaine où toute affirmation historique constitue par elle-même une raison supplémentaire de croire ou de douter, il est naturel que l'historien s'avance avec circonspection, sonde pour ainsi dire à chaque pas la fermeté du sol où il va poser le pied, disons sans métaphore : qu'il réclame aux documents leurs titres de crédibilité avec une particulière

23. *De l'authenticité des Annales et des Histoires de Tacite*, 1890; *Nouvelles Considérations au sujet des Annales et des Histoires de Tacite*, 1894.

24. *Nouvelles Considérations...*, p. 211 *sq.*

25. *Études au sujet de la persécution des chrétiens sous Néron*, 1885, p. 79-143...

26. Ainsi M. Durry, éd. de Pline le Jeune, *Lettres (Livre X)*, coll. « Budé », 1947, p. 70.

insistance et dans chaque cas ne se décide à franchir le pas
qu'après de longs débats intérieurs.

Mais il faut souligner, ce que l'histoire positiviste, trop
fière du titre équivoque de « science » dont elle se parait,
évitait volontairement de reconnaître, que ces conclusions
historiques de si grande importance pour la foi religieuse
relèvent déjà elles-mêmes de la catégorie gnoséologique de
la foi : l'analyse critique, si poussée soit-elle, ne sortira
jamais de l'examen des motifs de crédibilité, ne pourra jamais
conclure à la réalité du passé si n'intervient pas la volonté
de croire, de « faire confiance » au témoignage des documents.

L'expérience de l'hypercritique nous met fréquemment
en présence de ce que le théologien dans son domaine appel-
lerait l'obstination dans l'incrédulité : il suffit qu'un historien soit animé de quelque passion profonde (et la simple
curiosité, le moraliste le sait bien, peut devenir une passion
redoutable) pour qu'avant de se décider à accorder sa
créance il se mette à exiger toujours plus de ses documents,
qu'il les examine d'un œil toujours plus soupçonneux, et
c'en est fait de la possibilité de conclure! Il existe de la sorte,
un peu partout en histoire, des points cancéreux où la discussion s'éternise, s'envenime, la bibliographie prolifère
— sans profit positif.

Comme on voit de temps en temps l'épidémie s'étendre,
des doutes surgir, une nouvelle question soumise à la dispute,
la tentation est grande, et il faut savoir s'en garder, de succomber au scepticisme et de conclure : « en histoire rien
n'est sûr; ce qui tend, à la limite, à être « certain », c'est
moins le fait bien attesté que celui que personne n'a encore
trouvé utile de contester [27]; c'est pourquoi la vérité historique n'est valable que pour ceux qui veulent cette vérité [28] ».

Mais ce serait là aller trop loin : le scepticisme n'est

27. Comme je l'écrivais, emporté par la passion polémique, en 1939 :
Tristesse de l'historien, p. 36.
28. *Ibid.*, p. 37; cf. R. Aron, *Introduction*, p. 88.

légitime qu'en référence au dogmatisme positiviste, dont les racines, on le sait, plongent ici jusqu'à Kant, pour qui, à la différence d'un rationaliste conséquent comme Descartes, les faits historiques, connus par le témoignage de l'expérience d'autrui, seraient objet de science; la déception n'existe qu'au regard de ces illusions-là. En fait toutes les observations qui précèdent n'ont fait qu'illustrer le fait fondamental : la connaissance historique, reposant sur la notion de témoignage, n'est qu'une expérience médiate du réel, par personnage interposé (le document), et n'est donc pas susceptible de démonstration, n'est pas une science à proprement parler, mais seulement une connaissance de foi.

Dès lors il devient possible de déterminer, comme nous avons constaté que les historiens le déterminent en pratique de fait, l'intervalle utile où peut efficacement s'exercer l'exigence critique. C'est souvent du travail perdu que de la pousser trop loin, car le moment vient bientôt où la critique ne révèle rien de plus que le principe général : le jugement historique relève de l'ordre du probable, non de la nécessité. Eh oui, bien sûr, les choses pourraient toujours s'être passées autrement, tout témoignage peut être contesté; on le sait! Essayons donc plutôt de comprendre notre document, de voir ce qu'on peut savoir de son être réel, et ce qu'il est raisonnable d'en tirer... Raisonnable, sans plus; à qui exige davantage, il faut répondre, comme la courtisane vénitienne répondait à Rousseau : « *Lascia le donne e studia la matematica* », d'abandonner l'histoire et de se limiter aux mathématiques, car c'est là le seul domaine où l'esprit géométrique peut trouver un terrain d'application légitime et une pleine satisfaction.

Que de temps perdu, pour reprendre l'exemple si frappant de l'histoire des origines du christianisme, tant par l'apologétique chrétienne que par la contre-apologétique de ses adversaires; les uns et les autres ont inutilement aggravé le débat, les uns en essayant de faire de l'histoire une « démonstration évangélique » et comme une machine à convertir, les autres en cherchant à établir l'illégitimité d'une adhésion par la foi théologale aux articles historiques du *Credo*, alors que la critique ne fait qu'en souligner le caractère non nécessaire et, si l'on veut, improbable (mais la foi chrétienne a toujours impliqué un certain élément, spécifique et essentiel, d'obscurité, « car nous voyons maintenant dans un miroir de façon énigmatique [29] » et, quant à la « vraisemblance », elle se présente paradoxalement à la raison comme « scandale » et « folie » [30]).

J'aimerais conclure ce chapitre en soulignant les conséquences pratiques qui se dégagent de cette analyse. Il y a beaucoup à dire sur l'inconscience vraiment coupable de trop d'historiens à l'égard des servitudes qui limitent la fécondité du travail historique, sur la légèreté impardonnable avec laquelle ils soulèvent comme à plaisir des problèmes dont ils devraient savoir qu'ils sont, pour eux et pour nous, insolubles. Nous ne sommes pas Dieu, nous ne pouvons pas tout savoir : à la différence des sciences de la nature où, dans les limites de l'expérience commune (dans l'intervalle entre l'infiniment grand et l'infiniment petit), il est toujours possible d'augmenter la précision de l'expérience, en histoire la précision s'accroît, bien vite, aux dépens de la certitude.

Soit l'une des questions les plus disputées depuis une génération : la conversion de Constantin; à prendre les choses en gros, on peut tenir pour acquis (dans les limites de la « certitude » historique) qu'après la victoire de Constantin sur Maxence, la politique religieuse de l'empire romain s'est trouvée définitivement engagée, en opposition avec la ligne générale définie par Dioclétien, dans un sens favorable au christianisme, que Constantin lui-même s'est rapidement montré de plus en plus sympathique à cette religion et qu'il est mort baptisé. On peut chercher à aller un peu

29. I Cor., XIII, 12.
30. I Cor., I, 23.

plus loin, s'efforcer par exemple de dater avec quelque précision (grâce aux documents législatifs et surtout numismatiques) l'apparition des premières manifestations officielles de cette tendance pro-chrétienne. Quant à serrer de plus près l'évolution personnelle de l'empereur lui-même, à savoir s'il a bien eu une vision dans la nuit du 27 au 28 octobre 312 et ce qu'il a vu ou cru voir à ce moment — il est bien vain de s'y efforcer, faute d'une documentation adéquate : nous ne possédons pas sur la cour de Constantin l'équivalent de ce qu'étaient les *Éphémérides* d'Alexandre (ou, chez les modernes, le *Journal* de Dangeau), ni sur sa vie intérieure des *Confessions* de la valeur de celles de saint Augustin (ou de Rousseau).

Il faut savoir reconnaître de bonne grâce nos servitudes à l'égard des documents, mesurer leur portée, savoir ce qu'il est possible d'en tirer (si ingénieux qu'il soit, l'historien ne peut extrapoler indéfiniment le témoignage de ses sources, leur faire dire autre chose que ce qu'elles sont faites pour dire). Nos servitudes aussi à l'égard de la logique, mesurer nos propres forces, ne pas promettre plus que nous ne pouvons tenir, savoir limiter à temps notre curiosité, exercer nos efforts dans les conditions, et les bornes, où ils peuvent réellement se montrer féconds; Mgr Duchesne a su extraire de saint Paul un précepte bon à méditer : « j'aime mieux aller moins loin et marcher avec plus de sécurité », *non plus sapere quam oportet sapere sed sapere ad sobrietatem* [31].

31. Préface de son *Histoire ancienne de l'Église*, t. I, p. xv, citant Rom., xii, 3.

6

L'usage du concept

Recherche, compréhension, exploitation des documents : c'est ainsi que l'esprit de l'historien construit une réponse à la question par laquelle il s'est avancé à la découverte, à la rencontre du passé. Reprenant l'analyse à un degré supérieur d'abstraction, il nous faut maintenant préciser, d'un point de vue logique, comment, par quels moyens, avec quels instruments s'effectue cette élaboration; la chose importe, car tout le problème de la vérité de l'histoire est suspendu à la validité de ces opérations mentales, par lesquelles s'effectue le passage, la mutation, du « noumène » à la connaissance, de la « réalité » humaine, qui déroulait son évolution dans le passé, à l'histoire.

L'instrument essentiel mis en œuvre paraît être le concept : connaître, ici connaître historiquement, c'est substituer à un donné brut, de soi insaisissable, un système de concepts élaborés par l'esprit, et cela dès que la connaissance historique apparaît chez l'historien, antérieurement à toute préoccupation de mise en forme, d'expression littéraire à l'usage d'un public. Comme l'a très bien vu Croce [1], l'historien ne peut appréhender quoi que ce soit du passé, fût-ce le « fait » le plus élémentaire, le plus simple, le plus objectif (disons par exemple : la mort de Jules César) sans le « qualifier » : on ne peut se contenter de dire qu'il a existé, été,

1. *Logica come scienza del concetto puro* [4], p. 184-185; doctrine reprise dans ses œuvres ultérieures, comme *la Storia come pensiero e come azione*, trad. fr., p. 58.

sans préciser de quelque façon *ce* qu'il a été; en termes rigoureux, Croce analysait ce mécanisme en invoquant le principe logique de l'indissolubilité du prédicat d'existence et du prédicat de qualification dans le jugement particulier [2].

Mais comment qualifier le passé sans lui donner une forme que l'esprit puisse saisir, un visage que l'œil de la conscience puisse voir, un nom enfin — par l'intermédiaire, le moyen d'un concept élaboré *ad hoc* par l'esprit humain. Quelle illusion de pouvoir atteindre « les choses elles-mêmes », le passé « tel qu'il a réellement été »! Il serait contradictoire de prétendre connaître sans utiliser les instruments logiques de la connaissance. Nous le montrerons sans peine en examinant le cas de l'exemple choisi, l'assassinat de César; que signifierait connaître cet épisode du passé en « allant aux choses elles-mêmes »? Au prix de beaucoup d'efforts on arriverait tout au plus au récit que voici :

A un instant t du devenir de l'univers (qu'on pourrait repérer en se référant à la précession des équinoxes et aux mouvements apparents de la lune et du soleil), en un point de la surface terrestre défini par les coordonnées x^o de Lat. N. et y^o de Long. E. Greenwich, à l'intérieur d'un espace clos ayant la forme d'un parallélépipède rectangle, où se trouvaient rassemblés environ 300 individus mâles de l'espèce *homo sapiens*, un nouvel individu appartenant à la même espèce pénétra, décrivant une trajectoire rectiligne. A l'instant $t + n$, tandis que les autres individus présents oscillaient légèrement autour de leur position d'équilibre, 12 se mirent en mouvement, décrivant à une vitesse accélérée des trajectoires convergentes qui rejoignirent au point m la trajectoire du précédent. A l'extrémité préhensible des membres supérieurs droits des 12 se trouvaient des pyramides affilées d'acier qui, grâce à la force vive, produisirent des plaies pénétrantes dans le corps dudit premier individu entraînant la mort.	*Ides de Mars de l'an 44 av. J.-C., vers 11 h du matin* *Rome* *la curie le Sénat César* *En style parlementaire : mouvements divers* *Brutus, Cassius, etc.* *Poignards*

2. Notions élaborées par Croce dans *Logica...*, p. 103-113.

Comme on peut s'en rendre compte, nous n'avons pas saisi directement les choses telles qu'elles se sont réellement passées; nous les avons pensées, c'est-à-dire appréhendées au moyen de concepts, choisis parmi ceux qui ont été élaborés par l'homme en vue de construire les sciences de la nature, mécanique, biologie, etc. Loin de nous permettre une saisie plus directe du passé, ces concepts, obtenus par un processus de schématisation, ne nous ont fourni qu'une image mutilée de cette réalité humaine; pour en refléter la richesse de façon plus précise et plus complète, sans nous flatter jamais de l'épuiser, il faudra, sans renoncer à utiliser ces concepts scientifiques, les compléter par toute une série d'autres concepts, spécifiquement humains ceux-là, qui non seulement nous permettront de mieux saisir la réalité historique, mais lui conféreront une structure possédant un haut degré d'intelligibilité : ce seront les notions de république, monarchie, aristocratie, légalité; dictateur, sénat, *nobilitas;* conspiration, ambition, liberté, ingratitude, désespoir [3]...

Le problème, pour nous, est de déterminer la validité de ces concepts, leur adaptation au réel, leur vérité — d'où dépend en définitive celle de l'histoire. Il faut ici distinguer plusieurs cas : c'est faute de l'avoir fait que la théorie de l'histoire s'est trop souvent contentée d'un schématisme simpliste et inadéquat. Tous les instruments qu'utilise l'histoire n'ont pas la même structure logique ni la même valeur. Je proposerai de distinguer au moins cinq grandes catégories :

a) L'histoire utilise d'abord des concepts d'ambition proprement universelle, c'est-à-dire susceptibles d'être appliqués à l'homme de n'importe quelle époque ou milieu; les partisans du relativisme historique (il y en a beaucoup

3. L'exemple choisi par Croce est celui d'une phrase de Tite-Live, XXII, XLIV, I, qui met en jeu les concepts de : homme, guerre, armée, poursuite, route, camp, fortification, rêve, réalité, amour, haine, patrie, etc.

parmi les historiens, qu'ils en soient conscients ou qu'ils s'ignorent comme tels) haussent ici les épaules avec dédain, n'ayant que mépris pour « le cliché de l'homme éternel identique à lui-même à travers les siècles », ce « je ne sais quel homme abstrait, éternel, immuable en son fond et perpétuellement identique à lui-même » [4]; pourtant, avant de s'intéresser à ce qui dans l'homme est singulier, ou spécial à tel milieu de civilisation déterminé, il faut bien que l'historien saisisse l'homme en tant que purement et simplement homme. Qui d'entre nous peut un seul instant penser le passé humain sans faire appel aux notions universelles d'homme, *homo* ou *vir*, femme, vie, mort...

Prenons un exemple moins grossier : si, à la suite de Thucydide, je cherche à connaître l'histoire politique ou culturelle d'Athènes dans les années qui précèdent immédiatement la guerre du Péloponnèse, je serai amené à prononcer à tout instant le nom de Périclès, qui remplit l'horizon de cette histoire : l'usage de ce nom suppose la notion de « personnalité », l'idée qu'à travers tous les changements biologiques et psychologiques quelque chose de permanent, de cohérent et d'un, a persisté, sa vie durant, en Périclès : facteur d'intelligibilité.

Nous disions « concepts *d'ambition* universelle » pour ne rien préjuger de leur validité; il s'agit là en fait d'une classe hétérogène qu'il faut analyser avec précaution. Certains de ces concepts sont empruntés par l'histoire aux sciences de la nature : l'homme César était d'abord ce corps doué d'une certaine masse et comme tel susceptible d'accélération; ensuite, ce corps vivant, susceptible de telles affections somatiques : la connaissance historique de César doit intégrer tout ce que la mécanique et la biologie peuvent saisir de cet objet. D'autres, beaucoup plus nombreux, proviennent des « sciences de l'homme », sociologie, psychologie, morale (« Néron était cruel »)... La validité,

---

4. Cf. L. Febvre, *Combats pour l'histoire*, p. 21.

l'universalité réelle de ces concepts est évidemment suspendue à la valeur des sciences qui les ont élaborés et relative au degré de vérité dont, dans l'état atteint par leur
développement, elles sont susceptibles. La proposition
« César était chauve » utilise le concept véritablement universel, bien défini par la science médicale, de « calvitie »;
« Néron n'avait pas liquidé son complexe d'Œdipe », par
contre, met en cause une discipline, la psychanalyse, dont
les méthodes, l'exacte portée, la valeur explicative sont
encore discutées : l'usage qu'en fera l'historien est par cela
même affecté d'un coefficient variable de légitimité.

Une autre espèce du même genre est représentée par les
idées sur l'homme, les choses humaines, l'humanité, que
l'historien, consciemment ou non, reçoit de son milieu de
civilisation : la langue de son peuple, les idées dominantes
de son époque *(Zeitgeist)*, l'idéologie de sa classe sociale,
la philosophie qui lui a appris à penser. C'est ici où la
critique des relativistes a trouvé ample matière à s'exercer
et nous apporte une contribution utile; car si l' « historicisme » (tout dans l'homme est relatif à son temps) est, j'y
reviendrai, une conclusion philosophique paresseuse et une
erreur, il représente une réaction illégitime à un ensemble de
faits bien observés. Il est trop évident que l'historien reste
bien souvent prisonnier de l'optique particulière que lui
impose, ou du moins lui suggère, sa mentalité personnelle,
largement empruntée à la mentalité commune de son milieu
et de son temps : souvent, s'il n'y prend garde, il croira
penser l'homme en termes de validité universelle alors qu'il
ne fait que l'imaginer à travers les formes particulières qu'il
emprunte à l'expérience de son temps. D'où l'anachronisme : ces instruments imparfaits ne lui permettront pas
de saisir, sans les déformer, les hommes du passé, en tant
qu'ils sont autres, différents. A bon droit l'historicisme
dénonce le péril d'un dogmatisme naïf qui, voulant ignorer
l'histoire, n'aboutit qu'à un pseudo-universalisme fallacieux. Celui, par exemple, de nos Classiques qui croyaient

ne s'intéresser qu'à l'homme en général; mais quand ils parlent de rois et de princesses à propos des héros de Homère, ils transposent ingénument à Agamemnon ou Iphigénie les données de leur expérience de la vie de cour sous Louis XIV...

Il est plus facile de dénoncer les erreurs, devenues patentes, de nos prédécesseurs, que d'éviter à notre tour de commettre de pareilles extrapolations; en un sens, toute l'expérience historique se présente, pour le chercheur, comme une ascèse où, au contact des documents, il apprend peu à peu à se dépouiller de ses préjugés, de ses habitudes mentales, de sa forme trop particulière d'humanité — à s'oublier lui-même pour s'ouvrir à d'autres formes d'expérience vécue, pour se rendre capable de comprendre, de rencontrer autrui.

Si, passant de la morale à la logique nous cherchons à préciser comment la chose devient possible, il faut répondre que cet idéal, difficile, et qui ne sera jamais que partiellement atteint, impose deux règles de méthode à l'historien : qu'il apprenne d'abord à penser avec rigueur, à donner un sens précis à tous les mots qu'il emploie (un contenu défini à tous les concepts dont il se sert), cela en réaction contre les habitudes du langage commun.

Ainsi, dans le domaine relativement simple de l'histoire militaire, qu'appeler « victoire »? Tuer plus de monde qu'on n'en perd? Gagner du terrain? (Pour les Grecs du temps de Thucydide, c'était rester maître du champ de bataille, pouvoir enterrer ses morts et élever un trophée.) Les modernes croient avoir fait progresser la notion en la définissant « le fait d'imposer sa volonté à l'adversaire » — mais en quoi et jusqu'où?

Puis, lorsqu'il devient évident que tel concept contemporain n'est pas applicable tel quel aux données du passé, construire, toujours en pleine conscience et en toute rigueur, à partir des données de l'expérience un concept plus général qui, par abstraction ou transposition, devienne applicable à un domaine élargi.

Il faut être ici très attentif à ne pas conclure trop hâtivement de la généralité, plus ou moins grande, acquise par de tels concepts à une universalité, au sens propre et rigoureux. Il faut se méfier des pièges que les ruses de l'imagination tendent à la raison : la philosophie des sciences (de la nature) adresse ici au théoricien de l'histoire des avertissements qu'il convient de méditer.

Lorsque l'expérience scientifique s'étend à de nouveaux domaines, on découvre que les concepts utilisés jusque-là se trouvent dépendre très étroitement des conditions expérimentales dans lesquelles ils avaient été élaborés.

C'est éclatant en physique, mais n'est pas moins vrai en mathématiques : Euclide par exemple croyait utiliser un concept d' « espace » véritablement universel; depuis Lobatchevskij et Riemann, nous avons appris à déceler les caractères particuliers de l'espace euclidien (homogène, à trois dimensions, sans courbure, infini), et sa dépendance évidente à l'égard des données empiriques.

Il en est de même en histoire : la proposition « Néron fut un parricide » fait usage d'un concept en apparence bien universel, mais la définition : « le parricide est le meurtrier de l'un de ses deux parents », implique la notion d'auteur responsable, ce qui la particularise : elle devient inapplicable par exemple à une société « primitive » qui pratiquerait le sacrifice rituel des vieillards.

Souvent l'expérience seule (celle du présent, comme celle toujours renouvelée et enrichie, du passé) apprendra à discerner ces limites; mais il ne faudrait pas tirer de ce fait des conclusions sceptiques; il ne représente une difficulté que pour un rationalisme étroit et rigide; une théorie de la connaissance authentique n'éprouve pas de difficulté à reconnaître l'interférence inévitable et la collaboration nécessaire de l'expérience et de la réflexion.

Nous conclurons de ces observations que l'universalité ou la généralité, la validité des concepts mis en œuvre par l'histoire sont bien, il ne faut pas dire relatifs, mais dépendants, non pas à proprement parler de la personnalité de l'historien, de sa mentalité, de son temps, mais bien de la vérité de la philosophie, implicite et, il faut le souhaiter, explicite, qui lui a permis de les élaborer. Toutes nos idées sur l'homme, qui constituent l'instrument au moyen duquel nous allons nous risquer à saisir le passé humain, se rattachent à une certaine philosophie de l'homme; la vérité de ces concepts, qui implique leurs limites de validité, conditionne la vérité de la connaissance historique; ce n'est pas à l'historien, sinon par accident, mais au philosophe en tant que tel, à l'anthropologue, à établir, à préciser, à vérifier cette validité. L'histoire ne se soutient pas à elle seule, comme le rêvaient les positivistes; elle fait partie d'un tout, d'un organisme culturel dont la philosophie de l'homme est comme l'axe, la charpente, le système nerveux; elle tient et tombe avec lui : il faut oser reconnaître ce caractère fortement structuré de la connaissance et l'unité qui relie les diverses manifestations de l'esprit humain.

b) On prendra garde de distinguer les véritables concepts, ainsi élaborés par généralisation, de l'usage analogique ou métaphorique que l'historien peut trouver expédient de faire d'une image singulière.

Par opposition à « Néron, parricide », considérons la proposition « Néron fut un tyran »; pour être rigoureuse, et vraie, il faut la préciser ainsi : « Le comportement de Néron vis-à-vis de l'aristocratie sénatoriale, considéré du point de vue de celle-ci et jugé en fonction des normes qu'elle admettait, présenta les mêmes caractères de cruauté et d'illégalité que ceux que la tradition démocratique grecque des vᵉ-ivᵉ siècles s'est plu à souligner dans le souvenir qu'elle gardait des *tyrannoi* du viᵉ. »

Je me séparerai ici de Croce [5] qui, préoccupé de fournir

---

5. C'est là un des points les plus fermes de la pensée « protéenne » de Croce : il y revient constamment dans *Logica...*, p. 103 *sq.*, 108 *sq.*; *Teoria e Storia della storiografia*, trad. fr., p. 59; *La Storia come pensiero e come azione*, trad. fr., p. 130 *sq.*, 227 *sq.*, etc.

une analyse rigoureuse du travail de l'historien, s'est complu
à le décrire en termes de logique formelle : la connaissance
historique serait un ensemble de jugements du type *S* est *P*,
I est *U*, affirmant d'un sujet particulier un prédicat universel ; ces prédicats seraient des « concepts fonctionnels »,
susceptibles de définition rigoureuse, élaborés par la raison,
par la philosophie (« la philosophie est méthodologie de la
pensée historique ») et permettraient de conférer au singulier
un caractère rationnel, ou plutôt (c'est un hégélien qui parle)
de dégager la rationalité immanente du réel singulier. Croce
insiste sur l'origine extra-temporelle, non empirique, de ces
universels (très distincts par conséquent des concepts
examinés au paragraphe précédent : « chauve », « parricide, » etc., concepts empruntés aux diverses sciences qui
étudient l'homme et que Croce, j'imagine, aurait exclus
comme non spécifiquement historiques).

Empruntons à Croce lui-même son exemple favori :
la notion de « Baroque » ; pour lui, c'est là un concept
que l'historien reçoit du philosophe (en fait ici l'esthéticien)
et dont le contenu peut être, à la façon d'un terme géométrique, exprimé avec précision par une définition : le
Baroque, cette variété du laid, c'est, dit-il, le « vice de
l'expression artistique qui substitue à la beauté un effet
dû à la surprise ou à l'inattendu [6] ». Définition rigoureuse,
mais dans laquelle je ne reconnais pas la notion de Baroque
telle que l'utilise si volontiers de nos jours l'histoire de l'art
et de la culture, notion qui, de fait, est beaucoup plus
compréhensive, plus nuancée, plus subtile et, moins précise
peut-être, beaucoup plus féconde.

Si j'analyse, par exemple, l'usage qu'il m'est arrivé d'en
faire [7], il me semble que j'ai vu dans le Baroque non pas
une espèce du genre « laideur », mais un moment dans
l'évolution d'un style : après la période « classique », celle

---

6. *La Storia...*, trad. fr., p. 132.
7. En disciple de Focillon et à travers lui de Wölfflin, dans *Saint
Augustin...*, *Retractatio*, p. 670.

où, après les tâtonnements de l'archaïsme, des primitifs, l'art atteint une maîtrise parfaite de ses moyens d'expression, il peut se produire deux choses (en dehors d'une révolution qui interrompe le développement homogène de ce style) : ou bien la tradition se fige dans l'imitation stricte, timorée, et bientôt se sclérose — et c'est l'académisme, ou bien au contraire elle s'exaspère en une floraison exubérante, poussant chaque principe à sa limite dans une orgie d'expériences et d'innovations — et c'est cela que l'on peut appeler le Baroque.

Cette autre définition n'exclut pas la première et ne prétend pas à son tour épuiser le contenu de la notion. D'autres viendront, ou sont déjà venus, qui tenteront de la décrire autrement : E. d'Ors par exemple le présente comme une catégorie esthétique fondamentale opposée antithétiquement à celle de classique et, plutôt que de le définir, tente de le suggérer par une série d'exemples : le Baroque, c'est le rond et non pas le carré, l'ellipse d'ailleurs plutôt que le cercle, etc. [8].

En réalité, nous constatons deux usages très différents du terme; quand on dit : « l'église de Santa-Teresa-a-Chiaia est baroque », ou, plus hardiment : « la découverte de la circulation du sang par Harvey est une invention baroque », on s'en sert comme d'une notion, non pas universelle, mais singulière, qui cherche à exprimer les traits communs que possèdent un grand nombre de créations artistiques de l'Italie du XVIIe siècle et, de proche en proche, d'autres formes d'expression et de pensée caractérisant l'époque en question : on dit l'art baroque, l'âge baroque, comme le gothique ou la Renaissance; nous examinerons plus loin (§ e) ce type de « concept » singulier; ne nous occupons pour l'instant que de son usage « universel » : quand nous qualifions de baroques le grand temple de

8. Voir le recueil d'essais traduit en français sous le titre *Du baroque*, 1935. E. Castelli propose une tout autre conception : III. Congresso intern. di studi umanistici, Venise, 1954.

Baalbek ou la rhétorique de saint Augustin, il ne s'agit plus
à proprement parler d'une utilisation du même « concept »,
mais simplement d'une image, d'une figure de mot, métaphore ou analogie (il est parfois difficile d'en décider),
sur une comparaison implicite : j'aperçois, entre l'art si
sobre, si équilibré du temps d'Auguste ou de Trajan et
celui de Baalbek, un rapport analogue à celui que j'établis
d'autre part entre le classicisme de Michel-Ange et le
baroque du Bernin; de même entre le style de Cicéron
(ou d'Isocrate) et celui de saint Augustin. Si cette comparaison est légitime, je pourrai, bien entendu, en expliciter
les raisons, et retrouver à Baalbek, comme chez saint
Augustin et le Bernin, exubérance, recherche de l'effet,
déformation expressive, dissymétrie, etc. Mais cette analyse
n'épuisera pas nécessairement la portée de la comparaison
implicite.

Car un tel usage relève non pas de l'esprit géométrique,
de cet emploi rigoureux du concept par lequel Croce espérait
atteindre l'essence même de l'objet historique et l'épuiser
rationnellement — mais bien de l'esprit de finesse; et il
faut le défendre comme tel, car la connaissance historique,
qui cherche à saisir la vie des hommes du passé dans toute
sa délicatesse, ses nuances infinies, sa vérité subtile, ne
saurait se contenter des ressources limitées de la logique,
rigoureuse mais étroite, des mathématiques : une comparaison implicite du type ci-dessus examiné, peut permettre
de saisir bien des aspects du réel qui fuiraient sous les doigts
pour qui chercherait à les enfermer dans des définitions
explicites.

Sans doute, la vérité d'un tel usage métaphorique demeure
relative au point de vue partiel sous lequel l'historien choisit
de considérer et son objet et le terme de comparaison; on
n'oubliera pas non plus que toute comparaison reste boiteuse,
qu'il n'y a jamais en histoire, ce domaine du singulier,
de parallèle parfait ni de recommencement absolu. L'usage
de tels procédés analogiques ou métaphoriques demande

donc des précautions, du doigté, de la culture : qualités qui sont par ailleurs de toute façon indispensables pour composer cet instrument délicat de connaissance que doit être l'esprit de l'historien.

Lorsqu'il faudra passer de l'élaboration de la connaissance dans l'esprit de l'historien à son expression à l'usage du public, l'usage figuré des images singulières présentera des difficultés accrues : comment être sûr que le lecteur comprendra tout ce que l'auteur a mis dans ce rapprochement, et dans quelles limites il l'a enfermé. Il m'est arrivé de comparer l'idée que les Pères se faisaient des obscurités de l'Écriture à l'obscurité poétique selon Mallarmé, par opposition à Rimbaud : un critique m'a objecté [9] que de telles comparaisons ultra-modernes *tend to obscure the argument rather than to clarify it;* évidemment, il n'avait pas lu Mondor! En dépit de ces difficultés, la richesse suggestive d'un tel usage figuré est telle que l'historien renoncera difficilement à s'en passer.

c) Par opposition aux concepts véritablement universels que nous avons examinés dans le § *a,* l'historien fait usage de notions techniques dont la validité est limitée dans le temps et dans l'espace, disons mieux est relative à un milieu de civilisation donné : c'est le cas de tous les termes spéciaux désignant des institutions, des instruments ou des outils, des façons d'agir, de sentir ou de penser, en un mot des faits de civilisation : ainsi, pour l'histoire de la République romaine, patricien, consul, toge, atrium, *molae trusatiles* (le moulin à bras), adoption, *deuotio, mos maiorum...,* tous concepts évidemment relatifs, sauf usage métaphorique, à ce secteur déterminé du passé.

Ici, les limites de validité sont celles de notre compréhension : le problème est de retrouver exactement ce qu'un Romain de la République mettait derrière les mots « patriciens » ou « consul » (le droit public romain existait avant

9. Cf. G. S(arton), dans *Isis,* 1950, t. XLI, p. 332, critiquant ma *Retractatio,* p. 649.

Mommsen, il ne s'agit que de le reconstituer) et la vérité progresse avec notre connaissance : comparons l'image si riche, si précise, si vraie que nous pouvons nous faire de la notion de « pharaon » grâce à un siècle d'efforts poursuivis depuis Champollion, à celle, si sommaire, vraie sans doute elle aussi, mais d'une vérité pauvre, que pouvait s'en faire un lettré carolingien, qui ne connaissait le Pharaon que par l'histoire de Joseph dans la *Genèse* et par le récit de l'*Exode*.

Un cas un peu plus complexe est celui des concepts que nous trouvons élaborés dans nos sources par les historiens ou plus généralement les témoins intermédiaires qui nous relient au passé : telle la notion de « vertu romaine » que nous présente Plutarque, de « démocratie athénienne » exprimée par le Périclès de Thucydide : vérité et validité sont ici suspendues à deux opérations mentales : l'historien doit d'une part comprendre ce qu'ont voulu dire Thucydide ou Plutarque, apprécier ensuite la légitimité de leur construction ou de leur témoignage. Enfin de tels concepts sont parfois élaborés par l'historien d'aujourd'hui, même s'il les désigne d'un terme emprunté à la langue de ses héros, comme aiment à faire les géographes, conférant une acception technique à des termes usuels, utilisant par exemple le français (lorrain) *côte* ou l'espagnol (mexicain) *cuesta* pour désigner un relief monoclinal.

Le danger, dans ce cas, n'est pas, comme plus haut, de mettre dans la notion moins que la vérité totale du passé, mais plus ou autre chose : c'est ce qui menace toujours l'historien de la philosophie, de la pensée, de la mentalité, qui sera tenté d'attribuer à l'homme d'autrefois l'idée claire et distincte qu'il a lui-même élaborée, extrapolant les données, souvent maigres ou imprécises, de ses documents.

Prenons le livre célèbre et de fait si précieux, du grand théologien luthérien A. Nygren, *Eros et Agapè, la notion chrétienne de l'amour et ses transformations :* il est clair que l'image très systématique qu'il y propose des deux concepts d' « Eros » (l'amour-désir, ascendant, aspirant à la possession de son objet) et d' « Agapè » (l'amour-don de soi, descendant, répandu) dépasse infiniment en précision, structure interne, rigueur, et le sens que ces deux mots grecs reçoivent sous la plume des écrivains grecs, païens ou chrétiens, et la prise de conscience que les Anciens pouvaient avoir atteinte de leurs sentiments réels.

Ici nous glissons à une tout autre catégorie : la frontière est indécise qui sépare ces concepts particuliers élaborés par l'historien et ceux que nous allons maintenant étudier :

d) On conservera, pour désigner cette autre classe, le terme d'*Idealtypus*, emprunté à Max Weber [10], qui a défini ce genre de notion avec une particulière attention et en a fait, dans son œuvre d'historien, un usage systématique. Non, certes, qu'il l'ait à proprement parler inventée, ni qu'il soit le seul à s'en servir.

Je prendrai comme exemple d'*Idealtypus* la notion de *Cité antique* telle qu'elle a été élaborée par Fustel de Coulanges (1863) et que nous ne cessons d'utiliser (même quand nous la critiquons ou refusons), c'est-à-dire le *city-state* conçu comme confédération de grandes familles patriarcales *(genè, gentes)*, fédérées d'abord en phratries puis en tribus, l'unité de chacun de ces groupes sociaux, étagés de la famille à la cité, étant exprimée et resserrée par l'existence d'un culte spécifique adressé à l'ancêtre ou au héros, pratiqué autour d'un foyer commun.

Comme le montre cet exemple, il s'agit d'un schéma de valeur relativement générale construit par l'historien avec des éléments observés dans l'étude des cas particuliers, schéma organique aux parties mutuellement dépendantes (et cette organisation n'est pas arbitraire : elle repose sur

10. Le lecteur français trouvera une première initiation à la théorie dans R. Aron, *La Philosophie critique de l'histoire*, p. 232-235; M. Weinreich, *Max Weber, l'homme et le savant*, thèse de Paris, 1938, p. 96-153.

des relations structurales dégagées par l'analyse des cas singuliers), exprimé enfin avec rigueur et précision par l'historien dans une définition qui en épuise le contenu. L'attribut « idéal » souligne la part de construction originale que renferme la notion : elle n'est pas une simple image générique, réduite aux seuls caractères communs comme le sont les concepts de la systématique en biologie, qui ne retiennent que les caractères présentés de façon identique par tous les individus de l'espèce ou du genre : les caractères retenus par l'*Idealtypus* ne sont pas nécessairement ceux que fournissent les cas les plus nombreux, mais bien plutôt ceux que fournissent les cas les plus « favorables », — c'est-à-dire ceux qui suggèrent à l'historien la notion la plus cohérente, la plus chargée de significations, la plus intelligible.

Si, à la différence du « prédicat universel » de Croce, la genèse de l'*Idealtypus* suppose une phase analogue à celle de l'élaboration de l'Abstrait aristotélicien, la part de la construction originale qui y fait suite demeure essentielle : sans doute Fustel de Coulanges n'a pas imaginé de toutes pièces son type-idéal de la cité antique : il s'est servi pour cela de l'étude comparée des cas singuliers que représentent les diverses constitutions, *politeiai*, des cités connues de la Grèce classique ou de la Rome archaïque; il n'en reste pas moins que sa Cité antique est quelque chose d'autre, et de plus, qu'aucune des cités empiriquement observées.

Une fois en possession de cette idée pure, l'historien, revenant au concret, s'en sert pour mieux saisir dans la connaissance les cas singuliers, les seuls « réels », que présentent nos documents, et cela de deux manières : d'une part, dans la mesure où les exemples particuliers, une fois superposés à l'image théorique du Type-idéal, révèlent une coïncidence plus ou moins grande avec celle-ci, le réel se trouve désormais avoir acquis une intelligibilité, partielle sans doute, mais authentique; en second lieu, dans la mesure où la confrontation aboutit à un jugement négatif (celle où le cas réel se révèle n'être pas identique à l'*Idealtypus*), ce jugement permet d'atteindre une connaissance précise du singulier en tant que tel, jüsque-là insaisissable dans son autonomie, son hétérogénéité absolue.

Cherchant à préciser l'originalité de la Cité lacédémonienne, H. Jeanmaire déclare que l'hypothèse de Fustel est « sans doute celle qui paraît le moins propre à servir de point de départ à l'explication de Sparte [11] » : simple fin de non-recevoir? Non, la suite montre que la confrontation entre l'hypothèse et les données documentaires aide Jeanmaire à saisir, et à dater, le développement, exceptionnellement tardif à Sparte, de la famille aristocratique.

On a parfois salué la mise au point par Weber de la notion d'*Idealtypus* comme un progrès décisif de la théorie, et de la pratique, de l'histoire, enfin pourvue d'un instrument rigoureux. Peut-être est-il nécessaire de modérer cet enthousiasme : d'abord, comme l'a montré ce qui précède, le Type-idéal n'est pas le seul moyen de connaissance qu'utilise l'historien, ni même le plus fréquemment utilisé; ensuite son élaboration se révèle délicate dès qu'on se préoccupe d'assurer à ce type de concept un rendement *optimum;* en effet dans la mesure où l'*Idealtypus* se distingue d'un simple concept général engendré par abstraction, il tend à devenir arbitraire (au même titre que le « prédicat universel » que Croce nous montrait jaillissant de l'ingéniosité *a priori* de la pensée philosophique) : les définitions de mots sont libres, et il est en mon pouvoir de définir tel Type-idéal qui me convient, mais pour être utile à l'historien, il faudra que ce concept, tout en possédant cette logique interne chargée de significations qui lui confère sa « clarté », son intelligibilité, soit en même temps celui dont les caractères se retrouvent le mieux, au moins à l'état participé, dans les cas singuliers révélés comme existants par notre documentation; d'où bien des difficultés pratiques.

11. *Couroi et Courètes*, Travaux et mémoires de l'Université de Lille, 21, Lille, 1939, p. 468.

Toujours à propos de la Cité antique, une polémique opposa en 1937 V. Ehrenberg à H. Berve [12] sur la date de son apparition : Ehrenberg la fait remonter au début du VIIIᵉ siècle, Berve avait tendance à la retarder de plus en plus : 600, 500, sinon plus tard encore. C'est que l'un et l'autre définissent différemment leur *Idealtypus* de la *Polis :* Berve entend par là la cité démocratique et attend, pour la reconnaître, l'élimination de tout principe « dynastique », alors que pour Ehrenberg le régime de la cité est instauré, pour l'essentiel, dès que la communauté cherche à imposer la loi souveraine à l'autonomie des citoyens.

Les deux conceptions sont légitimes et la discussion pourrait s'éterniser si n'intervenaient des exigences pratiques : des deux concepts, quel est le plus utile à l'historien ? A mon sens, évidemment celui d'Ehrenberg, qui embrasse une plus grande généralité; la cité de Berve n'atteint guère son développement complet avant 450 et son déclin commence avec la tension intérieure causée par la guerre du Péloponnèse (431 *sq.*) : réduite à une si brève période, la notion perd de son utilité.

Enfin et surtout l'*Idealtypus* n'est d'un usage légitime que si, comme le soulignait avec insistance Max Weber, l'historien garde toujours pleinement conscience de son caractère strictement nominaliste; Max Weber, très justement, ne perd aucune occasion de souligner le caractère construit, irréel, fictif de ces concepts. Rappel utile, car la pente naturelle de l'esprit humain est de surfaire la valeur de ses propres idées : la tentation idéaliste guette à tout instant l'historien : s'il n'y prend garde, il aura spontanément tendance à réaliser, réifier ses « types-idéaux », à s'en servir comme s'il s'agissait de véritables Idées platoniciennes, des Essences qui, dans leur pureté idéale, seraient

12. V. Ehrenberg, *When did the Polis rise?* dans *Journal of Hellenic Studies*, 1937, t. LVII, p. 147-159, critiquant H. Berve, *Fürstliche Herren der Persekriege*, dans *Die Antike*, 1936, t. XII, p. 1-28; *Miltiades, Studien zur Geschichte des Mannes und seiner Zeit*, Berlin, 1937.

plus réelles que l'authentique réalité historique, cet objet insaisissable qui toujours se dérobe à quelque degré, finalement rebelle à nos efforts de rationalisation, condition de toute connaissance.

Je ne crois pas dénoncer un péril imaginaire : trop séduit par la « clarté », la limpidité rationnelle, du type-idéal, l'historien court le risque, confondant moyens et fin, d'échanger la proie pour l'ombre et de substituer à l'authentique connaissance du concret qui doit être son but, un jeu d'abstractions combinées.

Soit l'Athènes au temps de Périclès : on pourra l'analyser en y retrouvant, par exemple $x \%$ de véritable « Cité antique » (l'homme défini par sa participation aux collectivités superposées qui l'intègrent), encore $y \%$ de survivances du personnalisme archaïque (l'éthique du héros de style homérique), déjà $z \%$ d'individualisme annonçant l'homme hellénistique, $x + y + z$ formant un total tendant plus ou moins vers 100.

Nous retrouvons les mêmes inconvénients qu'avec les concepts universels de Croce qui nous invite à analyser l'art d'une époque en $x \%$ de Baroque, $100 - x \%$ de Non-baroque, l'œuvre de Dante en combinaison analogue de Poésie et Non-poésie.

J'ai choisi à dessein des exemples de tout repos : je laisse à mon lecteur le soin d'engager la polémique avec les historiens marxistes chez qui il sera facile de déceler une véritable intoxication idéaliste : sous prétexte d'atteindre la réalité profonde, on les voit substituer, en toute ingénuité, au réel authentique un jeu d'abstractions réifiées : classes sociales, forces de production, féodalité, capitalisme, prolétariat...

On n'insistera jamais trop : non, par les concepts « idéaux », nous n'atteignons pas des essences; ce ne sont que des esquisses, des épures, des constructions de l'esprit, qui cherchent simplement à saisir quelque chose d'un réel dont la complexité déroutante échappe de tous côtés à ces

moules qui veulent l'enserrer. Surestimer la valeur ontologique de ces instruments à penser aboutit à une histoire
véritablement imaginaire : le passé apparaîtrait moins
« réel » que ces entités intelligibles qu'il se montre incapable
d'incarner jamais pleinement; l'historien passerait son
temps à chercher dans le passé quelque chose qui ne s'y
trouve pas, ou du moins qui ne s'y trouve pas en quantité
suffisante.

Manié sans précaution, l'*Idealtypus* tend à n'être plus
qu'un stéréotype, un préjugé : l'idée toute faite qui s'inter-
pose entre l'esprit et le réel menace toujours d'émousser
la curiosité, qui doit être infatigable, de l'historien en quête
d'un contact toujours plus direct et plus intime avec le
concret.

Aussi bien, chez les vrais historiens, l'usage pratique
des notions d'abord définies comme Types-idéaux révèle
une réaction instinctive contre cette déformation idéaliste
et un redressement, une correction salutaires. Lorsqu'un
historien de l'antiquité prononce par exemple le terme de
« civilisation de la Cité antique », il s'en sert en fait pour
évoquer dans une appréhension complexe l'ensemble formé
par les faits conformes à la définition du « type » et par les
exceptions enregistrées lors du travail de vérification, de
confrontation entre l'idée abstraite et les cas singuliers;
le mot évoque pour lui, d'une part l'ensemble systématisé
de ce qui, dans la vie des anciens Grecs et Romains, se
rattachait directement ou indirectement à l'idéal commu-
nautaire de la *polis*, mais aussi, et en même temps, les éléments de cette même civilisation qui échappaient à l'emprise
de cet idéal (survivances de l'esprit chevaleresque homérique,
pressentiments de l'individualisme hellénistique), et enfin
les mille particularités que le même historien peut connaître
des cas singuliers qui avaient nom Athènes, Thèbes, Sparte...
Rome. Au terme de son élaboration, la connaissance historique révèle son nominalisme radical, bien plus radical
que ne l'imaginait Max Weber, en dépit de sa profession de

foi : employés de la sorte, ces termes techniques ne sont
plus à proprement parler des *Idealtypen* mais bien de simples
étiquettes verbales, qui ne préjugent rien du contenu complexe, souvent même hétéroclite du fichier, qu'elles permettent de désigner commodément. Avec ce mode d'emploi,
nous sommes en réalité parvenus à une cinquième et dernière
espèce de concepts, si on peut leur conserver ce nom, de
notions historiques :

e) Nous n'avons que l'embarras du choix pour en donner
des exemples : ainsi, l'Antiquité classique, Athènes, la
Pentécosioétiade (« l'Entre-deux-guerres », — entre les
guerres médiques et celle du Péloponnèse), la Seconde
Sophistique, la Spätantike, Byzance, la Renaissance, le
Baroque (c'est ici que le terme, employé cette fois au sens
propre, trouve sa vraie place), que sais-je encore, la Révolution française.

Au XIXᵉ siècle, les historiens de l'ère libérale (voyez
Michelet) ont pensé la Révolution française au moyen d'un
véritable *Idealtypus* : c'était pour eux un système cohérent
de pensée et d'actions (« la Révolution est un bloc », disait
encore Clemenceau); aujourd'hui ce terme évoque pour nous
la totalité tumultueuse de ce que nous pouvons savoir de
tout ce qui s'est passé en France, et sous l'influence française, entre le 5 mai 1789 et le 18 brumaire an VIII.

Il s'agit cette fois de termes singuliers, non susceptibles
d'une définition exhaustive, dénotant un ensemble, par
exemple une période plus ou moins vaste de l'histoire
d'un milieu humain déterminé, ou de l'histoire de l'art,
de la pensée, etc., c'est-à-dire la totalité de ce que nous
parvenons à connaître de l'objet ainsi défini. L'usage de
telles notions est parfaitement légitime, si du moins on
prend garde à leur conserver un caractère strictement
nominaliste : le mot n'est que le symbole verbal d'une
réalité dont on ne préjuge pas la structure plus ou moins
organique, plus ou moins anarchique : après de longues
années d'études, l'historien peut, fermant les yeux, évoquer

d'un seul mot tout ce qu'il sait de son objet, — comme un amant prononce tout bas le nom de la Bien-Aimée.

Le danger subsiste, et il faut ici aussi savoir s'en défendre, d'hypostasier ces notions et de leur conférer à leur tour la valeur d'une Idée, d'une essence, d'une réalité supérieure, d'un principe de cohésion et d'intelligibilité.

Le processus d'erreur est le suivant : l'historien, pour telle ou telle bonne raison, décide de désigner une période par ce qui lui paraît avoir été un caractère dominant : on dira par exemple l'Age Baroque pour l'Italie du XVIIe siècle; puis, par un renversement inconscient, il tend (ou ses lecteurs tendront pour lui) à faire de ce nom un principe et à « expliquer » les phénomènes observés par le « Baroque », — oubliant que la notion n'a pas d'être propre.

L'histoire devient de la sorte peuplée de fantômes, c'est une autre manière d'en faire un jeu d'abstractions, ces ombres vaines. Lord Acton s'irritait de voir l'histoire diplomatique faire intervenir à tout instant ces acteurs stéréotypés : la Grande-Bretagne, la France, là où il faudrait dire la classe dirigeante, le gouvernement, le Foreign Office ou le Quai d'Orsay, ou plutôt tel ministre, voire tel jeune Attaché de service ce jour-là dans tel bureau. Non certes que de tels raccourcis soient nécessairement à proscrire (ainsi nos chroniqueurs sportifs — c'est encore là de l'histoire — disent volontiers : l'Angleterre a gagné ou perdu tel match, alors qu'il ne s'agit que d'une équipe de joueurs professionnels; mais quand on assiste aux déchaînements de passion collective que provoque dans tel pays la nouvelle d'une de ces « victoires » ou « défaites » nationales, on doit bien reconnaître quelque vérité à cette métonymie) : l'historien rigoureux doit cependant toujours préciser en quel sens il entend assumer une telle manière d'hypostasier.

Mais ces précautions nécessaires une fois prises, l'histoire ne doit pas, ne peut pas refuser d'utiliser de telles désignations qui appartiennent bien au terme de son élaboration : le stade ultime de la connaissance ne peut pas être représenté par des concepts généraux ou abstraits (comme les *Idealtypen*), car la réalité du passé est toujours plus riche, plus nuancée, plus complexe qu'aucune des idées que nous pouvons élaborer pour l'étreindre; elle est ce concret, ce singulier qui toujours nous déroute, nous déconcerte, nous surprend par quelque chose d'inattendu, de nouveau, de radicalement Autre. Un rationalisme étroit s'en désolera, comme d'une défaite, mais l'historien authentique au contraire s'en réjouit car c'est dans cet aspect de la réalité humaine que réside l'originalité, la fécondité de l'histoire. L'expérience du passé est faite de telle sorte qu'elle a pour fonction de faire éclater les cadres trop symétriques, toujours trop simples où la raison humaine enfermerait spontanément la réalité; pastichant la parole fameuse que le prince Hamlet adresse à son ami Horatio : *There are more things in heaven and earth...*, on pourrait dire que le propre de l'histoire est de nous rappeler sans cesse, de nous faire découvrir qu'il y a plus de choses dans l'homme et dans la vie qu'il n'y en a de rêvées dans les petits concepts d'une philosophie.

Ce qui précède permet de résoudre d'un mot une question trop longtemps disputée [13] : celle de la division de l'histoire en périodes, la *Periodisierung* comme disaient les doctes (toujours ce prestige du mot allemand); elle ne sera jamais qu'une question d'étiquettes, toujours provisoires, relatives au point de vue momentanément adopté; leur rôle, d'ordre pratique, pédagogique, ne doit pas être surestimé : ce ne sera jamais une détermination d'essences! La civilisation de l'Afrique vandale relève-t-elle encore de l'antiquité, ou déjà du Moyen Age? Tout dépend de la perspective choisie pour l'étudier!

13. Je me contente de renvoyer à J. H. J. van der Pot, *De periodisering der geschiedenis, een overzing der theorieën*, La Haye, 1951.

7

L'explication et ses limites

Nous avions posé, au seuil de cette étude (chap. II), que la connaissance historique ne devrait pas se contenter de refléter, dans sa richesse de prime abord déconcertante, la réalité tumultueuse du passé, mais qu'elle aurait aussi l'ambition d'y projeter, disons mieux d'en dégager, une intelligibilité. Parvenu ici, le lecteur peut se demander si le nominalisme intégral que nous venons de professer ne va pas conduire à l'inintelligible pur et simple : il faut donc se hâter de montrer qu'en cherchant à appréhender son objet de façon aussi précise et complète que possible, l'histoire ne cesse pas de se préoccuper en même temps de le « faire comprendre », — d'en fournir, en un certain sens et dans certaines limites, une « explication ».

Considérons, pour commencer, le cas relativement simple du tableau historique : Athènes au temps de Périclès, la société française à la veille de la Révolution, c'est-à-dire l'effort que fait l'historien pour saisir le spectacle que lui présente, vu à un instant t de son évolution, le passé de l'humanité, ou plutôt le secteur toujours limité qui est l'objet de l'enquête authentiquement historique. Il n'est pas vrai, comme il pourrait sembler, que le donné sur lequel s'exerce cet effort de compréhension (l'ensemble de ce que nous révèlent les documents), se présente comme un fourmillement confus, une pulvérulence de petits faits élémentaires : l'analyse y découvre, de façon sûre, des phénomènes de coordination, des structures.

Sans doute l'objet de l'histoire appartient-il toujours à la catégorie du Singulier, sans doute aussi les acteurs de cette histoire sont-ils toujours des hommes, des individualités humaines (l'individu, la personne est l'unité historique, l' « atome » au sens grec du mot); mais, comme avait bien su le souligner Rickert [1], il y a des réalités historiques qui, sans cesser d'être singulières, possèdent cependant un certain caractère général, en ce sens qu'elles englobent un ensemble de phénomènes élémentaires, de caractère moins compréhensif, qui apparaissent par rapport à elle comme des parties vis-à-vis d'un tout.

Soit l'exemple proposé de l'Athènes de Périclès : Athènes n'était pas seulement la réunion empirique d'une multitude déterminée de représentants de l'espèce humaine. Parmi tous ses habitants, il y en avait quelques milliers qui, portant le titre de citoyens, se trouvaient répartis par dèmes et par tribus, siégeaient dans l'ecclésia, fournissaient à l'héliée ses jurés, etc., en un mot constituaient l'ossature organisée qui transformait une masse amorphe d'individualités humaines en cet organisme politique bien précis qu'était la cité démocratique d'Athènes.

De même, toute une série de pratiques rituelles, de coutumes, de croyances s'organisaient en fonction d'une espérance centrale concernant la vie d'outre-tombe et constituaient ce culte des Deux Déesses que, pour faire bref, nous désignons par le terme de mystères d'Éleusis, etc.

Dans de tels complexes singuliers, les parties composantes n'apparaissent pas simplement rapprochées par une intuition globale, mais se trouvent unies, entre elles et avec le tout, par des rapports d'interdépendance qui leur confèrent une pleine intelligibilité, et constituent leur « explication ».

Cette observation ne contredit qu'en apparence ce que nous suggérait au chapitre précédent l'examen des déter-

1. Se reporter surtout, aujourd'hui, à l'analyse si fine qu'a donnée P. Veyne de la distinction entre « singulier » et « spécifique » dans son beau livre, *Comment on écrit l'histoire*, Paris Éd. du Seuil. 1971, p. 72-76.

minations nominales du type « Athènes », « Révolution
française » : dire, comme nous faisions, que l'emploi de
ces étiquettes ne préjugeait pas de la structure plus ou moins
organique des ensembles ainsi désignés, n'était pas nier
l'existence de telles structures, mais seulement inviter
l'historien à vérifier, dans chaque cas, la réalité de cette
structure et, après enquête, à en préciser les limites. Car
chaque fois qu'il les constate réelles, il découvre que ces
structures, ou plutôt le « type-idéal » que nous élaborons
pour les saisir, n'embrasse jamais qu'une partie de l'objet
historique qu'il voudrait et qu'elles paraissent d'abord
systématiser; la réalité historique se révèle toujours finalement plus riche, plus complexe que toute structure unifiée.
Je proposerai deux exemples bien caractéristiques de ce
succès partiel et de l'échec inévitable de toute hypothèse
organiciste :

Celui d'abord du Type-idéal de la Cité antique : entre les
mains de l'historien avisé qu'était Fustel, entre les mains de
ses successeurs qui l'ont perfectionnée, cette hypothèse de
travail s'est montrée féconde et a révélé l'existence, dans la
civilisation de l'antiquité classique, de tout un réseau de
relations : oui, l'homme antique était bien, *dans une large
mesure*, comme le définissait Aristote, un animal « politique »,
c'est-à-dire l'être animé qui, au lieu de vivre en troupeaux,
hardes, hordes, ruches ou fourmilières, a comme caractère
spécifique de vivre inséré dans cet organisme social bien
déterminé que constitue la cité, *polis*; nous constatons de
fait qu'*un bon nombre* des principaux aspects de la vie antique — économiques, artistiques, religieux, moraux, etc. —
paraissent bien, *au moins jusqu'à un certain degré*, trouver
leur explication (leur raison d'être, leur sens) dans leur relation directe ou indirecte avec les cadres sociaux de la Cité.

Mais le progrès de notre analyse a bientôt révélé que la
structure « politique » n'embrassait pas le tout de l'homme
antique : si unifiée que fût la civilisation de la Grèce classique (par comparaison avec le pluralisme ou l'anarchie de

celle de l'Europe occidentale du XIXᵉ siècle), on ne peut réussir à rattacher à l'idéal de la Cité tous les aspects de la vie grecque. Sauf peut-être à Sparte, l'éducation de l'intelligence, par exemple, n'a pas subi profondément son emprise : comme l'a bien montré W. Jaeger [2], les futurs citoyens de la « Cité d'hoplites » étaient nourris des poèmes d'Homère et imbus par eux d'une éthique — celle du héros en quête de l'exploit qui surclasse, de la gloire personnelle — bien étrangère à l'idéal de la subordination totalitaire du citoyen à la communauté. De même, il n'est pas vrai, comme inclinait à le croire Fustel, que les diverses formes du culte social — religion du foyer, du clan, de la cité — aient suffi à épuiser la religiosité de l'homme antique : M. Nilsson vient opportunément de souligner combien dès l'époque archaïque, VIIᵉ-VIᵉ siècles, les courants mystiques et extatiques de la religion personnelle se sont toujours opposés avec force et vitalité aux formes de la religion civique [3].

Soit maintenant le cas de la chrétienté médiévale : il est incontestable qu'un très grand nombre des aspects de la civilisation du Moyen Age occidental s'expliquent en fonction de leur étroite subordination à l'idéal religieux chrétien : arts, science, techniques, société, état, façons de vivre ou de sentir apparaissent alors comme des moyens, ou des symboles, subordonnés comme à leur fin à la Foi dans laquelle communiaient les hommes de cette civilisation chrétienne.

Mais, en contrepartie, il n'est pas moins évident qu'un certain nombre de secteurs de la vie médiévale sont demeurés étrangers à cette synthèse : venus d'ailleurs, ils n'ont reçu qu'une christianisation superficielle, un vernis extérieur qui n'a fait que dissimuler leur être réel sans parvenir à les intégrer véritablement à l'édifice de la Chrétienté; citons pêlemêle : survivance (et, à partir du XIIᵉ siècle, renaissance)

---

2. *Paideia, die Formung des griechischen Menschen*, I³, 1954, chap. III; cf. mon *Histoire de l'éducation dans l'Antiquité* ⁶, 1965, p. 39-44.
3. *Grekist religiositet*, trad. angl., Oxford, 1948, p. 20-65.

de l'idéal antique de l'empire et de l'autonomie du droit public, survivances du paganisme, faciles à déceler dans la dévotion populaire ou dans les pratiques occultes de la sorcellerie, hérésies dualistes (les Cathares n'étaient certainement pas catholiques, étaient-ils même chrétiens?), idéal profane de l'amour-passion (que l'amour courtois vienne des Arabes par l'Espagne, ou des Celtes par le roman· breton, il se montre irréductible aux catégories proprement chrétiennes), que sais-je encore, tant d'aspects de l'organisation économique et sociale de la féodalité... L'existence de ces domaines aberrants ne détruit pas celle du secteur hiérarchisé, mais révèle que la notion de chrétienté n'épuise pas le contenu de tout le Moyen Age occidental.

Autrement dit, il faut établir, et non postuler, l'existence d'une structure unifiée, d'un tout cohérent, d'un *Zusammenhang* : l'unité est un problème, non un principe dont on puisse partir. C'est pourquoi le véritable historien (et j'entends par là celui qui possède un sens aigu du réel irréductible, non bien entendu l'aride historien historiant) éprouvera une répugnance invincible à l'égard de la plupart des théories de la civilisation qui sont allées se multipliant pendant l'Entre-deux-guerres, dans la mesure où elles admettent ce postulat de la cohérence, de l'unité structurale; il devra refuser non seulement les élucubrations délirantes de Spengler, chez qui la métaphore de l'« organisme », une fois appliquée aux grandes civilisations, est l'objet d'une exploitation systématique et paradoxale, mais aussi la synthèse pourtant si consciencieusement, raisonnablement élaborée par ce grand et noble esprit qu'est Arnold J. Toynbee :

Bien que son sens empiriste du positif et son sens historique du concret le mettent en garde contre la tentation idéaliste (il critique, chemin faisant, l'organicisme extrême de Spengler), il ne laisse pas d'y succomber lui aussi, lorsqu'il définit par exemple les 21 (ou 29) « civilisations » qu'il a, un peu arbitrairement, découpées dans le tissu de l'histoire comme « des ensembles formant un tout dont *toutes* les

parties sont en cohésion réciproque et s'affectent mutuellement [4] ».

Nos théoriciens de la civilisation, les « culturologistes [5] »,
ne sont pas les seuls à avoir abusé de cette hypothèse uni-
taire : les ethnographes de leur côté ont bien souvent péché
eux aussi, ceux par exemple qui ont défendu la notion de
« cycles culturels », civilisations « primitives » définies par
l'association (d'après eux empiriquement constatée, mais
en un sens aussi nécessaire) de techniques variées : ainsi le
« cycle du boomerang » (Australie, Haut-Nil) associerait
l'usage musical du ronfleur, l'extraction rituelle de certaines
dents, le monothéisme, la mythologie lunaire, l'exogamie et
l'égalité des sexes [6]...

Ce mythe, car c'est un mythe, de l'unité structurale des
civilisations est une des formes de la grande tentation
idéaliste que doit surmonter l'historien : sans cesse il risquera
de conclure de la juxtaposition de fait à l'unité hypothétique,
à l' « esprit » d'une civilisation, au « génie » d'un peuple,
au *Zeitgeist*.

On constatera que la civilisation de la France du Sud au
XIIe siècle présente les faits suivants : survivance du droit
romain, art roman, hérésie cathare, poésie des troubadours:
cela suffit pour qu'on entende proclamer que les troubadours
étaient cathares [7]!

La structure réelle des diverses civilisations ne peut être
postulée; elle ne se révèle qu'après un examen nuancé et
précis; de tous ceux qui, dans les trente dernières années,
se sont attachés à ce problème, celui qui me paraît avoir le
mieux saisi, dans sa complexité, la réalité du phénomène
« civilisation », et de façon plus générale la nature de l'objet

4. *A Study of History*, t. III, p. 380.
5. Terme lancé pour désigner ces théoriciens de la civilisation par le
professeur L. A. White de l'université de Michigan.
6. Voir par exemple l'article de G. Montandon, « Culturali (Cicli) »,
dans l'*Enciclopedia Italiana*, t. XII, p. 104 A-113 B.
7. Ainsi D. de Rougemont, *L'Amour et l'Occident*, 1939.

historique, est certainement le sociologue russo-américain
P. A. Sorokin.

Ramenée à ses résultats essentiels, car au long d'une
œuvre de dimensions considérables [8] elle a beaucoup évolué,
et dégagée de ses paradoxes, sa doctrine se présente comme
un juste milieu entre les deux erreurs opposées de l' « atomistique » des historiens superficiels, qui appellent décrire
une civilisation en inventorier pêle-mêle les aspects divers,
et de l' « intégralisme » des théoriciens organicistes du type
Spengler-Toynbee. Ayant dégagé les caractères propres des
faits de civilisation (qui constituent ce qu'il appelle le « socio-
culturel » : significations, valeurs, normes...), Sorokin analyse de façon très concrète leur mode d'existence :

Les éléments de réalité historique que constituent les
faits de civilisation peuvent se présenter à l'état isolé;
d'autres se rencontrent juxtaposés de façon purement empirique en « congères [9] »; d'autres, et ici apparaît la structure
véritablement organique, constituent des systèmes (c'est le
cas notamment des diverses techniques : l'architecture du
temple grec classique constitue un « système »); les systèmes
à leur tour peuvent se combiner en vastes synthèses (ainsi
les grandes religions, bouddhisme du Mahâyâna, Islam
sunnite, christianisme catholique latin, qui combinent en
un tout véritablement organisé, sentiments, croyances, principes de morale, liturgie, organisation sociale...); on conçoit
à la limite la possibilité d'un « supersystème idéologique »
qui aurait l'ambition de régir toute une civilisation (nous
retrouvons ici les exemples étudiés plus haut, Cité antique,

8. Voir notamment *Social and cultural Dynamics*, New York, 1937-
1941, 4 vol., *Society, Culture and Personality, their Structure and Dynamics, a System of general Sociology*, New York, 1947; on trouvera une
initiation commode dans F. R. Cowell, *History, Civilization and Culture, an Introduction to the historical and social Philosophy of Pitirim
A. Sorokin*, Londres, 1952.
9. J'emprunte le mot à nos dialectes alpins (où il est bien vivant
au sens de « tas de neige accumulé par le vent »); Sorokin utilise le
latin *congeries*.

Chrétienté médiévale occidentale); mais ce n'est là qu'une limite, qui peut avoir existé sous forme d'idéal dans la conscience des hommes, mais qui ne s'est jamais incarné à 100 % dans aucune civilisation : comme nous l'avons montré dans le cas des exemples précités, une civilisation réelle se manifeste à l'analyse comme plus riche et moins unifiée que les supersystèmes qui se sont efforcés de s'y implanter.

Enfin et surtout, qu'il s'agisse d'éléments isolés, de congères, de systèmes, de synthèses plus ou moins vastes, l'expérience révèle que dans un milieu de civilisation donné, trois cas sont possibles et se vérifient tour à tour : intégration, antagonisme, neutralité.

Reprenons le cas, facile à étudier, du Moyen Age occidental, et plus précisément du XIIe siècle : la technique de l'architecture romane est neutre par rapport à l'idéal de la chrétienté (qu'importe à celle-ci qu'une basilique soit couverte en charpente ou en voûte à berceau?), l'amour courtois est certainement antagoniste; la culture grammaticale, étroitement subordonnée à l'étude des livres sacrés, est intégrée de façon satisfaisante; la tension qui se manifeste par exemple entre Abélard et saint Bernard prouve que le sort de la culture philosophique (dialectique) fait difficulté : on sait que, d'abord antagoniste, elle finira par être intégrée par la Scolastique.

L'historien doit chercher à saisir la totalité du réel : sa connaissance devra enregistrer et les structures intelligibles et les anomalies, préciser, autant que possible, les rapports existant entre les divers éléments, congères ou systèmes qu'il aura su discerner. Il doit aussi, là même où son analyse légitime les vues synthétiques, se souvenir à temps, comme nous le soulignions au début de ce chapitre, que le donné fondamental, ce qui « a réellement existé », ce n'est ni le fait de civilisation, ni le système ou le supersystème, mais bien l'être humain dont l'individualité est le seul véritable organisme authentiquement fourni par l'expérience. Même ici la tentation idéaliste le guette : à lire certains travaux

contemporains, on a l'impression que les acteurs de l'histoire
ne sont plus *des* hommes mais des entités, la Cité antique,
la féodalité, la bourgeoisie capitaliste, le prolétariat révolutionnaire. Il y a là un excès : même s'il apparaît à l'examen
de toutes les données documentaires que tel phénomène
historique s'explique par l'un de ces abstraits sociocultu-
rels, l'historien devra toujours se garder d'oublier, et de
laisser oublier, que ce n'est là qu'une construction de l'esprit,
inévitable sans doute (comme étant le seul moyen de saisir
la complexité du réel) et, dans les limites de son emploi,
légitime, — mais tout de même une abstraction, un produit
dérivé, et non pas le réel lui-même, ni surtout, comme on
finit toujours par le croire, du surréel (p. 156-157)!

Si maintenant, quittant l'observation du tableau historique à l'instant *t*, nous replaçons les phénomènes historiques dans le flux de la durée et en suivons le développement, l'évolution, au cours du temps (et c'est là où s'emploie normalement l'essentiel du travail de l'historien),
nous retrouvons les mêmes exigences rationnelles : l'esprit
ne peut se satisfaire d'une pure énumération où se succéde-
raient, simplement rangés suivant l'ordre chronologique,
événements et faits de tout ordre.

J. Delorme nous a compilé une utile *Chronologie des civilisations* où se retrouvent, bien rangées en tableaux analy-
tiques, toutes les grandes dates de l'histoire universelle, de
3064 av. J.-C. (fondation de la monarchie égyptienne) à
décembre 1945 : c'est un aide-mémoire, un instrument de
travail d'un usage quotidien, mais où nul ne s'aviserait de
voir la Somme, ni le summum, de notre connaissance historique!

L'histoire n'atteint à l'intelligibilité que dans la mesure
où elle se montre capable d'établir, de déceler les rapports
qui unissent chaque étape du devenir humain à ses antécédents et à ses conséquences : de même que, statiquement,
une situation historique, saisie à un instant *t*, se révèle toujours plus ou moins structurée, de même le déroulement des

instants n'est pas cette ligne discontinue d'atomes de réel, isolés comme les grains d'un chapelet qu'égrènerait, dans un ordre arbitraire, la volonté insondable de Dieu (ainsi que se plaît à l'imaginer la théologie musulmane) : l'expérience de l'histoire, celle que le travailleur consciencieux acquiert au contact des documents, nous fait découvrir qu'il existe des rapports intelligibles entre les moments successifs du temps. Non certes que tout s'enchaîne : il y a des hiatus dans le développement temporel comme il y a des limites aux structures statiques; mais la tâche de l'historien est de découvrir, là où ils existent, ces enchaînements.

C'est ce qu'on exprime vulgairement en disant que l'histoire doit non seulement « établir les faits » mais aussi en rechercher les « causes », et les conséquences : j'y insiste à nouveau, car il n'importe pas moins à la compréhension plénière d'un élément du passé d'établir de quoi il a pu être la cause que de savoir de quelle cause il est issu.

Cette notion de « cause », telle qu'on la reçoit de la pensée commune et du langage de la vie quotidienne, se révèle cependant à l'épreuve bien difficilement utilisable par la connaissance historique. Elle n'a vraiment de sens que dans les cas élémentaires où l'enquête historique reste très proche de l'enquête de type judiciaire : quel est l'auteur responsable d'un acte volontaire? Ou, pour reprendre l'exemple imaginé par Collingwood : qui a tué John Doe? Mais ces cas se présentent rarement dans la recherche véritablement historique : car ce qui importera, le plus souvent, c'est moins l'identification du meurtrier que la reconstitution du système de valeurs dont cet homme se montre l'agent : motifs ou mobiles — conscients ou inconscients — occasionnels ou profonds... La « cause » historique de la mort de César ne réside pas à proprement parler dans la personne même des conjurés rassemblés autour de Brutus et Cassius, mais dans l'opposition de l'aristocratie sénatoriale à la politique monarchique de César, combinée avec les ressentiments particuliers ou les motifs de vengeance que chacun des conjurés pouvait de son côté nourrir à l'égard du dictateur.

La recherche des « causes » n'avait de sens qu'à l'intérieur d'une conception strictement événementielle de l'histoire, comme était l'ancienne histoire politique ou militaire qui opérait sur ce qu'elle appelait des faits précis (avènements ou fins de règne, négociations diplomatiques ou traités, sièges ou batailles), sortes d'atomes de réalité historique isolés par la pensée, qu'on pouvait disposer commodément en séries enchaînées de causes et d'effets. Nous sommes devenus aujourd'hui extrêmement sensibles au caractère artificiel, construit, dérivé du « fait » historique ainsi conçu : loin d'y voir l'essence même de la réalité du passé, nous avons appris à y reconnaître le résultat d'un découpage, d'une sélection (légitime si elle est consciente et rationnellement justifiée) qui, dans le tissu complexe et continu du passé, détache le fragment que l'historien estime utile de placer sous l'objectif de son appareil de visée [10] : dès lors il risque de devenir factice de traiter comme un phénomène distinct (un effet d'une cause) ce qui n'a peut-être pas eu d'existence autonome. Aussi bien le problème cesse-t-il de se poser quand on étudie des aspects plus complexes du passé, tels qu'institutions, faits de mentalité, techniques ou arts, qui n'apparaissent pas comme des météores dans le ciel de l'histoire, mais issus d'une lente incubation, ne sont saisis que dans leur propre évolution, au cours de laquelle ils ne cessent de subir d'insensibles et profondes métamorphoses.

Mais il faut insister sur la difficulté centrale que soulève l'impossibilité où nous sommes d'isoler, sinon par la pensée, un élément ou un aspect de la réalité historique. La notion vulgaire de « cause » ne peut trouver un usage rigoureux

10. Voir notamment H. Lévy-Bruhl, « Qu'est-ce qu'un fait historique », dans *Revue de synthèse historique*, 1926, t. XIII, p. 53-59; « Une notion confuse, le fait historique », dans *Recherches philosophiques*, 1935-1936, t. V, p. 264-274, et Fr. Furet (ci-dessous, p. 301).

que dans les cas où, par l'expérimentation, il est possible de constituer un système clos où on isolera, pour en constater et en faire varier les effets, l'action d'une cause déterminée.

Soit, par exemple, en physique, l'expérience classique de Galilée sur le plan incliné : le frottement une fois rendu négligeable, le mobile de masse m qui glisse sur le plan n'est plus soumis qu'à une force $mg.\sin \alpha$ dont, en modifiant l'angle d'inclinaison α du plan sur l'horizontale, nous pouvons faire varier l'intensité et mesurer les effets différents.

Il ne s'agit là que d'un exemple très élémentaire : même dans les sciences de la nature, lorsque les phénomènes deviennent plus complexes, la réalisation de tels systèmes clos devient rapidement plus difficile et la notion d'expérimentation beaucoup plus délicate à manier.

On attachera une importance particulière aux difficultés méthodologiques, souvent très analogues à celles de l'histoire, que rencontrent des sciences comme la géologie, la géographie physique où intervient aussi l'étude du passé et où l'expérimentation est pareillement impossible (car celle qu'on peut tenter sur des « modèles réduits » n'a qu'une valeur analogique).

Nous ne pouvons pas agir sur le passé; d'autre part, attachés à la connaissance du singulier, nous ne pouvons pas espérer trouver dans la répétition l'équivalent de l'expérience variée du laboratoire. Dès lors, et c'est encore une raison du caractère simplement « probable », nullement contraignant, des jugements en histoire, nous ne pouvons offrir au mieux, dans cette recherche des « causes », que des hypothèses vraisemblables, fondées sur un calcul de probabilités rétrospectives.

J'emprunte l'expression à R. Aron [11] qui me paraît ici avoir parfaitement rendu compte du comportement de l'historien. Il a raison, notamment contre les hégéliens [12] qui, au

11. *Introduction à la philosophie de l'histoire*, p. 159-187.
12. Ainsi Croce, *La Storia come pensiero e come azione*, trad. fr., p. 44-48 : « La signification historique de la nécessité ».

nom de la rationalité du réel et de la nécessité qui en découle, rejettent comme illogique et anti-historique toute supputation sur « ce qui aurait pu être autrement ». Sans doute il est vain, comme Renouvier dans son *Uchronie*, d'imaginer laborieusement « le développement de la civilisation européenne tel qu'il n'a pas été, tel qu'il aurait pu être », mais c'est un fait d'autre part que « tout historien, pour expliquer ce qui a été, se demande ce qui aurait pu être [13] » :

En présence d'une situation historique, nous évoquons ses divers antécédents (ou ses suites), puis, par la pensée, nous faisons varier tour à tour l'un ou l'autre, essayant chaque fois de construire ce qui en serait résulté; de la sorte nous nous faisons une idée sur l'efficacité relative des diverses « causes » en jeu : l'expérience mentale remplace l'impossible expérience de laboratoire — mais son caractère fictif affecte douloureusement la portée de ses conclusions!

Il y a plus grave : l'historien ne peut recourir à la notion de cause qu'au prix d'une schématisation arbitraire, d'une simplification grossière du réel; un exemple le fera sentir : un estimable érudit, A. Brun [14], a retracé avec précision les étapes de la progression du français dans les provinces de langue d'Oc; ayant mis en parallèle la politique d'unification poursuivie par le gouvernement royal pendant la même période (en gros : 1450-1600, les années décisives étant 1500-1550), il conclut avec force que ceci est la cause de cela : ainsi, à propos de la fameuse ordonnance de Villers-Cotterets (1538) sur l'emploi exclusif du français dans les actes publics, il écrit : « Il est désormais acquis que la portée en fut quasi démesurée [15]. »

Mais il ne s'est pas avisé que sa conviction reposait sur une opération issue d'une initiative arbitraire, celle par

---

13. R. Aron, *Introduction*, p. 164 (souligné par l'auteur).
14. *Recherches historiques sur l'introduction du français dans les provinces du Midi*, thèse de Paris, 1923.
15. *Ibid.*, p. 421.

laquelle il a *choisi* d'isoler le phénomène « politique royale » et de le rapprocher de l'évolution linguistique.

Ce que montre bien l'intervention de L. Febvre [16] qui, déplaçant ou mieux élargissant le débat, démasque le caractère artificiel du rapport de cause à effet établi entre les deux termes : l'un et l'autre ne sont que des manifestations particulières d'une même réalité historique, plus générale : l'expansion de la civilisation française qui, dans cette période, celle qui succède aux longues crises de la guerre de Cent Ans, se manifeste dans tous les domaines, économique, artistique, religieux, aussi bien que politique ou linguistique, avec le même élan de puissante vitalité (Renaissance française, Réforme française...) : du coup la « cause » entrevue s'évanouit, la hiérarchie établie entre les deux aspects d'abord sélectionnés du réel se trouvant illusoire.

Qui ne voit la portée d'une telle conclusion? Le problème, au lieu de recevoir une solution, s'est trouvé résorbé dans un problème plus complexe (qui reste posé)... On ne peut nier cependant que par cette nouvelle opération l' « explication », si l'on peut dire du problème initial (la francisation des pays d'Oc) n'ait progressé : il est certain que l'intelligibilité s'est accrue; en établissant de la sorte avec les phénomènes concomitants un réseau plus serré d'interconnexions, l'historien a réussi à mieux comprendre, à saisir plus authentiquement, cet aspect de la vie française du XVIe siècle, — mais il est devenu bien évident que cette « explication » n'est plus du type causal.

Il serait donc temps que la théorie de l'histoire procède pour son compte, comme celle des sciences de la nature l'a fait depuis A. Comte, à une révision de la notion de cause; physiciens et naturalistes y ont pratiquement substitué celle, à la fois plus générale et mieux définie, de « conditions d'apparition » (les phénomènes A, B, C... étant don-

---

16. *Combats pour l'histoire*, p. 169-181 (réimp. de la *Revue de synthèse historique*, t. XXXVIII, 1924).

nés, on observera le phénomène X); pareillement, l'histoire,
me semble-t-il, doit renoncer à la recherche des causes
pour celle des développements coordonnés, notion qui
n'est qu'une extension à la dimension diachronique de la
notion synchronique de structure (tel phénomène historique
se trouve relié à tel autre par un rapport intelligible : on
comprend la morale spartiate quand on a reconnu qu'elle
est liée à l'idéal totalitaire de la Cité).

On pourrait comparer la réalité historique à un muscle;
nous en étudions la structure sur une coupe faite à un niveau
donné (c'est le « tableau historique » dont nous avons
examiné le cas pour commencer) : comme le muscle se
révèle divisé en faisceaux subdivisés en fibres et fibrilles,
le passé fait apparaître une structure plus ou moins parfaitement hiérarchisée de faits de civilisation, congères ou
systèmes, et supersystèmes idéologiques (pour conserver
la terminologie de Sorokin). Mais une étude plus complète
exigera de l'anatomiste qu'il suive, de niveau en niveau, la
continuité de chaque fibre ou faisceau, qu'il analyse leur
nature et leurs rapports dans leurs modifications graduelles;
de même l'historien découvrira que chacun des éléments de
la réalité historique, du fait de civilisation isolé ou élémentaire à la plus vaste synthèse, est inséré dans un développement continu au cours duquel il ne cesse de se transformer,
comme ne cessent de se modifier les relations (de neutralité,
d'antagonisme ou d'intégration) établies avec les éléments
voisins...

Nous touchons là à l'essentiel : l'explication en histoire
c'est la découverte, l'appréhension, l'analyse des mille liens
qui, de façon peut-être inextricable, unissent les unes aux
autres les faces multiples de la réalité humaine — qui
relient chaque phénomène aux phénomènes voisins, chaque
état à des antécédents, immédiats ou lointains, et, pareillement, à ses conséquences. On peut légitimement se demander si la véritable histoire n'est pas cela : cette expérience
concrète de la complexité du réel, cette prise de conscience

de sa structure et de son évolution, l'une et l'autre si rami-
fiées; connaissance sans doute élaborée en profondeur
autant qu'élargie en compréhension; mais quelque chose en
définitive qui resterait plus près de l'expérience vécue que
de l'explication scientifique [17].

A une telle conclusion, il est facile de le prévoir, beaucoup de mes lecteurs réagiront par la surprise, ou l'indignation : quoi, serait-ce là l'explication cherchée, l'intelligibilité attendue? Qui accepterait, sans plus, d'en être satisfait?

Sans doute, on le voit bien, le type de connaissance
auquel nous venons de parvenir est très différent du donné
brut tel qu'en son premier désordre il apparaissait au
contact initial avec les documents : l'analyse a su en dégager
des éléments d'ordre, de classement, des principes de
compréhension, des chaînes, ne disons plus de causes et
d'effets, mais de développements, entre lesquelles s'établis-
sent des rapports d'interdépendance et souvent de hiérarchie (comme au sein des grands « systèmes » ou « supersystèmes idéologiques » dans lesquels s'entrevoit l'unité, au
moins idéale, de toute une civilisation).

Mais, paradoxalement, ce travail de coordination entre
les divers aspects du réel aboutit, en s'approfondissant,
à compliquer autant qu'à systématiser notre connaissance
du passé. Nous l'avons montré à l'échelon du concept; c'est
vrai, de même, à ceux, plus élevés, des divers degrés de la
synthèse : toute explication laisse un résidu (il y a toujours
« plus de choses » dans la réalité historique « qu'il n'y en a
de rêvées », — de prévues dans un type-idéal, un système,
un principe d'explication); mieux, ou pis, encore : plus
l'enquête s'approfondit, plus se poursuit notre effort de
compréhension, plus l'inépuisable réalité historique révèle
posséder en son sein de liens structuraux, de rapports
d'interdépendance, de coordinations entre les diverses étapes
de chacun de ses développements, si bien que ce réseau de

17. Cf. R. Aron, *Introduction*, p. 106.

relations sur lequel nous comptions pour embrasser plus commodément le réel apparaît bientôt lui-même comme aussi complexe, aussi embrouillé, aussi confus que le réel informe qu'il s'agissait d'éclaircir...

Reprenons l'exemple, proposé plus haut (p. 61), de l'histoire du monachisme dans l'ancienne Égypte : sans doute, à une poussière de renseignements individuels (tels et tels moines dans tels et tels ermitages ou communautés, qui, à telle ou telle époque, auraient prononcé tels apophtegmes ou agi de telle façon), l'effort de l'historien réussit-il à substituer des chaînes de développement intelligible : nous les avons énumérées : fonction économique, phénomène social, technique spirituelle, sainteté chrétienne... Mais c'est le même moine Arsenios ou Poimèn qui se trouve être à la fois un moissonneur, un maquisard, un ascète et un disciple de l'Évangile : la complexité réapparaît à ce niveau : comment combiner ces divers systèmes d'explication?

L'historien consciencieux, sans se flatter d'être exhaustif (ce serait une illusion), s'efforcera du moins de faire à chaque ordre ou principe sa part, mais s'il se contente de les juxtaposer, il retombera dans un désordre inextricable, analogue à celui de la pure et simple description empirique. Pour que l'image que nous construisons du passé devienne réellement intelligible, il faudrait pouvoir hiérarchiser rigoureusement ces divers principes d'explication, systématiser ce réseau complexe de relations, en souligner les lignes maîtresses, y introduire ordre et unité. Mais est-ce possible, ou plutôt est-ce une opération légitime au regard de l'idéal de vérité que doit poursuivre toute connaissance?

Nous nous trouvons ici en présence d'une exigence fondamentale, en un sens irrépressible, de l'esprit humain, essentiellement épris d'ordre, de simplicité, d'unité.

Je me souviens avoir entendu un jour une jeune philosophe soutenir que « le but de la philosophie — aux yeux de beaucoup — est de tout expliquer par un seul principe, un seul concept, un seul nom »; pour sa part, elle s'honorait d'être dualiste, fière de sa hardiesse, car « chez les philosophes, cette épithète passe pour une injure, ou tout au moins un reproche [18] ». Le véritable historien ne s'estimera pas si vite satisfait : la flûte à deux trous lui paraît un instrument encore trop primitif pour moduler, dans son infinie variété, la mélodie subtile et déroutante qu'il a apprise au contact du passé...

Il est inévitable que l'historien connaisse à son tour la tentation proprement philosophique de la réduction à l'unité —, et souvent il y succombera : à l'analyse scrupuleuse, et, lui semble-t-il, timorée, qui cherche à doser les nuances, à faire sa part à toute liaison entrevue, il estimera de son devoir de substituer la forte construction, la belle hypothèse qui, ramenant à l'unité la multiplicité du donné historique, permettra de penser de façon enfin satisfaisante l'événement, la vie, la période, la civilisation étudiés. Mais si l'opération est, en un sens, inévitable, s'il est possible, à la rigueur, de lui trouver, au plan pédagogique, quelque utilité, il serait illusoire d'en espérer je ne dis pas seulement un achèvement, une sublimation de l'histoire, mais même toujours un progrès substantiel dans l'élaboration de notre connaissance.

Sans doute, tout au long de notre analyse, nous n'avons cessé de découvrir, à chaque étape de cette élaboration, une intervention massive de la personnalité de l'historien, dont la pensée, les catégories, les exigences se trouvaient modeler la connaissance historique, lui imposer forme et visage; du moins cette construction trouvait-elle aliment et justification dans le matériel du donné, informe mais réel, que lui fournissaient les documents; ici, au contraire, nous passons à la limite et l'esprit humain, obéissant à sa seule exigence propre, apparaît comme une poulie folle, qui aurait été débrayée. Cette tendance à imaginer la structure du passé comme plus simple, plus unifiée qu'elle n'est en réalité, est

18. S. Pétrement, *Essai sur le dualisme chez Platon, les Gnostiques et les Manichéens*, 1947, p. 1.

un de ces préjugés tenaces, une de ces idoles de l'esprit, maîtresses d'erreur, que dénonçait jadis Bacon (elle rentre dans le premier des genres qu'il distinguait : c'est proprement une *idola tribus*).

Ma tâche ici sera· facile; il s'agira surtout de montrer les conséquences pratiques à tirer d'une vérité qui a été bien établie par l'effort de mes prédécesseurs; il me suffira, pour en faire sentir l'évidence, de commenter brièvement deux aphorismes, devenus classiques, de Raymond Aron :

La théorie précède l'histoire [19] : la théorie, c'est-à-dire la position, consciente ou inconsciente, assumée en face du passé par l'historien : choix et découpage du sujet, questions posées, concepts mis en œuvre, et surtout types de relations, systèmes d'interprétation, valeur relative attachée à chacun : c'est la philosophie personnelle de l'historien qui lui dicte le choix du système de pensée en fonction duquel il va reconstruire et, croit-il, expliquer le passé.

La richesse, la complexité de la nature des faits humains et, par suite, de la réalité historique rend celle-ci, nous l'avons constaté, pratiquement inépuisable à l'effort de redécouverte et de compréhension. *Inépuisable, la réalité historique est du même coup équivoque* [20] : il y a toujours, se recoupant et se superposant sur le même point du passé, tant d'aspects divers, tant de forces en action que la pensée de l'historien y retrouvera toujours l'élément spécifique qui, d'après sa théorie, se révèle comme prépondérant et s'impose comme principe d'intelligibilité, — comme *l'*explication. L'historien choisit à son gré : les données se prêtent complaisamment à sa démonstration et s'accommodent également de tout système. Il trouve toujours ce qu'il cherche, — que ce soient des mythes solaires (ou indo-européens), des exigences religieuses, des·forces sociales ou des structures économiques; mais que son triomphe soit modeste : il n'aura rien risqué,

19. R. Aron, *Introduction*, p. 93.
20. *Ibid.*, p. 102.

puisqu'il est bien attesté que la vie humaine possède à la fois des composantes économiques, sociales, religieuses, etc., et que notre homme est, dès le départ, en possession d'une doctrine qui lui apprend quel est, de ces différents aspects, celui qui est déterminant, fondamental — réel.

Plaçons-nous dans le cas le plus élémentaire : celui d'une histoire événementielle appliquée à ce qu'elle appelle la recherche des « causes » : il lui faudra prendre parti, en face de la multiplicité des causes possibles que décèle toujours une enquête un peu poussée et discerner entre causes accidentelles et causes profondes, entre les simples circonstances favorables et l'impulsion, initiative ou décision décisive. Qui n'aperçoit la part d'arbitraire qui, du coup, entrera dans toute tentative d'explication de cette sorte ? L'historien peut toujours exalter ou rabaisser son héros, attribuer sa conduite à des motifs élevés ou à des mobiles inavouables.

De façon plus générale, il se trouve sans cesse écartelé entre les deux types d'explication que lui suggère l'expérience vécue, et, suivant son équation personnelle, choisira entre l'une et l'autre (ou l'une des mille combinaisons possibles entre les deux). Ou bien il éprouvera de façon aiguë le sentiment de la nécessité historique : n'avons-nous pas, souvent, l'impression que tout ce qui nous arrive s'impose à nous avec une force invincible, que notre vie tout entière est déterminée par un jeu de forces qui, *uolentes*, *nolentes*, nous conduisent ou nous entraînent : le chrétien se sentira entre les mains de Dieu, le païen ici parlera du Destin :

> *Was it not Fate, that, on this July midnigth...*

Tout naturellement alors l'historien sera conduit à rechercher ce qu'il appellera les causes profondes et décrira le passé comme un développement majestueux dont les modalités de détails, peut-être en elles-mêmes contingentes, seront d'emblée négligées au profit d'un mouvement d'ensemble, dessiné avec la rigueur d'une courbe : l'histoire redevient évolution et le développement de l'humanité participe à la dignité de la Nature.

Mais l'expérience vécue nous suggère aussi l'hypothèse opposée d'une contingence radicale: autant qu'à la notion du Destin immuable, la conscience mythique de l'humanité a fait appel à celle de Fortune, aveugle et inconstante, ou de hasard. L'expérience de l'homme d'action rejoint ici celle de la vie quotidienne : c'est pour avoir tiré à pile ou face l'emploi d'une journée de loisir que j'ai fait cette rencontre imprévue qui a orienté le développement de toute ma vie... L'historien alors se prendra à songer : « le nez de Cléopâtre, s'il eût été plus court... », et il soulignera, au contraire du précédent, les circonstances imprévues, les particularités de tout ordre qui ont fait l'histoire telle qu'elle est — qu'elle aurait pu ne pas être.

Contingence ou fatalité? Causes profondes ou hasards? Vu, encore une fois, le caractère fictif des opérations mentales par lesquelles, pesant le pour et le contre, nous faisons un tri entre les diverses interprétations possibles, comment ne pas apercevoir l'incertitude, la gratuité fondamentale de toute solution choisie?

Mais ce n'est là encore qu'un exemple grossier; on retrouvera la même schématisation consolante, mais incertaine, dans les grandes hypothèses par lesquelles les historiens se sont parfois efforcés de ramasser, comme dans une synthèse suprême, l'essence de leur savoir (ou, du moins, dans lesquelles un public toujours pressé a volontiers condensé l'apport, souvent beaucoup plus riche et plus subtil, de leur travail).

Telles les réponses successivement proposées pour la question posée par Éd. Gibbon (quelle a été la « cause » de la décadence et de la ruine de l'empire romain?) : triomphe de la religion (chrétienne) et de la barbarie (Gibbon lui-même), élimination de l'élite, *Ausrottung der Besten* (Seeck), dégénérescence physique (Kaphahn) ou raciale (T. Frank), crise climatique, sécheresse (Huntington), dégradation du sol

(Liebig, Vassiliev), déclin de l'esclavage et retour à l'économie naturelle (M. Weber), lutte de classes, l'armée rouge des soldats-paysans contre la « bourgeoisie » citadine (Rostovtsev), catastrophe extérieure, « la civilisation romaine n'est pas morte de sa belle mort, elle a été assassinée » par les invasions barbares (Piganiol), conjonction du péril extérieur et de la désaffection des masses (Toynbee)... Je ne prétends pas en dresser un catalogue complet [21] !

A moins que, déplaçant le problème, on ne situe beaucoup plus tard la ligne de rupture : pour H. Pirenne, l'antiquité se continue à travers l'époque « barbare » et c'est seulement la conquête arabe des rives sud de la Méditerranée qui détruit, avec l'unité méditerranéenne, l'unité économique du monde ancien; ici la synthèse atteint à sa forme parfaite : toute la théorie peut se résumer en deux mots, *Mahomet et Charlemagne* [22].

Il faut faire à de telles hypothèses la même critique que nous adressions aux concepts trop ambitieux : *There are more things*... Il y a toujours, dans la réalité historique, plus de choses que n'en peut embrasser l'hypothèse la plus ingénieuse : celle-ci n'est qu'un artifice de présentation qui, pour la commodité de la mémoire, souligne, d'un trait de crayon rouge, telles et telles lignes noyées dans une épure aux mille courbes se recoupant en tous sens; ce n'est qu'une façon de voir, elle ne saurait prétendre ramener la multiplicité observée à quelques principes généraux qui, de proche en proche, expliqueraient véritablement et totalement le réel.

Rien de plus révélateur à observer que l'usage authentique que les vrais historiens font, en fait, de ces hypo-

21. On trouverait l'analyse de ces principales thèses dans M. Rostovtsev, *Storia economica e sociale dell'Impero Romano*, 1933, p. 610-619; A. Piganiol, *L'Empire chrétien*, 1947, p. 411-422; S. Mazzarino, *Aspetti sociali del quarto secolo*, 1951, p. 8-29.
22. Titre du livre posthume (Bruxelles, 1937), où on trouvera le dernier état de la théorie.

thèses : relisons, par exemple, le chapitre final que, chacun de son côté, Michel Rostovtsev ou André Piganiol,
consacrent à l'examen du problème « Fin du monde antique » : il est bien évident que ni l'un ni l'autre ne prétendent
rassembler toute la vérité de leur connaissance du sujet
dans la formule sommaire où je résumais plus haut leur opinion. Le soin minutieux l'atteste, qu'ils prennent à évoquer
l'une après l'autre les principales hypothèses de leurs devan-
ciers, à préciser pour chacune (en soi d'ambition totalitaire
et exclusive des autres) la part de vérité qu'elle peut déceler —
ou que par sa critique elle peut amener à découvrir... L'image
réelle que leur exposé, nuancé et minutieux, laisse dans l'esprit d'un lecteur attentif est faite de la superposition de ces
touches différentes et de ces reprises du pinceau : comme
nous le soulignions plus haut, c'est moins une explication ramenant le détail à l'unité, qu'une description rai-
sonnée évoquant peu à peu la complexité de ces coordinations multiples qui font la structure du réel.

Nous ne saurions donc voir dans les théories de ce genre
la forme supérieure, le summum du savoir historique, —
l'équivalent des « grandes hypothèses » de la physique
(théorie cinétique des gaz, théorie électromagnétique de la
lumière, relativité), auxquelles on les a bien imprudemment
comparées. Sans doute, elles ont leurs avantages et peuvent,
dans une certaine mesure, aider la découverte.

Nul mieux que L. Febvre n'a su décrire l'utilité de « ces
hypothèses larges qui, groupant des milliers de menus faits
épars, les éclairent par leurs rapprochements, et suscitent
tout un labeur fécond de vérifications, de démolitions et de
reconstructions [23] ».

Mais elles peuvent facilement devenir « de ces grandes
machines à empêcher de comprendre [24] » : par leur sim-

---

23. *Combats pour l'histoire*, p. 96; cf. p. 358.
24. J'emprunte la formule au même L. Febvre, *ibid.*, p. 308, n. 1,
qui se corrige ainsi lui-même.

plicité consolante, leur clarté aveuglante, elles finissent par émousser l'aptitude de l'historien à voir la réalité dans son authentique et irritante multiplicité.

C'est ce qui arrive chez les épigones qui reçoivent de confiance la théorie toute faite — ou déjà chez le maître lui-même quand, vieilli, il perd sa fraîcheur de réaction et laisse durcir les schémas où, un moment, il avait été en droit de fixer le résultat de son enquête. L'hypothèse, fossilisée, devient une théorie, qu'on substitue au réel et qu'on prétend vérifier coûte que coûte. La chose arrive aux plus grands : ainsi H. Pirenne. La piste de ma recherche a une fois croisé la sienne à propos de « L'état de l'instruction des laïques à l'époque mérovingienne [25] »; la théorie *Mahomet et Charlemagne* exigeant que l'éducation antique ait persisté au-delà des invasions barbares, il *fallait* trouver, sous les Francs, des écoles « laïques » de type romain et Pirenne crut en trouver, mais tous les textes qu'il invoque à ce propos sont pris par lui à contresens, et concernent en réalité des écoles « cléricales » de type médiéval.

Aussi, le plus souvent, ces vues générales n'auront qu'une valeur et une fonction pédagogiques : ce sont là des manières de se représenter les choses, sommaires et provisoires, l'équivalent d'un résumé commode, d'une première esquisse, toujours destinée à être complétée, compliquée, dépassée, loin d'être comme une essence pure de l'histoire, un alcool de haut degré qui renfermerait le bouquet du savoir!

G. Wiet vient de publier un article sur l' « Empire néo-byzantin des Omeyyades et l'empire néo-sassanide des Abbassides [26] », magnifique esquisse, brossée de main de maître, excitante à souhait pour l'esprit — mais où l'on ne saurait voir qu'une introduction à l'histoire de ces deux siècles de l'histoire musulmane que l'authentique savant

---

25. Titre du mémoire publié par H. Pirenne dans la *Revue bénédictine*, 1934, t. XLVI, p. 165-177; *contra*, mon *Histoire de l'éducation dans l'Antiquité* [6], 1965, p. 482 et 621, n. 11.

26. *Cahiers d'histoire mondiale*, 1953, t. I, p. 63-70.

qu'est G. Wiet ne prétend certes pas subsumer tout entière dans ces deux concepts!

Plus que jamais, il nous faut dénoncer ici, fidèles à notre nominalisme intégral, le danger de la tentation idéaliste : l'historien doit prendre garde à ne jamais surestimer la qualité logique de ses hypothèses, pas plus (nous le lui avons prescrit) que celle de ses concepts. Presque fatalement, s'il n'y veille avec la plus inquiète prudence, il se laissera aller à les extrapoler.

Le mécanisme est le suivant : une théorie est toujours élaborée (au moyen des ressources mentales de l'historien et avec l'équipement théorique qui est le sien) pour résoudre un problème particulier et limité; elle repose donc sur une sélection (c'est le « trait de crayon rouge » dont nous parlions plus haut), un choix parmi les innombrables aspects que présente la réalité historique envisagée : l'historien ne retient que les éléments utiles, à son avis, pour expliquer le ou les phénomènes qu'il a choisi d'expliquer. Opération légitime, aussi longtemps qu'on n'oublie pas qu'elle représente une abstraction.

Mais le péril est grand : on risque toujours d'oublier l'existence de ce qu'on avait décidé de ne pas regarder; la théorie est comme un projecteur dont le mince pinceau lumineux fouille le réel et illumine violemment les objets qui se présentent à lui sous un angle favorable, rejetant par contraste le reste dans une obscurité totale.

L'image est insuffisante (comme toute comparaison), parce qu'elle pourrait suggérer qu'il suffirait, pour obtenir une vérité plus complète, de multiplier ces éclairages partiels et d'en totaliser les lumières : on éclairerait la Cité antique, du côté religieux, avec le projecteur « Fustel de Coulanges », puis l'aspect économique et social au moyen du projecteur « Marxisme », etc. Procédé largement illusoire : il faut voir en effet que, par une pente presque fatale, toute hypothèse explicative tend à déborder hors du domaine pour lequel elle a été conçue (et à l'intérieur duquel, si elle a bien été conçue, elle sera valable), et, de proche en proche, à manifester une ambition totalitaire, à vouloir rendre compte de tout : on se laisse entraîner à repenser et reconstruire l'ensemble de la réalité historique envisagée (et quelquefois l'ensemble de l'histoire humaine) en fonction du système privilégié qu'on a choisi de retenir. Et comme le tissu de la réalité historique est assez serré (il y a entre les divers aspects du réel tant de concaténations variées), comme quel que soit le biais par lequel on le saisit, de proche en proche, tout, ou presque tout, semble-t-il, finit par venir, on a l'illusion que la théorie a tout expliqué : on s'étonne du succès remporté et on y voit comme une vérification expérimentale de la vérité du système — alors que cette rétrospection implique, et ne saurait démontrer la théorie en fonction de laquelle elle a été élaborée [27].

L'exemple qui s'impose ici, dans sa grossièreté caricaturale, est celui du marxisme, tel qu'il est mis en œuvre par certains historiens communistes, notamment en Russie [28]. Le marxisme se présente à l'historien comme une théorie élaborée par son auteur (au moyen notamment de « types-idéaux » : le capitalisme, la bourgeoisie, le prolétariat, les classes sociales, les forces de production), dans la perspective philosophique qui était la sienne (celle d'un disciple de Hegel et de Feuerbach), *pour* rendre compte d'un ensemble de phénomènes sociaux en relation avec la révolution industrielle de l'Europe du XIXᵉ siècle, et, en tant que telle, c'est une

27. Cf. R. Aron, *Introduction*, p. 95 : « (La rétrospection) n'est-elle pas doublement relative à la théorie et à la perspective de l'historien? Elle implique donc et ne saurait démontrer la vérité de la philosophie dont elle est solidaire . »

28. Ces quelques lignes ne prétendent pas représenter une discussion des problèmes posés par le marxisme lui-même, mais seulement qualifier une certaine application qui, de fait, en a été donnée. Son caractère barbare s'explique par les conditions où la culture soviétique s'est trouvée placée du fait de la Révolution : l'*intelligentsia* russe décimée, que dis-je, presque anéantie par la « liquidation » ou l'émigration, la culture a dû prendre en Russie un nouveau départ, dans un climat presque carolingien; ce fut vraiment un nouveau Moyen Age.

théorie qui s'est révélée remarquablement féconde, répondant dans une très large mesure à la tâche qui lui était assignée.

Mais à partir du moment où on s'efforce d'appliquer la théorie à des secteurs du réel qui s'éloignent de plus en plus de celui, — l'économico-social —, pour lequel elle a été conçue, son emprise sur les choses, sa signification, sa portée diminuent rapidement. Ainsi du secteur religieux ou esthétique.

La critique soviétique [29] nous demande de mettre l'œuvre de Moussorgski en rapport avec le « démocratisme » révolutionnaire des années 1860, la petite bourgeoisie, l'anarchisme des « Populistes »; elle décèle dans cette œuvre les contradictions objectives d'une classe sociale, celle de ce noble déclassé qui, ayant rompu tout lien économique avec les propriétaires fonciers, est incapable de s'élever jusqu'aux idés révolutionnaires conséquentes... En quoi une telle interprétation constitue-t-elle une explication réellement historique d'une œuvre comme la *Khovanchtchina*, en quoi nous aide-t-elle, ce qui est proprement le but de l'histoire, à comprendre les valeurs esthétiques de cette musique, l'originalité technique, surprenante, de ce style et enfin la signification humaine qui fait de ce drame « populaire » un des chefs-d'œuvre de l'art religieux?

Les rapports signalés sont réels, mais ne paraîtront décisifs qu'à celui qui aura choisi de voir à travers la lunette marxiste, un appareil qui ne peut faire que ce pour quoi il est fait et analyse toute réalité de manière à mettre en évidence sa composante économico-sociale, disqualifiant comme « superstructure » tout le reste; mais une telle histoire marxiste de la musique ne retient, et ne peut retenir, que ce qui est, en fait, de la Non-musique!

Le contraste entre le réel et les ambitions théoriques est encore plus grand à mesure qu'on s'éloigne davantage de

29. Voir la curieuse préface rédigée au nom de l' « Édition musicale d'État » pour l'édition critique de la *Khovanchtchina*, par P. Lamm, 1932, p. v-vi.

l'époque « capitaliste » : voici deux historiens soviétiques de la période stalinienne aux prises avec la Rome antique [30] : quel contraste pénible que celui de leur profession de foi marxiste, leur conviction répétée qu'une conception vraiment nouvelle et enfin authentiquement scientifique de l'histoire en découle, et le tableau, très académique, qu'ils retracent (il n'y manque aucune banalité : ni les sept Rois de Rome ni le choix de la déposition de Romulus Augustule comme date finale). Pourquoi? C'est que la « lumière du marxisme » ne leur apportait [31] qu'un faible lumignon, le seul principe de l' « esclavagisme » (entre la « communauté primitive » et la « féodalité ») — et qui pourrait « expliquer » par référence à ce seul concept l'immense variété de l'histoire romaine?

Le dogmatisme outrancier dont font preuve certains partisans du matérialisme historique oblige à insister sur le caractère illusoire des opérations logiques dans lesquelles ils voient une preuve de sa vérité et de son efficacité. Encore une fois, la théorie précède la reconstitution historique : ils ne voient que ce que la théorie permet de voir et appellent « histoire » une image sélectionnée en fonction de la doctrine, image partielle et déformée. En voici un qui s'imagine « expliquer » Racine en mettant son œuvre en corrélation avec les événements religieux, sociaux et politiques de son temps [32]. Il s'émerveille des résultats imprévus, de la corrélation étroite que manifestent des rapprochements de ce genre :

Mais il faut lui faire les mêmes objections que nous avons vu L. Febvre adresser à A. Brun (p. 175) : c'est parce que l'auteur a choisi de dresser un tableau en deux colonnes, que

30. N. A. Machkine, *Istorija drevnego Rima*, Moscou ou Leningrad, 1948, et S. I. Kovaliev, *Istorija Rima*, Leningrad, 1948.
31. Avec deux oracles du « génial » camarade Staline, traduction française dans *Questions du léninisme* [2], Moscou, 1947, p. 432 (« la révolution des esclaves »?), 453 (Rome comme raciste!).
32. L. Goldmann, *Sciences humaines et Philosophie*, 1952, p. 137-145; mais la pratique de l'auteur s'est révélée assez différente de ce qu'annonçait ce manifeste théorique : voir *Le Dieu caché*, 1955.

le rapprochement lui paraît convaincant. Il suffira d'en ajouter au moins une troisième, consacrée par exemple à la vie sexuelle et sentimentale de Racine, pour que les choses s'éclairent autrement (les orages de sa liaison avec la Champmeslé...) : qu'un psychanalyste se saisisse du cas, et le caractère privilégié des synchronismes sociopolitiques s'évanouira !

	1675
	Après un calme qui dure depuis 1669-1670, les insurrections populaires reprennent en Bretagne, au Mans et à Bordeaux. Les tensions s'accroissent, etc.
1675-1677	
Racine écrit *Phèdre*. Retour à la tragédie. Reprise du thème de *Mithridate*, mais dans une perspective tragique. L'histoire n'existe plus, les conflits sont insolubles, aucun compromis n'est possible.	. . . .
	1676
	30 mai, arrêt anti-janséniste contre Henri Arnauld, posant à nouveau le problème de la signature du formulaire.

Paralogisme encore qu'un raisonnement de ce type : le marxisme ayant réussi à expliquer la genèse du capitalisme, « la conception matérialiste de l'histoire n'est plus une hypothèse, mais une doctrine scientifiquement démontrée [33] » — et il devient légitime de l'employer pour l'étude des autres sociétés. Non, car la valeur d'un concept scientifique est étroitement relative au domaine de l'expérience pour l'explication duquel il a été élaboré : « Tout concept finit par perdre son utilité, sa signification même, quand on s'écarte de plus en plus des conditions expérimentales où il a été formé [34]. » Si le marxisme a eu dans le passé [35] et possède encore une fécondité générale pour l'histoire, elle ne réside pas dans ces applications littéraires mais dans les transpo-

33. Cf. V. Lénine, « Ce que sont les amis du peuple ... », *Œuvres choisies*, Moscou, 1948, t. I, p. 94.
34. J'invoque ici le physicien et le rationaliste, J. Perrin, *Les Éléments de la Physique*, 1929, p. 21 (souligné par l'auteur).
35. Car il faut souligner, en face de l'orgueil naïf des Soviétiques et des communistes occidentaux, l'importance de la période « socialdémocrate » de l'influence marxiste.

sitions analogiques qu'on a pu en faire : le rôle du marxisme a été de suggérer que les aspects économiques de l'histoire pouvaient avoir une importance fondamentale et d'encourager à les rechercher. Le véritable apport du marxisme à l'histoire romaine n'est pas représenté par ces pitoyables manuels soviétiques mais par l'œuvre, si féconde, de M. Rostovtsev, des *Studien zur Geschichte des römischen Kolonats* (1910) à la *Social and economic History of the Roman Empire* (éd. posthume, 1957).

Cette discussion a l'intérêt de mettre en évidence les raisons profondes de la fin de non-recevoir que, depuis un siècle et demi, si ce n'est plus, les historiens de métier n'ont cessé d'opposer aux philosophies spéculatives de l'histoire. Celles-ci nous paraissent succomber sans résistance au prestige impur de l'*idola tribus* : dans la mesure où elles proposent à l'esprit cette explication, totale et unifiée, qui le flatte et donne satisfaction à ses exigences secrètes, elles substituent un schéma sans validité à l'authentique histoire, celle qui s'efforce de « débrouiller patiemment l'écheveau emmêlé des phénomènes historiques », affrontant leur « extrême complication [36] »; c'est détruire l'apport original, la fécondité propre de la recherche historique (que nous résumions dans le vers de Hamlet : *There are more things...*) : à quoi bon l'histoire, en effet, si la philosophie nous apprend d'avance, quant à l'essentiel, ce qu'elle doit contenir! L'histoire alors n'est plus qu'un appareil enregistreur, qui constate que les choses se sont bien passées comme elles devaient le faire, elle n'est plus qu'un processus de vérification. Comme le soulignait si pertinemment Péguy dans la *Note conjointe...*, « si Jésus avait accompli les prophéties par la voie d'une déduction automatique, d'une déduction mécanique, d'une déduction purement et strictement déterminative..., si la *vie* de Jésus n'avait été que la réalisation automatique, l'accomplissement mécanique

---

36. Comme le dit très bien H. Berr, *La Synthèse en histoire* [2], p. 205.

et même le couronnement méthodique des prophéties, nous n'aurions pas besoin des Évangiles et Jésus même n'en eût pas eu besoin ».

L'exemple choisi est d'ailleurs beaucoup plus significatif que Péguy ne pouvait l'imaginer : s'il avait mieux connu l'histoire de la recherche critique, il aurait su que pour toute une série d' « historiens » Jésus n'était rien autre que la réalisation méthodique des prophéties. Dès lors sa vie n'avait plus de raison d'être et, très logiquement, ils en sont venus à contester la réalité même de son existence. Le premier de la série a été Bruno Bauer (1809-1882), qui a retenu l'attention sympathique de Marx, d'où la persistance de ce thème dans la propagande soviétique.

On est très frappé, quand on remonte de Marx à Hegel, de Hegel à Fichte puis à Kant, de découvrir avec quelle parfaite franchise la philosophie de l'histoire, dans sa jeunesse, proclamait cette disqualification de l'histoire empirique : voici Kant, par exemple, qui développe en neuf propositions l'*Idée d'une histoire universelle* vraiment philosophique [37] — « laissant, comme il dit avec simplicité ou désinvolture, laissant à la nature le soin de produire l'homme capable de rédiger l'histoire selon ce principe » — un peu dirions-nous comme Leverrier laissait à l'astronome de service le soin inutile de constater la présence de Neptune au point déterminé par le calcul !

Confirmant ainsi les conclusions précédemment suggérées (p. 177), cette analyse des limites de l'explication historique nous a permis de dégager l'existence d'un niveau spécifique où s'établit la validité de l'histoire comme connaissance du passé humain. Même si — nous avons choisi de ne pas envisager ce problème — il était ou devenait possible d'élaborer une véritable science de l'évolution de l'humanité, d'établir, de façon rationnellement ou expérimentalement convaincante, l'existence de lois ou de principes

---

37. Traduction française de St. Piobetta : Kant, *La Philosophie de l'histoire, opuscules*, 1947, p. 61. Pour Fichte, cf. H. Berr, *op. cit.*, p. 22.

généraux expliquant réellement le comportement humain
dans le temps, la validité de cette expérience directe du passé,
de cette connaissance singulière, qui représente l'histoire —
et qui implique, on l'a vu, toute une analyse des coordinations structurales ou temporelles —, demeurerait, con-
serverait sa valeur propre, son niveau spécifique d'intelligibilité — un peu comme l'existence des lois générales
de la Botanique (anatomie et physiologie végétales, lois
de l'évolution...) ne supprime pas la validité d'un autre
niveau de connaissance des plantes, celle du paysan, de
l'amateur de jardins ou de fleurs, celle surtout du botaniste « systématique » (description, analyse des caractères
de chaque espèce).

Dans tout ce qui précède, nous n'avons, en effet, envisagé que l'explication possible des phénomènes historiques singuliers — objet propre du travail de l'historien;
je crois, en effet, qu'il est inutile d'envisager la possibilité
d'une élaboration de « lois » historiques à proprement
parler (distinctes des lois explicatives de la philosophie
de l'histoire, qui, elles, supposent atteint un plan plus profond que celui de l'expérience directe et expliquent les
phénomènes historiques par déduction à une réalité consi-
dérée comme plus authentique —, l'infrastructure économique, la sexualité).

Pourquoi? C'est que la réalité historique, telle que la
révèle l'expérience au travers des documents, ne nous
offre que des phénomènes singuliers, irréductibles l'un
à l'autre. S'il est possible d'instaurer une comparaison
entre certains de ces phénomènes, les analogies qu'on
peut de la sorte mettre en évidence ne portent que sur
des aspects partiels, fictivement abstraits par l'analyse
mentale, jamais sur la réalité elle-même (nous retrouvons,
comme à propos de la recherche des « causes », les conséquences qui résultent de l'impossibilité de procéder par
l'expérimentation à la constitution de systèmes clos, isolant
tel ou tel élément du réel). Les observations de caractère

prétendument général, qu'on cherche à faire passer pour des
« lois de l'histoire », ne sont que des similitudes partielles,
relatives au point de vue momentané sous lequel le regard
de l'historien a choisi de fixer tels et tels aspects du passé.

Certaines de ces « lois », de caractère psychologique
ou sociologique, relèvent en fait, non de l'une ou l'autre de ces sciences, mais bien de l'art du moraliste (style
La Rochefoucauld, Vauvenargues) : ce sont des « maxi-
mes » dont le tour sentencieux n'est qu'une façon piquante
de présenter, sous une forme générale, un rapprochement
de portée limitée entre quelques cas d'expérience. Ainsi
l'axiome cher à Lord Acton (et à notre Alain) : « Le pouvoir
corrompt... »

J'entends en effet les grands hommes d'État, les véritables
« pasteurs de peuples », qu'ils s'appellent Périclès ou Chur-
chill, me suggérer qu'au contraire c'est dans l'exercice de la
puissance qu'une âme grande épanouit sa valeur; que si
d'autres, Caligula, Néron ou tels de nos ministres, s'y sont
effondrés, c'est qu'ils n'étaient que des âmes molles, indignes
de leur fonction.

J'attribuerai la même valeur toute relative aux « lois »
du développement de la civilisation que l'étude patiente
et ingénieuse de Toynbee a cru pouvoir dégager d'une
confrontation systématique des quelque vingt et une civilisations enregistrées par notre histoire : défi-riposte, *break-
down*, *Nemesis* de la créativité, etc.

Inutile de revenir sur l'arbitraire du postulat que suppose
The Study of History — celui de l'unité organique de la
« civilisation », sommairement définie comme « *intelligible
field of History* ») : s'il n'y a pas de doute, par exemple,
que l'Égypte ne soit un don du Nil, que les difficultés particulières que rencontrait l'établissement d'une civilisation
agricole dans cette vallée n'aient dû jouer un rôle décisif
dans le développement de l'ancienne Égypte, l'historien
hésitera pourtant à expliquer toute la civilisation pharaonique par la *response* au *challenge* représenté par l'assèche-

ment du climat libyque après la dernière période glaciaire.

Je suis personnellement très sensible à l'intérêt que présente, pour l'historien, la méditation des schémas de développement ainsi définis par Arnold J. Toynbee; pourtant il est clair que sa théorie n'a pas réussi, comme il l'espérait, à formuler *les* lois spécifiques du phénomène « civilisation ». Il analyse avec finesse et sûreté de touche certains aspects du processus historique, dégageant, si l'on veut, *des* « lois » du comportement humain, mais les schémas de conduite, les éléments de courbe dessinés sont susceptibles d'être appliqués à des échelles différentes, à des phénomènes historiques d'amplitude variable, et ne sont donc pas caractéristiques du développement des civilisations.

Toynbee est trop avisé pour ne pas s'en être aperçu le premier : constatant que le rythme *Ying-Yang*, Repos-Dynamisme qui lui avait servi à caractériser le passage des civilisations primitives aux grandes civilisations, se retrouve dans le *Withdrawal-Return*, « retraite et retour », de la vie personnelle des grands hommes, il note : « *This time the rythm is tuned to a shorter wave-length* [38]. »

C'est qu'ici encore, nous n'avons pas affaire à des lois de caractère scientifique, c'est-à-dire à des déterminations de caractère général qu'aurait dégagées l'observation de phénomènes bien définis — mais seulement à des rapprochements, légitimes sans doute, soulignant des ressemblances partielles, mises en évidence par le point de vue particulier où l'auteur nous invite à nous placer avec lui. La validité de ces schémas de développement me paraît du même ordre que celle des concepts analogiques ou métaphoriques (du type « le Baroque ») analysés plus haut (p. 148-150). De fait, on sera frappé de constater que Toynbee utilise volontiers, pour formuler ses « lois », de tels concepts figurés : Temps des Troubles, prolétariat (intérieur ou extérieur : deux degrés successifs d'analogie), marche-frontière, *lingua franca*...

---

38. *A Study of History*, t. III, p. 376.

Dire, par exemple, que la période qui va de la guerre du Péloponnèse à la fondation de l'empire romain représente pour la civilisation hellénique le « Temps des troubles » est une opération mentale (qui, à l'intérieur de certaines limites, peut être parfaitement légitime et féconde) du même type que celle qui consiste à qualifier de « Baroque » l'art de Baalbek : cela revient à dire que cette période a été pour le monde grec quelque chose d'analogue (jusqu'à quel point ? là est la difficulté !) à la période de perturbations dynastiques, nationales et sociales qui, dans l'histoire du peuple russe, s'étend de 1584 à 1613 et a reçu, proprement, le nom de « Temps des Troubles », *Smoutnoïé Vrémia*.

Pour qui sait les contenir dans certaines limites, de tels rapprochements sont, nous l'avons vu, suggestifs et riches d'expression ; il serait abusif de trop en espérer.

8

L'existentiel en histoire

Nous avons jusqu'ici étudié l'histoire du point de vue, si l'on peut dire, de son objet, le passé à connaître, ou du moins de la connaissance en voie d'élaboration. Remontant maintenant de la périphérie au centre, à l'origine, il nous faut envisager la même histoire du point de vue du sujet connaissant.

Par opposition à l'objectivisme strict du vieux positivisme, qui eût aimé pouvoir réduire le comportement de l'historien à un regard glacé et comme indifférent jeté sur un passé mort, l'histoire nous est apparue comme le fruit d'une action, d'un effort en un sens créateur, qui met en jeu les forces vives de l'esprit, tel qu'il est défini par ses capacités, sa mentalité, son équipement technique, sa culture : l'histoire est une aventure spirituelle où la personnalité de l'historien s'engage tout entière; pour tout dire en un mot, elle est douée, pour lui, d'une valeur existentielle, et c'est de là qu'elle reçoit son sérieux, sa signification et son prix.

C'est bien là, comme nous l'avions annoncé, le cœur même de notre philosophie critique, le point de vue central d'où tout s'ordonne et s'éclaire. Ce principe est devenu aujourd'hui si évident que la tâche vraiment utile qui nous incombe est moins de l'établir que de contrôler sa vérité, de la préciser, de la limiter. Le moment est venu de consolider les positions conquises : il faut abandonner les formules boursouflées, les prétentions outrancières, les para-

doxes dont on a usé et abusé. Reconnaissons-le franche-
ment : tous, ici, nous avons plus ou moins péché.

A commencer par le grand Dilthey lui-même : avec
beaucoup de vrai, il y a quelque exagération dans son
insistance sur la biographie, l'autobiographie, la connaissance du moi dans et par son passé personnel, qu'il place
à l'origine et comme au centre de toute histoire : c'est à
partir de mon histoire personnelle que s'élargit ma curiosité
et mon enquête qui, de proche en proche, finissent par
englober toute l'humanité; doctrine que Raymond Aron,
avec son sens de la formule prégnante, a su heureusement
résumer dans un triple aphorisme : « A un certain moment
du temps, un individu réfléchit sur *son* aventure, une collectivité sur *son* passé, l'humanité sur *son* évolution : ainsi
naissent l'autobiographie, l'histoire particulière, l'histoire
universelle [1]. » Ce qui est bien vu, mais il nous faudra préciser comment le passé accessible de l'humanité peut en un
sens être assumé par chaque homme comme sien, sinon l'histoire des Hittites par exemple n'aurait guère de sens — de
valeur existentielle — que pour les Turcs d'aujourd'hui,
leurs successeurs en Anatolie, et dans une large mesure
leurs descendants.

Et que dire des paradoxes de Croce — du type : « toute
histoire est histoire contemporaine [2] »! Sans doute, ici
encore, il y a du vrai : tout problème authentiquement historique (ce que Croce [3] opposait à l' « anecdote », issue d'une
pure et vaine curiosité), même s'il concerne le plus lointain
passé, est bien un drame qui se joue dans la conscience d'un
homme d'aujourd'hui : c'est une question que *se* pose l'historien, tel qu'il est « en situation » dans sa vie, son milieu,

1. R. Aron, *Introduction*, p. 82.
2. *Contribuzione a la critica di me stesso*, trad. fr., 1949, p. 110 :
« ... la *Théorie et histoire de l'Historiographie*, dans laquelle j'avais
entrepris de déterminer la nature de la véritable historiographie considé-
rée comme une histoire toujours " contemporaine ", c'est-à-dire naissant des besoins intellectuels et moraux du moment. »
3. *La Storia come pensiero e come azione*, trad. fr., p. 118-125.

son temps. Mais à trop insister là-dessus, à trop célébrer cette « présence » du passé, actualisé à nouveau dans la conscience de l'historien, on court le risque de détruire, de vider par le dedans, le caractère spécifique de l'histoire qui, tout de même, est, par définition (p. 31), la connaissance du passé, de l'autrefois, de la réalité humaine en tant qu' « ayant été », *dagewesenes Dasein*.

Ce point-là, comme tant d'autres, a été bien mis en lumière par Heidegger [4], chez qui, à condition de savoir lire avec sang-froid, il y a beaucoup à apprendre : ainsi dans le commentaire, si personnel, qu'il a donné de l'idée chère à Dilthey : c'est parce qu'il est un être historique que l'homme (*das Individuum*) comprend l'histoire [5]. La redécouverte du passé « présuppose déjà l'*Être historique vers* la réalité-humaine ayant-été-une Présence, c'est-à-dire l'historicité de l'existence de l'historien. C'est cette historicité qui fonde existentialement l'histoire comme science jusque dans les dispositions les moins apparentes » — les minutes du travail d'érudition [6].

Je n'oserai dire qu'il ait toujours été aussi bien inspiré : il n'y a pas de doute que l'influence de Heidegger ne soit très largement responsable de ce lyrisme paroxystique, de ce style précieux que tant de nos jeunes philosophes affectent comme une garantie de profondeur : telles ces jongleries verbales à base d'étymologie, renouvelées du *Cratyle*, à peine tolérables en allemand mais qui, imitées ou transposées en

4. *Sein und Zeit*, § 73, trad. fr. dans *Qu'est-ce que la métaphysique ?*, p. 179-180.
5. *Der Aufbau der geschichtlichen Welt...*, *Gesammelte Schriften*, t. VII, p. 151.
6. *Sein und Zeit*, § 76, trad. fr., p. 204 (j'ai reproduit le système d'équivalents ingénieux, mais étranges imaginés par H. Corbin, qui rend cette transcription — on n'ose dire cette traduction — beaucoup plus obscure en français que n'est en allemand l'original). Chez Dilthey lui-même, la formule « l'homme est un être historique » met surtout « l'accent sur la présence latente de l'esprit objectif dans chaque personne » (langue, concepts, monuments, techniques hérités du passé) : R. Aron, *La Philosophie critique*, p. 87.

français (langue où le sens des mots est défini par l'usage et non par la racine) deviennent d'une puérilité ridicule. Aussi bien, l'objet principal de la réflexion de Heidegger n'était pas notre science, la connaissance historique, mais ce que j'ai appelé, sans me faire d'illusion sur la valeur de la formule, l'analyse de la situation ontologique de l'homme qui, « temporel jusqu'au fond de lui-même, n'est et ne peut exister qu'historiquement [7] »; il était tentant, il était en un sens inévitable qu'on en vînt à transposer à la connaissance historique (passant de *Geschichte* à *Historie*) cette description si profondément pathétique de l'historicité de la « réalité-humaine » (*Dasein*) qui trouve son fondement dans la finitude de la temporalité [8], description où abondent les images et les formules tragiques : Destin, déréliction, souci, inquiétude, « l'homme comme Être pour la mort ».

Exemple dangereux à imiter : de là provient cette tendance, devenue si générale, à présenter sous un jour trop émouvant le caractère existentiel de la recherche historique; notre dialogue avec le passé devient alors un débat lourd d'angoisse où l'historien, engagé dans les combats de la vie présente, cherche, dans le feu de l'action, à obtenir du passé quelques lumières qui puissent l'aider dans son effort pour imposer une forme au futur; ainsi Aron : « Dans la mesure où il vit historiquement, l'historien tend à l'action et cherche le passé de son avenir [9] », ou E. Dardel : « L'intérêt pour le passé trahit déjà une historicité qui se cherche » — ce qui est très bien vu, mais pourquoi parler à ce propos de « vertige » et d' « angoisse » [10]?

Plutôt que de rechercher malignement chez mes prédécesseurs ce qu'ils ont pu écrire d'un peu outré, je préfère répéter : nous avons tous péché. Il m'est bien arrivé

---

7. *Sein und Zeit*, § 72, même traduction, p. 176.
8. *Ibid.*, § 74, p. 191.
9. *Introduction*, p. 337.
10. *L'Histoire, science du concret*, p. 121.

un jour [11] de céder à l'entraînement de la mode et d'emprunter à Sartre sa notion de « psychanalyse existentielle », en la transposant du plan ontologique à celui de l'expression empirique [12] : je montrais dans la recherche historique, au moins pour un historien de vocation authentique (celui pour qui l'histoire n'est pas un simple passe-temps ou une occupation accidentelle), une manifestation symbolique de ce « pro-jet » fondamental, originel, dans lequel et par lequel la personne cherche à s'incarner, à « se faire », et où, d'une certaine manière, elle s'exprime tout entière [13].

Je voulais dire tout simplement que, si du moins il reste un homme, et s'il atteint véritablement à l'histoire (c'est-à-dire s'il n'est pas un simple érudit, ce manœuvre occupé à dégrossir des matériaux pour l'histoire à venir), l'historien ne passera pas son temps à couper des cheveux en quatre sur des questions qui n'empêchent personne de dormir (selon le mot cruel de Jean Prévost, qui a été ressenti comme un défi par tous les universitaires de ma génération) : il poursuivra, dans son dialogue avec le passé, l'élaboration de *la* question qui l'empêche, *lui*, de dormir, du problème pour *lui* fondamental dont la solution, par des voies quelquefois détournées et souvent mystérieuses, importe à *son* destin, engagera sa vie et sa personne tout entière.

Est-il encore besoin d'en convaincre mon lecteur? Il n'y a pas d'histoire, nous l'avons vu (chap. II), tant qu'il ne se trouve pas un historien pour évoquer le fantôme du passé et, le pressant de questions, le contraindre; or c'est du plus profond de l'être même de l'historien que jaillissent ces questions qui, par avance, orientent et prédéterminent toute l'enquête (au moins dans ses grandes lignes, car, on l'a vu, à

11. *Revue de métaphysique et de morale*, 1949, t. LIV, p. 259-260.
12. Transposition en soi légitime, autant que celle que Sartre lui-même a fait subir à la notion originelle de « pro-jet » *(Entwurf)* qui chez Heidegger signifie tout autre chose (« l'homme jeté à l'être, jeté en pâture à l'être ») que chez lui!
13. Cf. J.-P. Sartre, *L'Être et le Néant*, p. 643-663.

mesure que le dialogue se prolonge, la question s'infléchit devant la résistance de l'objet et se transforme pour s'y conformer).

Une analyse un peu serrée mettra toujours en évidence ce lien essentiel, ce cordon ombilical qui relie l'histoire à son historien. Commençons par le choix du sujet : c'est souvent pour des raisons en apparence bien extrinsèques qu'un chercheur décide d'entreprendre tel travail, mais poussez-le un peu et le caractère existentiel de son choix apparaîtra bientôt : j'ai publié en 1948 cette *Histoire de l'éducation dans l'Antiquité* parce qu'elle m'avait été commandée en 1943 par les Éditions du Seuil. Oui, mais l'éditeur est un ami et s'il m'a pressé de réaliser ce projet, c'est qu'il savait bien qu'il m'était cher et s'il m'en avait parlé le premier, c'est qu'il avait deviné que je le portais en moi. D'ailleurs, si j'ai accueilli ses ouvertures, alors que j'en ai écarté tant d'autres sans examen, n'est-ce pas que j'ai aussitôt reconnu son idée comme la mienne?

Mais le choix du sujet, en lui-même, n'est rien encore : ce qui compte c'est la manière dont on le délimite, l'oriente, le comprend — celle surtout dont on le réalise : de proche en proche, la recherche historique met en œuvre toutes les ressources de l'esprit qui s'y emploie; comment s'étonner qu'elle en reçoive une empreinte ineffaçable : ce qu'elle devient dépend si étroitement de ce qu'il est, et elle n'existe que dans la mesure où l'historien s'y *intéresse*, s'y passionne, s'y engage tout entier,

Nous pourrions reprendre et récapituler de ce point de vue toutes les analyses qui précèdent : la chose irait de soi; inutile de s'y attarder; ce qui importe davantage, j'y insiste, est de nuancer, pour la limiter à son exacte portée, cette affirmation de la valeur existentielle de l'histoire. A trop la souligner on court le risque de la déformer : il ne faut pas se faire une idée trop haute de l'histoire, trop attendre d'elle ou trop en exiger; c'est par de telles exagérations que la philosophie critique s'est quelquefois déconsidérée aux yeux des historiens de métier qui ne reconnaissaient pas leur labeur, humble et consciencieux, dans l'image trop colorée, trop émouvante, qu'en donnaient les théoriciens : il fait beau venir parler d' « angoisse existentielle » à un historien de l'économie, attaché à étudier les variations de la production et du prix de l'argent dans l'Amérique du XIXᵉ siècle — variations qui s'enregistrent et se « comprennent » presque aussi objectivement que celles par exemple de la pluviosité : dans les deux cas, l'élément proprement humain se révèle au-delà du phénomène lui-même, qui peut et doit d'abord être observé en lui-même et pour lui-même.

Il est donc nécessaire de bien préciser que si toute connaissance historique se trouve en définitive revêtir une valeur existentielle, ce ne peut être toujours *in actu* avec la même intensité, la même portée immédiatement utile. Tout ce qui constitue la science historique n'est pas sur le même plan : il y a une grande quantité de connaissances qui lui sont indispensables à titre de moyens, subordonnés comme à leur fin à une connaissance plus haute, qui constitue seule la véritable histoire mais qui sans elles ne serait pas possible. C'est le cas de tout ce qu'accumulent de matériaux, avec une infinie patience, nos sciences auxiliaires. Réunir un *Corpus* des marques de potiers romains n'est pas en soi une opération mentale lestée de plus de valeurs existentielles que celle du *Collectionneur* imaginé par Jean Capart et qui rassemblait, classait, identifiait les boutons de culotte ramassés par lui dans les rues de Bruxelles; mais un tel *Corpus* n'est pas une fin en soi et tire sa justification des services que peut en tirer un historien de l'Empire romain...

D'autre part, il ne faut pas se faire une idée trop étroite, trop immédiatement monnayable de la portée existentielle d'une connaissance. L'homme politique ou le diplomate courbé sous le poids de ses responsabilités, cherchera avant tout une culture historique qui lui fournira la compréhension de la conjoncture présente : il lui paraîtra plus nécessaire de savoir ce qui s'est passé aux conférences de Yalta ou de Postdam que du temps de Rome ou de Byzance. Mais ce sera là une vue étroite, indigne d'un homme vraiment cultivé, car même la compréhension de la situation internationale d'aujourd'hui exige la connaissance du lointain passé dont elle conserve l'héritage : Byzance aide à comprendre Moscou, « la Troisième Rome »...

Il faut donc assouplir, pour l'enrichir, cette notion d'enjeu existentiel : ce qui nous fournit l'occasion de commenter, en lui conférant toute sa vérité, la doctrine de Dilthey sur l'histoire universelle comme extrapolation de l'autobiographie. Il est bien vrai qu'une histoire nous touche plus évidemment, plus directement (je ne dis pas plus profondément) si de quelque façon elle apparaît *notre* histoire. Mais il ne faut pas limiter celle-ci à la seule reconstitution de notre lignée biologique directe. Je reprends le cas des Hittites : s'ils nous paraissent plus lointains qu'ils ne le sont aux Turcs, c'est un fait aussi que leur découverte a éveillé un intérêt particulier dans nos milieux d'Occident, du jour où fut assuré qu'ils étaient des Indo-Européens (ou que du moins leur classe dominante usait d'une langue apparentée à nos dialectes indo-européens) : du coup ils devenaient nôtres, beaucoup plus intéressants que les Élamites par exemple (bien que la civilisation de l'Élam ait été plus originale et plus féconde) : leur connaissance servait à éclairer latéralement celle de nos origines; s'ils n'étaient pas nos pères, ils étaient du moins des oncles, ou des cousins...

Je me souviens avec quelle joie on salua la publication d'un traité hittite sur l'entraînement des chevaux [14] : n'était-ce pas comme une vérification de la thèse, défendue notamment par Max Weber, sur les Indo-Européens, peuples de cavaliers?

Il ne serait pas facile de déterminer, en droit, où s'arrêtera

14. B. Hrozny, « L'Entraînement des chevaux chez les anciens Indo-Européens d'après un texte mitannien-hittite provenant du XIVe siècle avant J.-C. », *Archiv Orientalni*, 1931, t. III, p. 431-461.

cette compréhension fraternelle. Tout dépend de la frontière assignée au Moi, ce sujet des valeurs; la tradition nationale de nos vieux pays d'Occident nous a habitués à nous sentir solidaires de la communauté nationale, et de son passé : de Dunkerque à Perpignan, les petits enfants français ont appris à se sentir, et tous les citoyens français se sentent solidaires de Vercingétorix, de Clovis, des Capétiens, etc. Mais nous sommes nombreux déjà à nous penser Européens, voire Atlantiques (les uns; les autres : Soviétiques). Il y a des gens pleins de foi, à l'ONU et à l'UNESCO, qui travaillent vaillamment à faire naître une conscience planétaire : le corollaire naturel est qu'ils ont aussitôt entrepris de faire rédiger une histoire du développement scientifique et culturel de l'humanité.

Cette dernière extension conserve encore un caractère imparfait, car l'unification culturelle du monde n'est pas encore accomplie; mais ici intervient un autre facteur, celui de la vocation personnelle. L'histoire de la Chine me demeure, à moi Occidental, malgré tout étrangère, parce que je ne puis immédiatement assumer ce passé original dont la richesse constitue le patrimoine du peuple chinois; mais si je décide d'apprendre sa langue, sa littérature, son art, je n'en suis plus exclu. Lorsque nous écoutons Louis Massignon nous parler d'Al Hallâj et d'Ibn Dawûd, nous sentons bien que *pour lui* le passé arabe n'est pas un passé étranger : si je savais l'arabe aussi bien que Massignon, pour moi aussi l'histoire arabe ferait partie de *mon* passé. Il n'y a donc pas en droit de limite imposée à cet élargissement de la curiosité, de la compréhension, de la culture historiques : rien de ce qui est humain ne m'est *a priori* interdit. On pourrait transposer les vers de Vigny parlant de ses ancêtres :

C'est en vain que d'eux tous le sang m'a fait descendre :
Si j'écris leur histoire ils descendront de moi.

Pensant, au contraire, à des hommes aussi étrangers qu'on

voudra à l'hérédité biologique qui se manifeste dans mes chromosomes, je dirai : qu'importe si le sang ne m'en fait pas descendre, *si j'écris leur histoire, je descends d'eux aussi* désormais — car si je me suis montré capable de comprendre leur passé, c'est que celui-ci s'est révélé pour moi familial.

Tout cela reconnu, et c'est une question de fait, il nous faut, toujours préoccupés de compléter notre traité des vertus, en venir à poser la question d'ordre déontologique, est-ce à dire qu'il faille nécessairement s'abandonner sans contrôle à cette pression de l'existentiel, à cette passion, consciente ou secrète, qui se trouve ainsi animer toute l'activité de l'historien, éveiller et orienter sa curiosité, soutenir son effort? C'est sur ce plan pratique, surtout, qu'il me paraît nécessaire de réagir contre la mode actuelle des notions d'existentiel et d'engagement. J'appellerai à mon secours toute la tradition humaniste, la sagesse classique et ses conseils sur les dangers de la passion, source d'aveuglement pour la raison, son apologie des vertus, si antiques à la fois et si chrétiennes, de tempérance et de prudence : modération en tout, juste équilibre, art de composer un mélange bien dosé avec tous les éléments nécessaires. *Ne quid nimis...* Il n'en faut pas trop : à trop appuyer sur la pédale existentielle, on court un double danger; c'est mettre en péril et la réalité et la vérité de l'histoire.

Sa réalité : nous l'avons définie comme rencontre d'autrui, sortie de soi, enrichissement de l'être; mais si l'homme prend une conscience trop aiguë de son engagement dans l'être et dans la vie, il s'y enferme et, hanté par la gravité et l'urgence des problèmes qui s'imposent à lui, devient radicalement incapable de cette « mise entre parenthèses » provisoire de nos préoccupations, de cette *epokhè* qui seule rend possible et féconde la sortie de soi, la rencontre et la connaissance d'autrui. Rien n'est plus instructif que de suivre le développement de l'existentialisme contemporain : voilà une philosophie qui commence, chez Heidegger, par affirmer avec force l'historicité caractéristique de la situation de l'homme et qui aboutit à « la pensée an-historique de Sartre », qui « emprisonne l'homme dans le carcan de sa liberté » et « barre la route », « exclut par sa méthode même » ce que nous appelons histoire, la rend « absolument irréintégrable [15] ».

Le danger que je dénonce ici n'est pas seulement théorique et ne menace pas que les philosophes : toute notre littérature historique est là pour en témoigner, où abondent tant de travaux dont la valeur limitée ou contestable est due à ce travers. Une enquête dominée par l'urgence existentielle, trop axée sur les préoccupations présentes, sur le problème qui se pose, *hic et nunc*, à l'historien et à ses contemporains, et comme obsédée par la réponse attendue, perd rapidement sa fécondité, son authenticité — sa réalité.

Il serait facile de multiplier les exemples, quelques-uns cruels. J'en choisis un de tout repos : on a beaucoup travaillé sur saint Augustin au XVIIᵉ siècle, jésuites contre jansénistes, augustiniens (Noris, etc.) contre jésuites, catholiques (Harlay...) contre protestants; mais bien souvent ces travaux sont trop profondément, étroitement axés sur les controverses théologiques du temps pour être toujours réellement utiles : on était trop préoccupé de rechercher chez saint Augustin des arguments immédiatement utilisables pour prendre le temps de découvrir, de rencontrer, de connaître saint Augustin lui-même, en tant que tel.

On pourrait reprendre ici ce que nous disions plus haut à propos de la critique des documents (chap. IV) : l'histoire comme amitié. Celui qui pense trop, trop tôt, ou trop uniquement, à utiliser ses amis, ne peut vraiment les aimer ni les connaître; on ne confondra pas amitié et relations d'affaires. L'histoire elle aussi suppose une attitude intérieure non plus égocentrique mais centrifuge [16], une ouverture sur autrui

---

15. J.-L. Ferrier, *Actes* du Congrès de Strasbourg, 1952, p. 171-175 : il s'agit du premier Sartre, celui de *l'Être et le Néant*.

16. M. Nédoncelle, dans sa communication au même Congrès, *ibid.*, p. 145.

qui exige que nous mettions en quelque sorte la sourdine
à nos préoccupations existentielles.

Certes, celles-ci ne peuvent jamais être complètement
éliminées, et l'*epokhè*, la « mise entre parenthèses », est
toujours non seulement provisoire mais relative; je n'oublie
rien de tout ce que notre analyse a révélé de dépendance
essentielle entre l'histoire et l'historien, mais il ne faut pas
confondre les plans, celui de l'analyse ontologique et celui
de la conduite empirique. Tout est une question de degré,
de mesure, d'esprit de finesse, de sens des nuances et d'abord
de bon sens. Contre une exaltation désordonnée des valeurs
existentielles, notre éthique récupérera avec profit les sages
règles formulées par Cicéron ou Tacite : « éviter jusqu'au
moindre soupçon de faveur ou de haine [17] »; « ne parler de
personne avec amour ou ressentiment [18] ». Je compte sur
l'intelligence du lecteur pour ne pas confondre cette impar-
tialité nécessaire, faite de sang-froid et d'un besoin de
compréhension, avec l'attitude illusoire de détachement
prônée par les théoriciens positivistes : « considérer les faits
humains du dehors, comme des choses ».

Danger plus grossier peut-être, mais non moins réel,
non moins menaçant, l'obsession de l'existentiel peut com-
promettre jusqu'à la vérité même de l'histoire. On commence
par dénoncer, et en un sens avec raison, le « mythe de
l'objectivité »; on souligne avec insistance le fait que tout
travail historique, ne serait-ce que parce qu'il suppose un
choix parmi l'infinité des aspects possibles du passé, suppose
et reflète une option, une orientation que lui impose l'esprit
de l'historien. Il n'y a, dit-on, que trois cas possibles :
l'exposé qui, se sachant partisan, se dit objectif — grossière
hypocrisie; celui qui, se croyant objectif, reflète sans le
savoir des préjugés inconscients — impardonnable naïveté;
comment ne pas préférer hardiment la dernière solution :

17. *De oratore*, II, 15 (62).
18 *Histoires*, I, 1, 5.

une histoire engagée, un exposé de combat et qui se flatte de l'être [19].

On dira, par exemple : il n'y a pas d'histoire (surtout contemporaine) impartiale; quoi que vous fassiez vous êtes embarqué : vous n'avez le choix qu'entre une histoire « bourgeoise », « capitaliste », « impérialiste » — et une histoire communiste ou du moins « progressiste »; ou elle sera un geste de défense de la classe possédante menacée dans ses privilèges par l'évolution économique et sociale, ou elle sera une prise de conscience de cette évolution et un geste révolutionnaire.

Mais, à partir du moment où l'accent est mis de la sorte sur l'action et son efficacité, que devient notre recherche patiente et obstinée de toute vérité accessible, quelle qu'elle soit, sur le passé? L'historien sera bientôt requis par les exigences du combat dans lequel il est engagé. On commencera par lui notifier que toute vérité n'est pas bonne à dire (or le propre de la recherche historique est de se heurter à chaque instant contre l'inattendu, l'intempestif).

Je continue à prendre mes exemples — c'est un cas limite — dans le communisme, soviétique ou occidental, de la période stalinienne : reconnaître le rôle joué par Trotski comme commissaire du peuple à l'armée et à la marine pendant la période critique de la guerre civile était un geste contre-révolutionnaire quand Staline était occupé à éliminer Trotski du pouvoir et à consolider sa propre domination. Taire cette vérité aveuglante devenait un devoir.

On le persuade ensuite qu'il n'est plus « un savant de cabinet de l'espèce d'autrefois », mais par exemple un « combattant du communisme » au service du peuple [20] —

19. P. Vilar, « Défense de la paix et Objectivité historique », dans *Trygée*, 15 novembre 1953, p. 26-26, plaidoyer intelligent et convaincu, mais par cela même (Vilar est pour moi un vieux camarade et je lui dois la franchise) d'autant plus désolant.

20. I. Kon, *K voprosu o specifike i zadatchach istoritcheskoj nauke*, dans *Voprossy Istorii*, n° 6, juin 1951, p. 63.

ou de ses chefs — et voilà notre historien ravalé au rang
de propagandiste, invité à sortir de ses dossiers au moment
voulu (ou à y rentrer), le paquet de fiches fournissant un
précédent utile, une illustration commode, un commentaire
émouvant de la tendance momentanément dominante —
une tangente à la courbe, aux mille inflexions imprévisibles,
de la « ligne générale » définie par les maîtres de l'heure.
Rôle sans dignité, sans valeur.

Rien de plus désolant que le sort fait aux historiens des
peuples non russes de l'Union soviétique : que la « politique
des nationalités » accroisse son libéralisme, les voici invités
à se pencher sur le passé de leur petite patrie et à en exalter
les héros d'autrefois; que Moscou s'inquiète de l'inévitable
recrudescence du « nationalisme bourgeois », et ces héros
ne sont plus que des réactionnaires : l'historien de service
s'appliquera désormais à expliquer quel bonheur ce fut pour
Kasakhs ou Tchetchènes d'avoir été agrégés à la grande
famille russe par la conquête impérialiste du temps des tsars.

Un pas de plus et comment notre confrère pourra-t-il
résister le jour où un machiavélien viendra lui suggérer
que tel mensonge habilement combiné sera plus efficace
dans le combat mené, servira mieux la cause, que ces petites
vérités de fait si minutieusement établies. Qu'importe que
les choses ne se soient pas passées ainsi? On les rapportera
telles qu'elles auraient dû être et cette histoire sera « politiquement » *vraie*.

On ne s'est pas contenté de passer sous silence les exploits
de Trotski : falsifiant sans scrupule des documents, par
exemple photographiques, on a cherché à majorer le rôle
réel joué par Staline aux côtés de Lénine dans la direction
des affaires pendant les premières années de la Révolution.

Cette critique pourra passer pour simpliste et injuste. Je
n'oublie pas que le marxisme, cette philosophie romantique,
met ses fidèles en possession d'une théorie (qu'ils possèdent
comme vraie, l'estimant fondée en raison et expérience)
qui les pourvoit, antérieurement à toute enquête proprement

historique portant sur les questions de fait, de la vérité sur le sens de l'Histoire et son processus de réalisation : nous retrouvons dans leur cas l'opposition entre histoire et philosophie de l'histoire, la seconde réduisant la première à un simple processus de vérification.

Ensuite les marxistes, ces néo-hégéliens, sont des hommes qui nient la transcendance : il n'y a pour eux de vérité historique que dans (et par rapport à) la conjoncture, le moment de l'évolution humaine. Mais j'écris ce traité pour des hommes « croyant frénétiquement à la vérité », comme ce « petit Breton consciencieux qui, un jour, s'enfuit épouvanté de Saint-Sulpice, parce qu'il crut s'apercevoir qu'une partie de ce que ses maîtres lui avaient dit n'était peut-être pas vraie [21] ».

C'est pourquoi je redirai, toujours avec Cicéron, « que la première loi qui s'impose à l'histoire est de ne rien oser dire de faux, la seconde d'oser dire tout ce qui est vrai », *ne quid falsi dicere audeat, deinde ne quid ueri non audeat* [22] ! Et je prémunirai mon disciple contre ces applications naïvement monstrueuses de notre théorie de la connaissance, en l'engageant à prendre une conscience toujours plus aiguë du personnalisme essentiel de la connaissance historique — et par une conséquence naturelle de la dignité de son rôle et de la responsabilité qu'il assume. Homme de science, l'historien se trouve comme délégué par ses frères les hommes à la conquête de la vérité.

Isolé par la technicité même de sa recherche, il est là, seul en face de sa conscience à se débattre dans les ténèbres où s'élabore sa conviction. Il est vain de se leurrer d'un contrôle réciproque : pour tout ce qui fera l'essentiel de son apport, cette fine pointe de la vérité qu'il aura été le seul à pouvoir entrevoir et saisir, il n'y a guère de chances qu'avant longtemps un confrère, repassant par la même piste, recom-

---

21. E. Renan, *Préface* (1890) à *L'Avenir de la science*, *Œuvres complètes*, t. III, p. 718.
22. Dans le même passage du *De oratore*, II, 15 (62).

mence ses opérations et les puisse vérifier (la vérité de
l'histoire est faite de jugements subtils, pesant et combinant
mille éléments d'information divers : elle est le fruit d'une
expérience mentale qu'il n'est pas facile au premier venu
de recommencer dans son éprouvette). C'est en définitive
de l'intégrité mentale du chercheur, de sa qualification
personnelle, de sa minutie, de sa conscience pour tout dire,
que dépend la vérité de la science. Et c'est bien là-dessus
que reposent notre conviction et notre confiance.

D'où notre scandale lorsque nous la voyons surprise,
lorsque R. Draguet par exemple vient dire que le grand
Dom C. Butler lui-même a un jour péché par légèreté, qu'il
n'a pas collationné ni réellement utilisé pour son édition
critique de Palladios tel manuscrit fondamental qu'il connaissait pourtant et qu'il a négligemment feuilleté [23].

Conscient de cette responsabilité, l'historien saura alors
faire ce qui est en son pouvoir pour se rendre capable du
maximum de vérité, et pour cela faire taire ses passions,
et d'abord calmer celles qu'allume et entretient en lui son
engagement existentiel. Certes, nous lui recommanderons
nous aussi de prendre conscience de cette passion centrale
et des présupposés, des partis pris inévitables qu'elle entraîne,
comme des formes — de la structure et des limites — de son
esprit, mais ce sera pour qu'il apprenne à mieux se surveiller,
à n'être si possible jamais dupe de lui-même, à se mettre
dans les meilleures conditions possibles pour voir et entendre,
pour comprendre.

Et cet effort de maîtrise de soi, de redressement, pour
tout dire d'ascèse, l'historien se l'imposera avec d'autant
plus de rigueur qu'il songera moins d'abord à l'usage
externe que sa connaissance, une fois élaborée et mise en
circulation, pourra recevoir, à son influence, à son utilité
pour les autres. L'historien ne travaille pas, en premier lieu
ni essentiellement, pour un public, mais bien pour lui-même

23. Voir à ce sujet la note publiée dans *The Journal of Theological
Studies*, 1955.

et la vérité de ses résultats sera d'autant plus passionnément cherchée, plus purement dégagée, plus sûrement atteinte que le problème étudié est bien consciemment, comme nous l'avons montré qu'il est toujours, *son* problème, celui dont dépend en définitive sa personne elle-même et le sens de sa vie.

Je prendrai à rebours, une fois de plus, les formules chères à mes prédécesseurs positivistes : à leur idéal illusoire de la « connaissance valable pour tous », j'opposerai celui de la vérité valable *pour moi*, et j'y verrai une garantie de sérieux, d'exigence, de rigueur. En histoire, il est toujours facile de persuader les autres : il n'est même pas besoin d'un coup de pouce, mais seulement d'un peu de dextérité dans la présentation, de quelque talent d'avocat; il est par contre beaucoup plus difficile de se persuader soi-même, quand on travaille de première main, au contact de l'ambiguïté fondamentale des sources, des difficultés de l'information et de la compréhension — là surtout où on mesure la portée de l'enjeu existentiel. Je souhaite que mon disciple médite souvent cette admirable repartie que Platon a prêtée à Socrate. A celui-ci qui l'a, comme de coutume, enfoncé dans un problème inextricable, le sophiste Hippias, en homme pour qui la Vérité ne compte pas, n'a trouvé à répondre que : « Peut-être ces difficultés échapperont-elles à notre adversaire? » Là-dessus, Socrate : « Par le chien! Hippias, elles n'échapperont pas à l'homme devant lequel je rougirais plus que devant tout autre de déraisonner et de parler pour ne rien dire. — Qui, celui-là? — Eh bien! moi-même, Socrate, fils de Sophronisque, qui ne me permettrai pas plus d'avancer à la légère une affirmation non vérifiée que de paraître savoir ce que j'ignore [24]! »

24. *Hippias majeur*, 298 bc.

9

La vérité de l'histoire

Nous voici parvenus au seuil de la question ultime, celle que nous n'avons jamais perdue de vue et dont toute notre recherche a préparé la réponse : quelle est la vérité de l'histoire? Nous posions, en commençant, que l'histoire se définirait par la vérité qu'elle saurait élaborer. S'en est-elle révélée capable? Au moment de répondre, et de répondre *oui*, je supplie une fois de plus mon lecteur de se souvenir de quel domaine nous poursuivons l'exploration : il s'agit de la connaissance de l'homme — de l'homme, dans sa richesse, sa complexité déroutante, son infinitude; domaine donc de l'esprit de finesse, du sens des nuances : la vérité dont il s'agit n'est pas justiciable de la roideur sommaire de l'esprit géométrique, ou du moins (car les vraies mathématiques demandent plus de subtilité) des catégories étroites que l'on désigne volontiers par ce nom.

On prendra soin d'éviter aussi bien les assimilations forcées que les dichotomies sommaires. La théorie de la vérité historique a été fourvoyée par le simplisme des positivistes et, même après tant de réaction, en reste encore souvent comme déformée, posée en termes en porte à faux. C'était se fourvoyer que d'aligner l'histoire sur les sciences de la nature, de faire de l'objectivité le critère suprême et en un sens unique de la vérité. Quoi qu'il fasse (toute notre analyse l'a bien montré), le malheureux historien introduira toujours 'dans sa connaissance quelque élément personnel — cette redoutable et désolante « subjectivité » : exiger de lui qu'il finisse, au bout de ses opérations, par isoler, au fond de sa coupelle, un résidu 100 % objectif, c'est lui imposer une tâche irréalisable; dans cette perspective, ou on mutile l'histoire (la réduisant à quelques maigres constatations de fait), ou on ouvre la porte au scepticisme (beaucoup s'y sont précipités).

Mais, inversement (et là aussi nos observations précédentes ont déjà mis en garde le lecteur), c'est une solution bien dangereuse que d'opposer sans plus, comme deux données irréductibles, les deux groupes : Sciences de la nature, Sciences de l'esprit, comme si la vérité historique était d'un tout autre ordre. L'irrationnel ici nous guette : je comprends parfaitement, pour les partager, les inquiétudes de nos aînés devant ces théories de la connaissance qui glissent à une métaphysique de l'intuition. La raison humaine est une, si diverses que soient ses applications, si souple que soit son comportement : un logicien ne découvre pas de fossé infranchissable entre les opérations mentales du physicien, du naturaliste, et celles de l'historien.

Il est trop facile d'opposer aux contradictions de l'histoire la magnifique « objectivité » des sciences expérimentales; on ne peut affirmer tout uniment que les lois de la physique par exemple « s'imposent à tous ceux qui veulent la vérité [1] ». Connaissance valable pour tous? Non certes pour tous les hommes : elle ne s'impose pas au primitif, à l'enfant, au simple, à l'ignorant — mais bien au seul physicien compétent. On peut dire de la physique, comme Aron l'a dit un jour de l'histoire, qu' « elle est vraie pour tous ceux qui veulent sa vérité, c'est-à-dire qui construisent les faits de la même manière et qui se servent des mêmes concepts [2] ». Car elle n'existe à proprement parler que pour les esprits qui, ayant accepté la tradition de la science occidentale, ont accepté de se plier à une discipline, celle de nos laboratoires, qui

1. R. Aron, *Introduction*, p. 88.
2. Comme il me le rappelait dans une lettre du 5 juin 1954.

leur a appris à schématiser les données de l'expérience sensible au moyen de procédés opératoires choisis en vue d'obtenir des résultats d'un ordre déterminé. Une exacte philosophie des sciences ne manquera pas d'insister sur l'apport actif du savant dans cette « stylisation du réel » qui implique une intervention positive, une « construction théorique », un véritable « travail créateur [3] ». Sélection et délimitation des phénomènes, procédés d'analyse et de mesure, tout cela modèle la physique par exemple, lui confère sa forme et sa structure comme l'histoire, nous l'avons vu, est modelée par l'œuvre de l'historien — sinon dans la même mesure ou au même degré.

On pourrait multiplier les analogies ou les parallèles : voici, par exemple, en train de battre dans sa boîte vitrée, le balancier d'une vieille horloge de campagne [4]. Pour l'étudier scientifiquement, je dois d'abord, à l'intérieur de l'expérience que j'en ai, éliminer toutes les implications d'ordre personnel, affectif (cette horloge est un héritage de famille et son mouvement monotone évoque pour moi mille souvenirs d'enfance) : c'est par cet effort d'abstraction que la connaissance que je vais utiliser *deviendra* objective.

Mais, sur le plan même de l'analyse scientifique, ce même objet est susceptible d'une pluralité d'appréhensions : je puis tour à tour voir en lui un pendule intégré au mécanisme d'une horloge, ou encore (j'ai l'œil attiré par les jeux de lumière qui apparaissent à sa surface) un miroir convexe, ou encore un alliage de cuivre et d'étain : n'est-ce pas, dans un domaine de la réalité moins complexe que celui de l'histoire humaine, l'équivalent du caractère « équivoque et inépuisable » que nous avons reconnu à l'histoire ?

Autre zone commune : le rôle de l'autorité. A mesure que les phénomènes étudiés s'éloignent davantage de l'expérience

---

3. J'emprunte ces formules à M. Vanhoutte, *Thèses*, Louvain, (D. Thomae Aquinatis Schola, n° xxv) 1953, 25, 27.
4. Cf. le même exemple dans F. von Hayek, *Scientism and the Study of Society*, 1952, trad. fr., p. 78.

de la vie quotidienne, il devient plus difficile, il devient plus rare qu'on en possède une connaissance de première main : on ne refait pas tous les huit jours une expérience délicate à réaliser comme celle de Michelson et Morley; on ne peut refaire à volonté telles observations cliniques. Dans tous ces cas, le physicien ou le biologiste acceptent la vérité de ces résultats ou de ces données sur la foi du témoignage d'un confrère autorisé, exactement comme l'historien, fait confiance à ses témoins : on croit que, si on refaisait l'expérience ou faisait l'observation, on obtiendrait les mêmes vérités comme l'historien croit que, s'il avait observé à la place du témoin, il aurait enregistré le même événement.

Je souhaite que le lecteur ne se méprenne pas sur la portée de ces analogies : je ne prétends pas assimiler sans plus la connaissance historique et celle des sciences de la nature (ainsi, pour le dernier cas envisagé : l'historien ne peut vérifier le témoignage à qui il fait confiance, le physicien, lui, peut, au prix d'un effort qui dans la pratique est parfois considérable, refaire l'expérience, le clinicien peut raisonnablement espérer rencontrer un jour des cas analogues : la répétition, encore que souvent virtuelle, crée sans doute une grande différence). J'ai voulu simplement mettre en évidence l'analogie du comportement psychologique et gnoséologique de l'historien et du savant.

On ne peut donc parler sans plus de l'objectivité des sciences de la nature : il faudra au moins préciser qu'on n'entend pas par là une connaissance du type de celle que je définissais « à 100 % » empruntée à l'objet sans nulle immixtion du sujet connaissant. Elle est objective en ce sens que, au moyen des techniques et des procédés introduits par le savant, elle atteint quelque chose qui appartient authentiquement à l'objet. Mais alors en quoi, *mutatis mutandis* et compte tenu de l'adaptation nécessaire à un objet de nature infiniment plus complexe, en quoi la situation de l'historien serait-elle, substantiellement, différente?

Comme le nombre des questions qu'il est possible de

poser à un même secteur de l'expérience du passé est si grand (surtout si on le compare au questionnaire limité du physicien ou du chimiste) qu'il peut passer pratiquement pour infini, comme ces questions sont d'une nature si subtile que les concepts au moyen desquels se formulera leur solution sont à la fois beaucoup plus nombreux et moins faciles à définir que ceux, par exemple, du mathématicien, il devient beaucoup plus difficile de trouver, d'emblée, deux historiens qui en présence du même objet entreprendront de le systématiser en fonction des mêmes procédés opératoires et, « construisant les faits de la même façon », élaboreront la même connaissance — mais cela ne veut pas dire, comme l'admettent si facilement les relativistes et les sceptiques, que l'histoire soit du même coup affligée d'une « subjectivité » (entendue au sens d'un arbitraire, d'une fausseté) radicale.

J'y insiste car de telles formules, employées dans un contexte polémique, ont parfois donné le change sur la portée de notre philosophie critique : contre l'objectivisme des positivistes, nous avons dû longtemps insister sur le facteur « subjectif » introduit dans l'histoire, comme, nous venons de le voir, dans toute science, par l'intervention active, constructive, en un sens créatrice du sujet connaissant — mais cette subjectivité-là n'est pas celle du sceptique.

Car deux historiens, posant un problème de la même manière, disposant des mêmes données documentaires et du même équipement technique et culturel permettant de les mettre en œuvre, ne trouveront pas des réponses différentes, ne construiront pas deux histoires[5]. L'historien n'est pas emprisonné dans sa subjectivité : l'existence de la science historique est là pour en témoigner On a beaucoup exagéré les contradictions qui nous divisent : en fait, nous parvenons à nous persuader les uns les autres, et les discussions qui nous opposent entre spé-

5. Cette simple constatation de bon sens a déjà été faite par von Hayek, *op. cit.*, p. 80.

cialistes, pour être animées et parfois passionnées, n'ont rien d'un dialogue de sourds entre points de vue irréductibles : elles sont tout à fait comparables à celles qui périodiquement opposent entre eux les savants (l'histoire des sciences, de chacune des sciences « positives », est là pour témoigner des difficultés qu'y trouvent toujours à s'imposer les points de vue nouveaux, les découvertes originales, les entreprises hardies : nous observons là le rôle, et les ravages, de l'esprit d'autorité).

Pour tous les problèmes historiques simples, tels que ceux qui concernent l'établissement (réalité, datation, etc.) des « faits » de caractère objectivable, l'accord est fait, entre techniciens compétents, sur les procédés opératoires : découpage du fait, isolement du phénomène, critique du témoignage, appréciation des motifs de crédibilité : en dépit des critiques hyperlogiques de Pérès et Whately, l'existence de Napoléon Bonaparte, les grandes dates de sa vie, sont établies de la même manière par tous les historiens et tenues pour acquises avec le même degré de probabilité pratiquement satisfaisante — encore que tous ces « faits » ne puissent être définis avec la même précision (toutes les mesures du physicien ne sont pas obtenues avec la même approximation).

A mesure que les questions deviennent plus complexes (plus intéressantes, plus riches d'humanité), il devient sans doute beaucoup plus difficile d'obtenir, du premier coup, un accord unanime : mais, là encore, la vision de l'historien n'est pas marquée d'une subjectivité irrémédiable : au prix d'un effort d'explication d'un côté, d'un effort de compréhension de l'autre, nous parvenons progressivement à partager la même conviction, apprenant à voir comme l'autre a d'abord vu, en nous plaçant au même point de vue, en utilisant les mêmes instruments de visée (concepts, etc.). Cela n'est pas toujours aisé : pour se mettre d'accord, deux historiens doivent en arriver à posséder en commun les mêmes catégories mentales, le même fonds de culture, les mêmes affinités. Daltoniens mis à part, tous les hommes constatent qu'ils perçoivent de la même façon les radiations lumineuses ; l'accord n'est pas aussi facile à établir sur les données de l'expérience historique (valeurs, significations, ou encore : mentalités, caractères, personnalités) ; il n'est pas cependant irréalisable.

Je ne prétends pas, par ces remarques, éliminer toute subjectivité de la connaissance historique : à la limite, on conçoit qu'il demeurera toujours en elle un résidu, un secteur qui conserve un caractère personnel : nous ne serons jamais deux à avoir vu exactement les mêmes choses de la même manière, mais ce que je serai le seul à avoir saisi, parce que j'étais le seul à être dans la situation mentale qui me qualifiait pour le saisir, n'en sera pas, pour cela, le moins vrai, le moins authentique, le moins précieux — au contraire !

Comme on l'a vu (p. 122 *sq.*), l'effort des positivistes pour atteindre à la connaissance valable pour tous, s'il eût été suivi, aurait abouti à mutiler l'histoire, à lui faire perdre sa richesse humaine, sa profondeur, sa fécondité, car il aurait fallu limiter sa vérité à ce maigre facteur commun entre toutes les perceptions diverses (quelques « faits » élémentaires, réduits à leurs composantes objectivables, dépouillés de leur valeur, de leur sens). Pour nous, au contraire, le devoir qui s'impose à l'historien n'est pas de se limiter à ce qu'il est sûr que n'importe qui verrait comme lui, mais bien de comprendre tout ce qu'il est, lui, capable d'atteindre.

On vient de le voir : historien, je ne cherche pas d'abord à satisfaire un public, ni *a fortiori* tous les hommes ; je cherche à me convaincre, *moi*, de la vérité de *mon* appréhension du passé.

Cela dit, nous n'enfermerons pas notre historien dans une connaissance qui ne serait que pour lui : nous montrerons en terminant le rôle social qui lui revient ; soulignons simplement ici que cette connaissance élaborée par et pour l'historien sera également valable pour tous ceux qui se révéleront capables de la partager, c'est-à-dire de la comprendre, de la retrouver comme vraie.

La solution du problème de la vérité historique doit être formulée à la lumière de tout ce que nous a fait découvrir notre analyse critique : ni objectivisme pur, ni subjectivisme radical ; l'histoire est à la fois saisie de l'objet et aventure spirituelle du sujet connaissant ; elle est ce rapport

$$h = \frac{P}{p}$$

établi entre deux plans de la réalité humaine : celle du Passé, bien entendu, mais celle aussi du présent de l'historien, agissant et pensant dans sa perspective existentielle avec son orientation, ses antennes, ses aptitudes — et ses limites, ses exclusives (il y a des aspects du passé que, parce que je suis moi et non tel autre, je ne suis pas capable de percevoir ni de comprendre). Que dans cette connaissance il y ait nécessairement du subjectif, quelque chose de relatif à ma situation d'être dans le monde, n'empêche pas qu'elle puisse être en même temps une saisie authentique du passé. En fait, lorsque l'histoire est vraie, sa vérité est double, étant faite à la fois de vérité sur le passé et de témoignage sur l'historien.

Rien de plus révélateur que l'examen des images successives que les historiens, d'époque, de mentalité ou d'orientations diverses, ont tour à tour élaborées d'un même passé ; celles, par exemple, que nous proposent de l'histoire romaine saint Augustin, Lenain de Tillemont, Gibbon, Mommsen, encore, que sais-je, disons Gaston Boissier ou Rostovtsev. Du spectacle, qu'ils estiment désolant, de leurs « variations », relativistes ou sceptiques tirent des conséquences que je me refuse à admettre. Certes, ces diverses images, prises globalement, ne sont pas superposables, mais une analyse critique plus poussée réussit très bien à discerner ce qu'il y a en elles de saisie authentique de l'objet et ce qui est manifestation de chacune de ces personnalités (équation personnelle qui explique à la fois ce qu'il y a de juste et ce qu'il y a de faux, ou de lacunaire, dans leur vision). Les héritiers que nous sommes utilisent en fait ces vieux textes, tantôt pour l'étude du même passé auquel ils se sont attachés, et tantôt pour celle de ce passé qu'est devenu le présent de ces historiens d'autrefois.

Soit, par exemple, l'évocation du passé romain que renferme la *Cité de Dieu* : j'aperçois nettement le caractère subjectif de cette image, qu'il m'est facile de mettre en rapport avec la perspective existentielle où s'était établi saint Augustin (son travail est dominé par une double préoccupation polémique, dirigée à la fois contre les païens de son temps et contre les Pélagiens); cette prise de conscience me permet de faire la critique. de son témoignage, mais ne me détourne pas de l'utiliser; avec les précautions nécessaires, je me sers de la *Cité de Dieu* à la fois pour l'histoire de la vieille Rome (dans la mesure où ma critique me permet d'établir qu'Augustin l'a, d'une certaine manière et à l'intérieur de certaines limites, authentiquement connue) et pour l'histoire de saint Augustin lui-même ou de son temps.

On pourrait faire la même analyse à propos de chacun des historiens cités : c'est parce qu'il était un libéral du Second Empire que G. Boissier a écrit *l'Opposition sous les Césars*, c'est parce qu'il était un Russe blanc que M. Rostovtsev a mis en évidence le caractère « révolution de classe » des interventions de l'armée dans les affaires impériales du IIIᵉ siècle; mais il serait naïf d'imaginer que leur œil était aveuglé parce qu'il était orienté dans une certaine direction.

Je ne veux pas reprendre ici l'image du projecteur braqué dans un azimut déterminé : j'ai déjà souligné l'insuffisance d'une telle comparaison qui ouvre la voie à la théorie, consolante mais dans une large mesure illusoire, du « perspectivisme » : comme s'il suffisait, pour avoir du passé une image plus complète et plus totale, de multiplier les projecteurs et les points de vue (p. 186)! Non, car l'image que chaque historien donne du passé est si profondément, si organiquement modelée par sa personnalité que leurs différents points de vue sont en définitive moins complémentaires qu'exclusifs. Pour illustrer notre théorie de la connaissance historique, la meilleure comparaison est celle que j'emprunterai à l'art du portrait [6] : devant tel tableau de Holbein, du Titien, de Rembrandt, de La Tour, de Goya, nous nous trouvons, comme dans l'histoire (à l'autobiographie répondrait l'*autoritratto*) en présence d'une œuvre où d'une part l'objet est saisi de façon authentique (même sans avoir connu le modèle, nous sommes sûrs que *ce* visage est ressemblant) et où d'autre part l'artiste, comme l'historien, s'incarne tout entier; le portrait lui aussi est vrai d'une vérité double : dans le Balthazar Castiglione de Raphaël au Louvre, je retrouve à la fois tout Raphaël et tout l'auteur du *Cortigiano*.

Aux illusions du perspectivisme historique répondrait l'expérience bien connue des psychologues, celle qui en superposant les divers profils conservés de Cléopâtre prétend obtenir ainsi, mécaniquement, le *vrai visage de la reine* — ce qui est absurde. Cléopâtre est trop mal attestée (plastiquement et historiquement) pour que l'expérience, tentée sur elle, soit décisive; prenons plutôt Louis XIV : superposer les images qu'en ont comprises et données Rigaud, Mignard, Le Brun, etc., n'a pas de sens!

Connaissance de l'homme par l'homme, l'histoire est une saisie du passé par, et dans, une pensée humaine, vivante, engagée; elle est un complexe, un mixte indissoluble de sujet et d'objet. A qui s'inquiète ou s'irrite de cette servitude, je ne puis que répéter : telle est la condition humaine, et telle sa nature. Il n'y a pas de doute que par là ne s'introduise un élément de relatif dans la connaissance historique; mais toute connaissance humaine se trouve pareillement marquée par la situation de l'homme dans

---

6. Suivant l'exemple de W. H. Walsh, *An Introduction to Philosophy of History*, p. 113.

l'être et le monde. Il n'est que de songer à ce que nous ont appris les physiciens de la relativité : nous savons maintenant que notre perception de l'espace, et notre conception de l'espace euclidien, est une fonction de la vitesse de la lumière! Qu'il entre, et de façon irréductible, quelque chose de l'historien dans la composition de l'histoire n'empêche pas qu'elle puisse être aussi, du même coup et en même temps, une appréhension authentique du passé.

Reprenant et complétant la formule à laquelle nous nous étions arrêtés (p. 128), je dirai maintenant : l'histoire est vraie dans la mesure où l'historien *a des raisons valables* d'accorder sa confiance à ce qu'il a compris des documents. Encore une fois, le cas de l'histoire ne peut être examiné à part de celui plus général de la connaissance, de l'expérience d'autrui; qu'elle porte sur du passé n'introduit pas, nous l'avons vu, de différence fondamentale : nous saisissons le passé humain dans les mêmes conditions, psychologiques et métaphysiques, qui, dans la vie quotidienne, nous permettent d'élaborer une connaissance d'autrui, connaissance dont nul philosophe ne se dissimulera le caractère relatif, imparfait, « humain trop humain » (je ne connais pas mon ami, je ne suis pas connu de lui comme nous sommes, l'un et l'autre, connus de Dieu) — connaissance dont tout logicien soulignera la modalité hypothétique, le caractère non contraignant, tout pratique, mais dont personne, encore une fois, sauf l'imaginaire solipsiste, ne prétendra contester la réalité et, à l'intérieur de limites parfois difficiles à préciser, la vérité.

J'ai montré que l'histoire se présente à la raison humaine avec les mêmes titres de crédibilité que tout le reste de l'expérience d'autrui : la rencontre du passé et la rencontre de l'homme dans l'expérience vécue s'imposent à nous avec la même valeur de *réel*. J'ai opposé en commençant (chap. i) l'histoire authentique à toutes les formes de représentation imaginaire du passé : ce n'était pas là une simple distinction formelle, mais bien l'expression d'une expérience profonde : l'histoire se diffé rencie de ses falsifications ou de ses sosies par ce caractère de réalité qui pénè tre tout son être.

On a pu parler de « l'atmosphère irrespirable des Utopies [7] », le roman historique se prête aux mêmes observations : le labeur patient, par lequel l'historien, ou les historiens successifs d'un même passé, s'efforce(nt) de serrer toujours de plus près l'authentique altérité de l'objet, imprègne leur connaissance, en tant qu'elle se trouve ainsi participer à la catégorie du réel, d'une valeur qu'on ne peut confondre avec nulle autre. Même lorsqu'un grand écrivain, romancier, dramaturge ou poète, s'est emparé d'une figure historique et l'a marquée de l'empreinte de son génie créateur, même si cette création est admirable, émouvante, grandiose, vraie d'une certaine humanité idéale, la vérité historique, si humble soit-elle, demeure précieuse en soi et toujours désirable, parce qu'elle est de l'humanité réelle.

Ainsi, même après *la Dernière à l'échafaud* et le *Dialogue des Carmélites*, *la Véritable Passion de seize Carmélites de Compiègne* [8] mérite d'être connue pour elle-même : l'étonnant personnage que Bernanos a imaginé de la Mère de Croissy — incarnation tragique de l'angoisse devant la mort — ne peut oblitérer le personnage réel qui transparaît à travers les documents, la véritable Henriette de Croissy, cette figure chevaleresque qui, jusqu'à l'échafaud, « défiait le tranchant de la guillotine [9] ».

Mais on ne peut s'en tenir à ces considérations générales : notre théorie, et c'est sa fécondité propre, nous a mis en possession de normes précises, qui nous permettent de juger des prétentions de l'histoire, telle qu'elle a été empiriquement constituée, à posséder quelque vérité.

---

7. R. Ruyer, *L'Utopie et les Utopies*, 1950, p. 109-113.
8. Telle que vient de le reconstituer, sur pièces d'archives et autres documents, le P. Bruno de J.-M., *Le Sang du Carmel ou la Véritable Passion* (sous-titre cité), 1954.
9. Bruno de J.-M., p. 5, citant une de ses sources.

Le moment serait venu d'entreprendre une révision critique de cette littérature historique que nous avons acceptée, en commençant, comme un fait. Je ne surprendrai pas mon lecteur en déclarant que tout n'a pas la même valeur, que tout n'a pas de valeur, dans la production historique, telle qu'elle s'est accumulée dans nos bibliothèques depuis Hérodote.

Inutile de souligner la part inévitable d'imperfection qui est impliquée dans toute entreprise humaine, les erreurs, les lacunes imputables à la maladresse, la négligence, etc. Même le bon Homère sommeille quelquefois : les plus grands parmi nos maîtres, les plus exigeants envers eux-mêmes, ont tous sur la conscience quelque référence fausse, quelque contresens malencontreux. Inutile non plus d'insister sur l'insuffisance de certains travaux anciens qui n'ont pas pu appliquer nos méthodes de recherche avec la précision rigoureuse qu'elles ont acquise de notre temps (que de publications de textes ou de documents sont aujourd'hui à refaire, faute de rigueur critique ; que de sites archéologiques dévastés par les procédés brutaux des anciens fouilleurs) : il est naturel que la recherche historique, comme toute discipline intellectuelle connaissant un développement continu, ait progressé avec le temps, d'échecs reconnus en initiatives fécondes.

L'important n'est pas là : il réside dans le fait que la littérature historique renferme beaucoup de fausse histoire, de pseudo-histoire, de non-histoire. Faute d'être guidés par une philosophie critique, par une théorie rationnelle, précise, de la connaissance historique, de ses conditions et surtout de ses limites, les historiens se sont égarés en tentatives vaines. Est-il vraiment nécessaire, au point où nous sommes parvenus, d'en convaincre le lecteur ? S'il en était besoin, nous devrions alors reprendre avec lui, chapitre par chapitre, toute l'analyse qui précède, et confronter, étape par étape, les exigences si rigoureuses de la raison historique avec la pratique, combien hésitante, incertaine ou aventurée, qui a été et demeure encore trop souvent celle des historiens. Mais ce bilan critique, si sévèrement dressé fût-il, serait conçu dans un tout autre esprit que le jeu de démolition auquel le scepticisme s'est si souvent, et si facilement, adonné, depuis qu'on parle d'une crise de l'histoire (en fait, nous l'avons remarqué, la négation de l'histoire appartient à la tradition constante du scepticisme occidental, au même titre que le jeu parallèle sur les contradictions des philosophes) : nous ne nous contenterions pas de montrer qu'il y a dans l'œuvre des historiens des erreurs, parfois énormes, des incompréhensions souvent grossières, des zones d'incertitude immenses, des jugements prétentieux, des synthèses aussi ambitieuses qu'illusoires; nous soulignerions chaque fois, car nous sommes maintenant en mesure de le faire, la racine logique de ces errements fallacieux.

Nous constaterions presque toujours que l'histoire a péché par *hybris*, par cette démesure qui lui faisait oublier le sens de ses limites, le poids de ses servitudes, l'humilité de la condition humaine : ah! prétentieuse, trop ambitieuse, icarienne Clio! Trop sûre de tes ailes, que de fois tu t'es écrasée au sol pour avoir voulu voler au-dessus de ton pouvoir...

Mais plutôt que de mesurer de la sorte le blâme et l'éloge aux historiens de jadis, je préfère me tourner vers l'histoire à venir et, toujours préoccupé de compléter notre traité des vertus, je continuerai à endoctriner mon disciple : tu sais maintenant de quoi la raison appliquée à l'étude de l'histoire est capable, à quelles conditions et à l'intérieur de quelles limites. « Connais-toi », apprends à te connaître, tel que tu es. Que la découverte de ta limitation ne t'accable pas : eh! oui, tu n'es qu'un homme, tu n'es pas Dieu. Tu peux savoir quelque chose du passé, tu ne peux pas tout savoir. Sois humble, ne te gonfle pas d'illusions, apprends à mesurer la force de ton bras, la longueur de tes jours. Accepte de bonne grâce (de toute façon elles s'imposeront à toi) les servitudes, logiques et techniques, qui pèsent sur ton effort, en délimitent et déterminent le champ d'application.

Servitude, par exemple, à l'égard du document : inutile
de soulever à plaisir des problèmes qui, faute de documentation, resteront insolubles. Servitude surtout à l'égard de
la logique : apprends à penser, à assurer la cohérence et la
rigueur de tes raisonnements. L'histoire a payé très cher
l'indifférence des historiens pour les problèmes proprement
philosophiques posés par son élaboration : que de paralogismes naïfs dans leur critique (ainsi dans l'emploi abusif
de l'argument *a silentio*). Même quand ils se flattaient si
haut d'être devenus des hommes de « science », ils sont trop
restés de purs littéraires, c'est-à-dire des rhéteurs chez qui
l'art de l'exposition, ce talent d'équilibriste, camouflait les
défaillances de la démonstration rationnelle.

Servitude non seulement à l'égard de la logique, mais
de la philosophie tout entière. L'érudit positiviste se reposait
sur sa méthode critique, cette machine infaillible à produire
la certitude; d'où chez lui cette terreur panique à l'égard de
la « métaphysique », comme il disait, c'est-à-dire bientôt
de toute pensée quelque peu réfléchie sur l'homme et sur
le monde.

Je me souviens de ce vieil érudit qu'une femme d'esprit
complimentait devant moi, et non sans ironie, sur quelque
gros livre bête qu'il venait de sortir : « Ah! Madame, n'est-
ce pas? là au moins on ne risque pas de se perdre dans les
idées! »

Illusion trop commode : il n'y a pas d'histoire véritable,
on l'a vu (p. 147), qui soit indépendante d'une philosophie
de l'homme et de la vie, à laquelle elle emprunte ses concepts
fondamentaux, ses schémas d'explication et d'abord les
questions mêmes qu'au nom de sa conception de l'homme
elle posera au passé. La vérité de l'histoire est fonction de
la vérité de la philosophie mise en œuvre par l'historien.
Dès lors comment ne pas mettre tout son effort à prendre
conscience et à élaborer rationnellement ces présupposés?

Servitude enfin ou plutôt dépendance féconde à l'égard
non seulement des cadres doctrinaux, mais de la culture, de

l'orientation, de la position existentielle, de l'être même de l'historien. Beaucoup, surtout parmi nos aînés, continuent à éprouver encore trop de réticences pour cette « révolution copernicienne [10] » opérée par la philosophie critique, qui fait désormais graviter tout le système de l'histoire autour du foyer central d'énergie constitué par l'esprit de l'historien. C'est là, leur semble-t-il, remettre en question tout l'effort dépensé depuis Niebuhr et Ranke (sinon Lenain de Tillemont) pour arracher l'histoire à la « littérature » et la doter d'une structure rigoureuse. Il suffirait pour les rassurer de les persuader que notre nouvel esprit historique prétend moins refuser que dépasser, en l'assumant, l'idéal de nos prédécesseurs. C'est le cas d'appliquer une fois de plus l'image devenue familière au lecteur d'un progrès non pas linéaire (ce qui serait d'un optimisme naïf), ni pendulaire (ce qui justifierait l'inquiétude du pessimiste), mais bien hélicoïdal — et nous avons choisi de préciser qu'il décrit une hélice conique, s'élargissant à chaque spire autant qu'elle progresse en profondeur.

Nous ne contestons qu'en apparence les axiomes de la méthode positiviste — en fait notre théorie les intègre, au niveau, à vrai dire assez superficiel, pour lequel ils sont valables; les problèmes soulevés par la théorie nouvelle de la connaissance se situent sur un tout autre plan : on a changé de spire! La morale positiviste à l'usage de l'historien était, comme sa logique, très élémentaire : l'historien devait être, et nous n'avons pas de peine à en convenir, exact, précis, prudent, critique, impartial... Mais, à partir du moment où on aura reconnu en quel sens très réaliste et très profond il faut entendre l'axiome : « tant vaut l'ouvrier, tant vaut le travail », il sera nécessaire d'être plus exigeant : la valeur, j'entends la

10. L'expression, qui paraît-il vient de lord Acton, est devenue comme le *schibboleth* du nouvel esprit historique : tous (Meinecke, Croce, Collingwood) la reprennent, sans lui donner toujours le même sens : opposer par exemple M. Nédoncelle et P. Thévenaz, *L'Homme et l'Histoire*, *Actes* du Congrès de Strasbourg, 1950, p. 145 et 220.

vérité, du travail historique sera à proportion de la richesse humaine de l'historien. Plus il sera intelligent, cultivé, riche d'expérience vécue, ouvert à toutes les valeurs de l'homme, plus il deviendra capable de retrouver de choses dans le passé, plus sa connaissance sera susceptible de richesse et de vérité. Passant à la limite, puisque tout est, au moins en puissance, une documentation possible sur tout sujet étudié, il devrait tout savoir, avoir tout vu, tout lu, tout connu.

C'en est fait du moins de la bonne conscience de l'érudit, satisfait d'avoir dépouillé une bibliographie déclarée exhaustive; j'ai connu un grand historien qui n'hésitait pas à traverser l'Europe pour aller vérifier une référence sur je ne sais quelle brochure introuvable; on ne saurait être trop complet — mais nous savons aujourd'hui que la vérité de notre étude dépend souvent moins d'un tel détail d'érudition que d'une idée déposée au fond de notre conscience par une lecture de jeunesse, que d'une réflexion issue de telle rencontre avec la vie.

Ne quittons pas les conditions réelles de la recherche : comme l'historien ne sera jamais qu'un homme, sa compétence se trouvera définie par ce que nous avons pu appeler son équation personnelle, c'est-à-dire sa forme d'esprit, son équipement mental, sa culture — avec leurs aspects positifs, mais aussi, et nécessairement, leurs limites. Il connaîtra du passé ce qu'il se révélera capable d'en comprendre. Les réflexions que nous suggérait plus haut (chap. IV) le rôle nécessaire de la sympathie dans la compréhension du document ont une portée générale : le meilleur historien d'une époque, d'un problème humain, d'une grande personnalité est l'homme qui par sa structure mentale sera le mieux accordé à résonner harmoniquement, à faire écho, à percevoir la gamme de longueurs d'onde, spécifique de son objet.

Si c'est la qualification personnelle qui garantit de la sorte la richesse et la vérité de la connaissance historique, rien n'est plus vain, ou hypocrite, que l'attitude si longtemps imposée à l'historien, cette attitude détachée et comme

impersonnelle, *unimpassioned*, en face de son sujet, ce ton
« objectif ». La mode n'en est pas encore passée : si d'aventure un chercheur, épris de rigueur logique, ose expliciter
ses postulats et, se mettant en scène, dire : « J'ai donc été
conduit de la sorte à me demander si..., j'ai pensé que... »,
aussitôt la critique s'indigne et proteste contre cette invasion
du moi haïssable.

Bien entendu, ici encore, il y a un premier niveau : l'histoire doit éviter le style du pamphlet comme celui du panégy-
rique ; une certaine modération de ton correspond à ce sang-
froid, à cette maîtrise de la passion existentielle que nous
avons exigée comme une garantie de pondération dans le
jugement. Mais à un niveau plus profond, puisqu'il est
établi que la vérité de l'histoire est une fonction du moi de
l'historien, il est parfaitement illogique et il peut devenir
dangereux de prétendre éliminer cette variable.

J'irai pour ma part très loin dans cette réaction : il a
toujours été entendu qu'un savant honnête devait fournir
à ses lecteurs le moyen de contrôler la validité de ses affirmations : de là les notes en bas de page, les références
précises aux sources ; c'est un des mérites incontestables
du positivisme que de nous avoir appris à être très exigeants
en fait de minutie dans ces indications. Mais il ne nous
suffira plus de garantir ainsi qu'on a correctement repéré
le document utilisé : il faudrait encore permettre au lecteur
de savoir si on l'a compris, ou plutôt (car toute compréhension est nécessairement orientée, relative à certaines
données subjectives, donc partielle) comment on l'a compris.

L'honnêteté scientifique me paraît exiger que l'historien,
par un effort de prise de conscience, définisse l'orientation
de sa pensée, explicite ses postulats (dans la mesure où
la chose est possible) ; qu'il se montre en action et nous
fasse assister à la genèse de son œuvre : pourquoi et comment
il a choisi et délimité son sujet ; ce qu'il y cherchait, ce qu'il y
a trouvé ; qu'il décrive son itinéraire intérieur, car toute
recherche historique, si elle est vraiment féconde, implique

un progrès dans l'âme même de son auteur : la « rencontre d'autrui », d'étonnements en découvertes, l'enrichit en le transformant. En un mot qu'il nous fournisse tous les matériaux qu'une introspection scrupuleuse peut apporter à ce qu'en termes empruntés à Sartre j'avais proposé d'appeler sa « psychanalyse existentielle ».

Je définis là un idéal, sans me dissimuler que sa réalisation pratique se heurtera toujours à des obstacles en partie insurmontables. Le plus souvent, ce regard, jeté de trop près, ne sera pas suffisant pour dégager la structure interne d'une œuvre historique : les postulats fondamentaux, l'option centrale, sont trop profondément enracinés dans son être pour que l'auteur puisse se juger lui-même totalement. Ni surtout immédiatement — car, l'expérience l'atteste, au bout de quelques années, le développement de son évolution personnelle lui donnera, avec le recul nécessaire, un détachement presque objectif qui demeurera associé à une compréhension directe; même si elle ne suffit pas à une explication complète, cette rétrospection, si elle est franche et courageuse, pourra fournir des éléments d'appréciation extrêmement précieux.

On m'a beaucoup reproché d'avoir joint, à mon *Saint Augustin...* que je rééditais après treize ans, une *Retractatio* de 90 pages; ce n'était pourtant pas fatuité, ni (le choix du titre mis à part) désir de me comparer à mon héros; j'avais voulu suivre l'exemple de Dom C. Butler, pour avoir constaté combien aidaient à la compréhension, à l'exacte appréciation, de son *Western Mysticism* les *Afterthoughts* ajoutés, en guise de préface, à la seconde édition (1927).

Ce que l'auteur lui-même ne peut mener à bien, il faudra que son lecteur, pour faire un usage critique de l'œuvre, le poursuive aussi loin qu'il pourra. Non sans doute que la chose lui soit aisée : privée de la vérification expérimentale que la psychanalyse au sens propre trouve (ou estime trouver) dans son efficacité curative, notre « psychanalyse existentielle » sera souvent conduite à formuler des hypothèses hasardées : ne s'agit-il pas de déceler des intentions secrètes d'autant plus déterminantes et décisives qu'elles étaient plus profondément enfouies dans l'inconscient du chercheur? Hypothèses qui apparaîtraient d'une indiscrétion désobligeante, parfaitement insupportable, à l'historien objet de telles investigations : c'est au point que je ne conseille à personne de se livrer à de telles tentatives sur un auteur vivant, car sa critique « existentielle » risquerait de tomber sous le coup de la loi du 29 juillet 1881 réprimant la diffamation!

Au risque de paraître m'acharner contre sa mémoire, je reprends le cas de Ch. Babut : on aurait certainement douloureusement offensé ce consciencieux historien en diagnostiquant chez lui un « complexe du Camisard »; cependant, dire qu'il défoulait sur ses héros le ressentiment accumulé en lui contre le catholicisme par les persécutions infligées jadis à ses ancêtres protestants reste l'hypothèse la plus vraisemblable, et au fond la moins désobligeante, pour expliquer l'incompréhension manifeste dont il fait preuve à l'égard des papes et des évêques orthodoxes du IVe et du Ve siècle.

Cependant on ne peut douter de la légitimité et de la nécessité d'une telle « psychanalyse », quelles que soient les difficultés pratiques de sa réalisation, quel que soit aussi le caractère caricatural des premiers essais qui ont pu déjà en être tentés.

Le plus caractéristique que je puisse citer est celui de Daniel Guérin, à la fin de ses deux volumes sur *la Lutte des classes sous la Première République : Bourgeois et Bras nus, 1793-1797* (1946) : il y passe en revue les principaux historiens qui l'ont précédé dans l'étude de la période révolutionnaire et s'efforce de porter sur chacun un jugement critique, dégageant (comme nous le souhaitons ici) les présupposés théoriques de sa recherche.

Malheureusement cette tentative si louable a été réalisée avec le dogmatisme primaire, le goût de la bassesse dans l'insulte que les communistes occidentaux, staliniens ou

(comme D. Guérin) anarchisants, ont si fâcheusement
empruntés à la rhétorique soviétique. Il est pénible d'entendre
dire de notre bon maître A. Mathiez, ce cœur pur, qu'il était,
parce que fonctionnaire, à la solde de la République capitaliste (n'en était-il pas plutôt une victime?). Il est naïf de
prétendre que tous les historiens « bourgeois » ont quelque
chose à cacher (en bonne logique, il faut dire : leur position
leur cache nécessairement quelque chose), et que l'historien
marxiste, lui, n'a rien à cacher — bien sûr, de son point de
vue, qui n'est pas moins partiel lui aussi !

Ainsi notre théorie de l'histoire peut se développer librement, sans avoir à choisir entre un dogmatisme aveugle
ou un scepticisme découragé. L'histoire est bien susceptible
d'une vérité qui peut être authentique, encore qu'elle soit
relative aux instruments de pensée qui ont permis de l'élaborer. Si le lecteur a présentes à la mémoire les phases de
notre analyse, il se souvient que chacun des éléments successifs de notre théorie de la connaissance imposait à l'histoire
une limite nouvelle — en même temps qu'elle en établissait
la possibilité. Authentique, la vérité de l'histoire est, de
tous côtés, limitée par les servitudes imposées à la condition
de l'homme. L'histoire est vraie, mais cette vérité est partielle : nous pouvons savoir des choses sur le passé humain,
nous ne pouvons pas savoir le tout de ce passé (ni tout sur
quelque aspect du passé que ce soit : rien de plus vain que
ces tentatives pour sonder le mystère de la personne, que
ces historiens qui jugent leur héros, se prenant pour l'Éternel)...

D'où en particulier l'impossibilité théorique d'une histoire
universelle (sauf, naturellement sur le plan élémentaire des
manuels) : je parle d'une histoire authentique qui prétendrait
connaître aussi directement, aussi profondément, Ameno-
phis IV que la reine Victoria — et savoir sur tous tout ce
qu'il est possible de comprendre. Il n'est pas d'homme qui
puisse rassembler dans le microcosme de sa connaissance
le macrocosme de cette matière « équivoque et inépuisable »,

et une synthèse collective ne triompherait pas davantage de la difficulté.

D'où, par une conséquence naturelle (sans parler du fait que l'histoire limitée à la zone éclairée par les documents intelligibles, n'atteint que les derniers millénaires et ignorera toujours les longues enfances de la préhistoire au cours desquelles l'humanité a pris les options décisives sur son avenir), l'impossibilité d'une philosophie de l'histoire tirée de l'expérience, ou, si l'on préfère, scientifiquement fondée, j'entends par là au sens classique une doctrine prétendant dégager la signification, ou les lois générales de la marche de l'humanité à travers le temps.

10

L'utilité de l'histoire

Dans la mesure où ce caractère limité, partiel, de la vérité historique, et donc de l'histoire elle-même, devient plus manifeste, nous sommes conduits à poser avec plus d'insistance la question, si souvent discutée déjà par nos prédécesseurs, sans qu'ils l'aient toujours résolue, semble-t-il, de façon satisfaisante : quelle peut être l'utilité de l'histoire, c'est-à-dire la fonction qu'elle doit assumer dans la culture?

Notre réponse sera nuancée autant que complexe, car l'histoire sert en fait à plusieurs fins, se situant à plusieurs niveaux de l'être : utilisant une fois encore l'image, devenue familière au lecteur, de l'hélice conique, je dirai que le processus d'exploration du passé ne se développe pas toujours à la même profondeur ni avec le même rayon d'élargissement. Il faut reprendre ici les distinctions esquissées (chap. VIII) à propos de la valeur existentielle : les deux questions sont liées ou plutôt ne font qu'une : est « utile » ce qui, de quelque manière, se révèle lesté d'existentiel — mais l'histoire peut l'être de bien des façons et à des degrés divers.

Sans doute nous avons répété, avec Heidegger et tout l'existentialisme : « il n'y a d'histoire que dans et par l'historicité de l'historien », le passé ne peut être connu que si, de quelque façon, il se trouve mis en rapport avec notre existence — mais ce fut pour ajouter aussitôt cette précision, à nos yeux capitale, que, si le passé nous importe, ce peut être parfois de très loin, de façon très indirecte.

au prix, comme aimait à dire Platon, d'un « long détour ».

Il n'est pas vrai que l'historien soit comme obsédé par son engagement dans le devenir et ne cherche qu'à comprendre sa situation présente pour orienter son action immédiate à venir : je me suis inquiété des excès auxquels pouvait conduire une conception égocentrique comme celle de Dilthey, organisant toute sa conception de l'histoire à partir et autour de la connaissance du Moi. Nous avons découvert au contraire que la connaissance historique, fondée sur une dialectique du Même et de l'Autre, impliquait nécessairement un élément d'altérité essentielle.

Dans la perspective la plus étroite, celle d'une histoire qui ne viserait qu'à la compréhension de ma situation historique présente par la reconstitution de la lignée en quelque sorte généalogique de mes antécédents, il est bien évident que je connais ces stades antérieurs, ces ancêtres, ces prédécesseurs même immédiats — dans l'autobiographie mon moi d'hier — comme différents (puisque passés), comme irréductiblement autres que le moi présent tendu vers le futur.

La connaissance historique implique donc toujours un détour, un circuit, qui suppose un premier mouvement centrifuge [1], une *epokhè*, une suspension de mes préoccupations existentielles les plus urgentes, une sortie hors de soi, un dépaysement, une découverte et une rencontre d'autrui.

C'est ici qu'il importe de distinguer niveaux et rayons : sous sa forme la plus superficielle, l'histoire apparaîtra au moraliste comme le fruit d'une pure curiosité. Elle est d'abord la découverte d'une altérité pure : en ce temps-là, dans ce pays, existaient des hommes qui étaient ceci et cela, parlaient telle langue, possédaient tel type d'organisation sociale, pratiquaient telles et telles techniques de production ; tel était leur vêtement, leur cuisine... Niveau qu'on pourrait appeler élémentaire : celui, à l'école primaire, de l'enfant

1. Nul n'a mieux insisté sur ce point que M. Nédoncelle, communication citée, dans *l'Homme et l'Histoire*, p. 145.

qui apprend pour la première fois : « Notre pays s'appelait autrefois la Gaule », celui, au niveau secondaire, de qui découvre la civilisation pharaonique — et de même en s'élevant plus haut : j'écoutais l'autre jour M. Ch. Virolleaud exposer à l'Académie des inscriptions le résultat des fouilles russes de Kamir-Blour en Arménie : nous découvrons l'existence de la civilisation urartéenne avec la même curiosité que nos enfants découvrent les Gaulois; c'est l'équivalent de l'effort du botaniste pour observer et cataloguer les différentes espèces qui constituent la flore d'une région nouvellement explorée : il faut d'abord savoir qu'elles existent, et ce qu'elles sont, avant de voir quels problèmes, réellement intéressants, on pourra soulever à leur propos.

Aussi longtemps qu'elle se maintient à ce premier niveau, l'histoire va se trouver en butte à la sévère critique qu'adresse à la curiosité le moraliste, qu'il s'appelle saint Augustin, Descartes ou (héritier de l'un et de l'autre) Bossuet : « ... cette insatiable avidité de savoir l'histoire!... Si c'est pour en tirer quelque exemple utile à la vie humaine, à la bonne heure! Il le faut souffrir et même louer, pourvu qu'on apporte à cette recherche une certaine sobriété. Mais si c'est, comme on le remarque dans la plupart des curieux, pour se repaître l'imagination de ces vains objets, qu'y a-t-il de plus inutile que de se tant arrêter à ce qui n'est plus, que de rechercher toutes les folies qui ont passé dans la tête d'un mortel, que de rappeler avec tant de soin ces images que Dieu a détruites dans sa cité sainte, ces ombres qu'il a dissipées, tout cet attirail de la vanité qui de lui-même s'est replongé dans le néant d'où il était sorti [2]? »

Comme toujours quand il s'agit de morale pratique, il faut distinguer les cas d'espèce : comme le montrent les questions oiseuses qu'adressent les lecteurs à des revues de vulgarisation spécialisées dans ce genre de curiosité, il est bien

2. *Traité de la concupiscence*, chap. VIII, cité par P. Mesnard, « L'Esprit cartésien est-il compatible avec le sens de l'histoire », même recueil, p. 275.

certain qu'il existe une zone périphérique où la connaissance historique se dégrade en vanité; mais l'augustinisme lui aussi, au nom du sérieux de l'existence et de son enjeu, peut se dégrader en utilitarisme étroit et grossier. La réussite humaine réside dans un équilibre, difficile à réaliser et toujours instable, entre des exigences opposées : dans la culture, santé et richesse, engagement et largeur de vues, ne s'accordent pas toujours. Nous avons tous rencontré de ces éducateurs timorés qui mesurent chichement à l'esprit sa nourriture, inquiets de tout ce qui peut le troubler ou l'induire en tentation, mais qui ne se préoccupent pas assez si la plante, élevée en vase clos, s'étiole. Si nous consultons le psychologue, nous le verrons déclarer qu'une curiosité, si gratuite qu'elle paraisse, implique en son noyau une valeur existentielle qui, bien entendu (le problème moral demeure entier), peut parfaitement être morbide : évasion, rêve éveillé, besoin de s'imaginer autre, ou de s'opposer à un autre.

Dès lors, même si l'histoire n'était, comme on l'a définie quelquefois, que cette « contemplation esthétique des singularités [3] », elle ne serait pas sans utilité, sans fonction culturelle. J'aimerais souligner cet aspect proprement esthétique : il suffit de réfléchir pour voir apparaître l'analogie qui existe entre la matière historique et les sujets — thèmes, caractères, situations — mis en œuvre par la littérature épique, tragique, dramatique, romanesque ou comique. Envisagée sous cet angle, l'histoire apparaît comme un répertoire d' « histoires » bonnes à raconter, un répertoire magnifique, d'une inépuisable richesse. Y a-t-il tragédie racinienne comparable, pour l'intensité et la noblesse de la passion, à l'histoire véridique des amours d'Héloïse? Comme aventure romanesque, que dire du roi Giannino, ce marchand siennois à qui Cola di Rienzi persuada qu'il était le roi Jean Ier de France, ce fils posthume de Louis X

---

3. La formule est de R. Aron, *La Philosophie critique*, p. 32, résumant la critique que Dilthey adresse à cette conception.

le Hutin, qui aurait été supprimé au profit de son oncle Philippe V? Quel roman policier égale en *suspense* telle authentique histoire d'espionnage, comme, à Ankara pendant la dernière guerre, « l'affaire Cicero »?

Il y a plus qu'une analogie : on demeure surpris de constater le rôle que la connaissance historique a joué comme ferment de l'imagination créatrice dans la littérature universelle, de Homère à nos jours : R. Martin du Gard n'aurait jamais imaginé le dénouement de *l'Été 1914* s'il n'avait pas connu le suicide historique de Lauro de Bosis, ce jeune Italien qui, en 1932 ou 1933, s'en alla en avion jeter des tracts antifascistes au-dessus de Rome et périt dans l'aventure [4].

Que dire de Balzac? Sans Vidocq nous n'aurions pas Vautrin, ni *Une ténébreuse affaire* sans l'enlèvement du sénateur Clément de Ris survenu en octobre 1800; la liaison d'Esther Gobseck avec Lucien de Rubempré emprunte un de ses épisodes les plus humains à celle de Juliette Drouet avec Hugo, etc. Ce caractère n'est pas propre aux romanciers réalistes : l'imagination de Stendhal n'aurait jamais conçu *la Chartreuse* si elle n'avait été fécondée par une vieille chronique romaine...

Ces rapprochements vont nous aider à prendre conscience d'une autre fonction, plus profonde celle-là, de la connaissance historique, et que les théoriciens ont trop souvent négligée ou sommairement disqualifiée. Tout n'est pas dit lorsqu'on a prononcé le mot de valeur esthétique. Oui, souvent, nous faisons de l'histoire comme on lit du Balzac : quel esprit assez superficiel osera prétendre que la lecture de Balzac n'est pas lestée de sérieux existentiel? Dans les deux cas, nous retirons de notre aventure une leçon d'humanité. En réponse au moraliste dont l'intransigeance étroite est fondée sur l'ignorance, l'amateur de littérature s'unira

4. R. Rolland, *Introduction à* (l'édition hors commerce de l') « *Icare* » *de Lauro de Bosis*, dans *Europe*, 1933, t. XXXII, p. 5-15.

à l'historien pour défendre la légitimité, et d'abord la
fécondité, de cette expérience humaine, authentique encore
que fictive, vicariale, qui représente un véritable élargissement de l'expérience vécue, de mon expérience de l'homme.
Beaucoup plus sûrement que par la littérature, dont l'humanité est toujours partiellement incertaine, la connaissance
historique dilate, dans des proportions pratiquement illimi-
tées, ma connaissance de l'homme, de sa réalité multiforme,
de ses virtualités infinies — bien au-delà des limites toujours
étroites où s'enfermera nécessairement mon expérience
vécue.

Et qu'il soit bien entendu que, lorsque nous disons
« l'homme », nous entendons tout ce dont est susceptible
la nature humaine : aspects personnels comme manifestations collectives : l'histoire étudie et connaît la civilisation
romaine, la culture antique aussi bien que la personnalité
de Cicéron.

Nous faisons de l'histoire comme nous lisons sérieusement
la littérature, comme, surtout, nous cherchons dans la vie à
rencontrer et à connaître les hommes — « pour apprendre
ce que nous ne savions pas et qu'il serait pratiquement
impossible de découvrir tout seul à moins d'être précisément
cet homme qui nous l'apprend. Quand nous l'avons connu
et compris, nous sommes devenus cet homme, et savons
ce qu'il sait; aurait-il vécu il y a bien longtemps et bien loin
de nous, nous avons désormais son expérience de l'homme
et de la vie [5] ».

J'assignerai de la sorte à l'histoire, comme une de ses
fonctions essentielles, cet enrichissement de mon univers
intérieur par la reprise des valeurs culturelles récupérées
dans le passé.

Par le terme, vague à dessein, de « valeur culturelle »
on désignera, de la façon la plus générale possible, tout ce

---

5. Ceci paraphrase une belle page de critique littéraire de mon ami
Gouverneur Paulding, *The Reporter*, December 11, 1951, p. 39.

que nous pouvons connaître et comprendre de vrai, de
beau, de réel dans le domaine de la vie humaine, des faits
de civilisation les plus élémentaires (un *artifact* quelconque,
instrument ou outil, une œuvre d'art, un concept, un sentiment) jusqu'aux plus vastes synthèses, ces « supersystèmes
idéologiques » que nous ont présentés les grandes civilisations en voie de s'organiser autour d'un idéal collectif.

Ces valeurs, nous les découvrons d'abord sous la catégorie de l'Autre, en les rencontrant comme « ayant-existé »
chez les hommes du passé, au sein de civilisations ou de
sociétés disparues, mais dans la mesure où nous nous
montrons capables de les saisir, de les comprendre, elles
reprennent vie en nous, acquièrent en quelque sorte une
nouvelle réalité et une historicité seconde au sein de la
pensée de l'historien et de la culture contemporaine où
celui-ci les réintroduit. L'historien m'apparaît semblable
à un homme qui, sans craindre de perdre son temps (c'est
l'*epokhè*), fouille à loisir les décombres du passé — c'est
vrai, littéralement, quand, à la recherche de papyrus, nous
fouillons les tas de *sebakh*, d'ordures ménagères, accumulés
aux portes des bourgades de l'Égypte grecque ou romaine !
— et y retrouvons les drachmes perdues par l'oubli, que
dis-je, des statères d'or, frappés à l'effigie du roi, brillants
et frais comme au sortir du coin !

Il n'est pas nécessaire de s'attarder à démontrer la réalité
de cette récupération, qui est évidente, par exemple dans
le domaine de l'histoire de la philosophie ou de l'histoire
de l'art. Chacun peut mesurer, en réfléchissant sur sa
propre expérience artistique, quel a été l'apport de l'histoire
dans l'enrichissement de notre conscience esthétique, dans
l'approfondissement du goût.

Prenons la musique, pour ne rien dire des arts plastiques
où Malraux suffit bien : comparez l'étroitesse du répertoire
où s'enfermait un amateur comme Stendhal (en gros : de
Mozart à Rossini) à l'étendue des domaines où notre choix
s'ébat sans effort : dans mon enfance, Bach apparaissait

encore à la frontière qui séparait l'art « ancien » et la musique moderne; aujourd'hui il est comme au centre d'un répertoire qui s'est démesurément accru; nous avons récupéré toute la polyphonie de la Renaissance et ses origines médiévales, les mélodies des troubadours ou des Minnesinger pour ne rien dire de tous les compositeurs qui sont venus étoffer des périodes mal connues (ainsi pour la musique française de la période classique : autrefois on passait de Lulli à Rameau : nous avons découvert Charpentier et Lalande, etc.).

Il n'y a pas seulement élargissement en quantité : voyez à quelle finesse de goût les magnifiques progrès réalisés par l'archéologie grecque ont permis de porter notre jugement proprement esthétique sur la sculpture antique; comparons-nous à Winckelmann, qui, ne disposant que d'une image vague et synthétique de l' « Antiquité », où se mêlaient le grec et le romain, les formes les plus hautes de l'art à la production artisanale des décorateurs provinciaux de Pompéi, admirait de confiance un ensemble hétérogène et confus de valeurs bien douteuses.

Je n'ignore certes pas, les ayant jadis formulés moi-même [6], les reproches que, dans la ligne de Nietzsche, on peut adresser à l'abus de l'histoire de l'art, à l'accablement qui en résulte pour l'artiste ou l'amateur : à la limite encombrés d'érudition, ils deviennent incapables de sentir et substituent à l'expérience proprement esthétique le jugement historique : on n'aime plus, on n'apprécie plus en tant que belle une œuvre d'art, mais on situe cette voûte dans le développement du gothique bourguignon, on décèle la part des influences italiennes ou flamandes dans ce tableau du xviie siècle français. A tout comprendre, on finit par tout admettre, il n'y a plus ni beau ni laid, ni grandeur ni décadence : on passe de Praxitèle à ces bijoux sarmates ou goths,

---

6. Dans un livre de jeunesse, *Fondements d'une culture chrétienne*, 1934, p. 50-51.

ornés de quelques spirales et de cabochons de couleur sertis
de grènetis; on dit : il y l'art classique et il y a le baroque;
Louis XIV, lui, qui avait du goût parce qu'il avait un goût,
exilait au fond de la pièce d'eau des Suisses et non sans l'avoir
fait retoucher par Girardon, la statue équestre, irréelle et
grandiloquente, que le Bernin avait sculptée pour lui.

Limitons la portée de ces critiques : l'œuvre d'art n'intéresse pas seulement l'histoire de l'art; effort de compréhension totale, l'histoire saisit, en elle, toutes les valeurs dont elle
est un témoignage, et certaines de ces valeurs ne sont pas
d'ordre esthétique.

Ainsi les valeurs symboliques de l'iconographie : si nous
étudions la dernières des grandes synthèses d'Émile Mâle,
l'Art religieux après le Concile de Trente, nous apprendrons
à nous intéresser à des œuvres artistiquement très médiocres,
comme les scènes de martyre peintes par le Pomarancio à
San Stefano Rotondo, parce que ces affreux barbouillages
se révéleront un document très significatif des préoccupations
missionnaires de l'Église de la Contre-Réforme. Nous ver-
sons ces fresques au dossier de l'histoire religieuse; en d'autres
cas, ce sera au bénéfice de celle de la technique, de l'économie, de la société — de la civilisation. L'artiste se scandalise
de cette profanation, mais il faut bien que l'histoire prenne
son bien où il se trouve!

Je ne nierai pas qu'on ait pu, ou qu'on puisse faire un
mauvais usage de l'histoire en ce domaine, comme en bien
d'autres. Pour ma part je reprendrai volontiers ici les remarques, dures mais pertinentes, de Nietzsche [7], pour qui l'histoire ne peut être supportée que par des personnalités fortes :
les faibles, elle achève de les décomposer; elle brouille leur
sensibilité et leur jugement esthétique. Ce sont celles-là qui,
faute d'être assurées en elles-mêmes, s'en vont demander
conseil à l'histoire de l'art : comment dois-je sentir, comprendre, juger, admirer? Je pense avoir suffisamment enseigné

---

7. *Considérations inactuelles*, II, § 5, trad. fr., p. 176-178.

à mon disciple le sens des limites de notre science, et l'humilité qui s'y impose pour n'avoir pas besoin de lui démontrer
combien il est naïf, et désolant, de demander de la sorte à
l'historien de résoudre le problème artistique — comme
d'ailleurs le problème religieux, ou tout autre des grands
problèmes humains; il n'a pas à se substituer à l'esthéticien,
au critique d'art, à l'amateur, à l'artiste; c'est à eux qu'incombe ce jugement original, irréductible à tout autre genre
de connaissance, qui, reconnaissant à l'œuvre d'art sa valeur
proprement esthétique, lui confère sa réalité.

Cela reconnu, il reste que l'historien voit sa collaboration
demandée pour la rédaction de certains des arrêtés de ce
jugement; je suis très frappé de voir que ce rôle, subordonné
mais souvent indispensable, est reconnu par ceux-là même
qui sont le plus en défiance contre les empiètements possibles
de l'histoire, le plus préoccupés de sauvegarder l'autonomie
de l'expérience artistique, le plus hostiles à la mesquinerie
des recherches d'érudition, comme notre vieux maître Bernard Berenson. Sans doute le véritable amateur, l'artiste,
est celui qui aime un tableau pour lui-même, comme on aime
un ami, son enfant — une personne [8]. Mais, dès qu'il veut
approfondir cet amour, il lui faut bien chercher à connaître
son objet en lui-même, tel qu'il est en réalité — pour ne pas
risquer d'aimer sous son nom un vain fantôme (le lecteur
retrouve ici notre idéal de l'amitié fondée sur la connaissance et repoussant toute illusion) : comment dès lors pour-
rait-il éviter les questions, par exemple, de date ou d'attribution, déterminantes pour son jugement. Si vexant qu'il
soit pour lui de faire dépendre ce jugement de données extrinsèques, l'artiste ici devra bien rappeler l'historien, l'érudit, si
dédaigneusement congédiés!

Sous quel jour nouveau voyons-nous l'œuvre de Georges
de La Tour, jadis dispersée entre les écoles de Le Nain,
Zurbarán, Caravage et Rembrandt, depuis qu'elle a été enfin

8. B. Berenson, *Aesthetics, Ethics and History*, 1948, trad. fr., p. 130,
132; cf. 120, 226.

rassemblée et restituée à son véritable auteur? Il suffit de
feuilleter les notes de la monumentale monographie de
F. G. Pariset [9] pour constater le rôle que jouent dans cette
reconstitution les pièces d'archives, documents d'état civil,
livres de compte, etc.

Lanza del Vasto s'est moqué avec hauteur de ces bons
érudits (comme P. Coirault) qui s'efforcent si patiemment de
retrouver les sources artistiques (airs d'opéra, chansons du
Pont-Neuf) de nos chansons populaires : « travaux inutiles [10]! ». Pourtant, quand nous voyons le vieil Herder prendre pour de l'art authentiquement populaire, jailli des profondeurs de l'inconscient collectif, les médiocres pastiches
en style troubadour de l'académicien Moncrif (1750), ou
Lesueur (le maître de Berlioz) voir dans l'air de *Que ne
suis-je la fougère?* (une romance de la fin du XVIIe siècle)
un air antique de la première Église d'Orient emprunté par
les premiers chrétiens aux Hébreux — comment ne pas
nous gausser? « Et c'est la raison, dit encore Berenson,
pour laquelle il importe que les attributions soient très
sûres [11]. »

A la lumière de ce qui précède, nous pouvons éclairer
quelque peu le cas, beaucoup plus complexe, de l'histoire
de la philosophie — disons plus généralement de l'histoire
de la pensée, car la « théologie positive [12] » pose des problèmes très largement analogues. Ici encore, nous devons,
sans doute, dénoncer le mauvais usage possible de l'histoire,
mais peut-être aussi, de façon plus urgente, les déformations,
les caricatures qui trop souvent sont offertes sous son nom.

L'histoire de la philosophie, telle que la pratiquent en
général les philosophes, est une cause de perpétuel agacement pour l'historien tout court : il voit entre leurs mains

9. *Georges de La Tour*, 1948.

10. Lanza del Vasto, *Préface* de son *Chansonnier populaire*, 1947,
cf. mon *Livre des chansons*, p. 26, 46, 80.

11. B. Berenson, *op. cit.*, p. 225.

12. Voir les remarques méthodologiques si profondes de R. Lau-
rentin, *Marie, l'Église et le Sacerdoce*, 1953, t. II, p. 17-18.

le passé perdre sa réalité concrète, la pensée devenir comme impersonnelle et même intemporelle. Pour beaucoup, l'histoire n'existe pas à proprement parler, il n'y a que l'immense arsenal de la *philosophia perennis* où le penseur d'aujourd'hui va puiser un assortiment de concepts ou de raisonnements, choisis parmi tous ceux qui s'y juxtaposent côte à côte.

On parlera bien de l'idée platonicienne ou de l'argument de saint Anselme, mais comme on dit « théorème de Pythagore » et « principe de Carnot » : ce n'est qu'une étiquette traditionnelle à laquelle s'attache un vague sentiment d'hommage; ce n'est pas vraiment une prise de conscience historique.

Chez d'autres, l'histoire est un prétexte, un masque, je n'ose dire un faux nez : comme Descartes, au moment d'affronter la scène du monde et ses feux, le philosophe paraît dire : *larvatus prodeo!* Il n'ose ou ne veut exposer en son nom sa propre pensée et la présente, un peu frauduleusement, sous l'autorité d'un grand nom.

Il serait facile de citer bien des exemples : au temps où régnait chez nous la dictature positiviste, la métaphysique n'osait dire son nom et l'histoire (une bien mauvaise histoire) servait de refuge à tous les dogmatismes honteux. Mais ce procédé peut s'inspirer de motifs bien complexes comme le montre l'exemple, déjà cité (p. 127) de Platon, et avec lui de tous « les Petits Socratiques » qui choisirent de s'exprimer avec leurs *Dialogues* par la bouche de leur maître.

Souvent enfin sous le nom d'histoire de la philosophie c'est en réalité une philosophie de l'histoire (envisagée du point de vue de la pensée) qui nous est assez ingénument proposée. Solidement installé à l'intérieur de ses positions doctrinales, le philosophe jette un regard sur la galerie de ses grands prédécesseurs et dresse le tableau généalogique où s'inscrit la genèse de sa propre philosophie (un peu comme la paléontologie, au moyen d'une série de fossiles, retrouve les antécédents des êtres vivants d'aujourd'hui). De précurseurs lointains en inspirateurs immédiats, il en montre le développement progressif, soulignant ailleurs les obstacles qui s'opposèrent longtemps au triomphe de la vérité, les erreurs qui le retardèrent ou le compromirent momentanément. Sans doute une telle reconstitution reste un devoir pour toute pensée qui se veut honnête : elle doit se situer par rapport à toutes les tentatives antérieures, ordonner par rapport à elle l'héritage culturel qu'elle se trouve avoir recueilli, et tout particulièrement mettre à l'épreuve son propre critère de la vérité en rendant compte de l'erreur là où les philosophies antérieures se sont écartées de cette vérité. Mais nous ne pouvons nous faire d'illusion sur la valeur démonstrative d'une telle rétrospection : le philosophe triomphe sans effort puisque c'est en fonction de ses principes qu'il juge le comportement d'autrui; notre théorie de la connaissance a démontré ce mécanisme : plus que jamais, ici, on peut dire que « la théorie précède l'histoire »; toute philosophie donnée se classe, par rapport à la mienne, comme un prédécesseur ou un adversaire. Ce n'est pas là à vrai dire de l'histoire : celle-ci ne commence que lorsque l'historien s'oublie assez pour sortir de lui-même, et s'avance, disponible, à la découverte, à la rencontre, d'autrui.

Le philosophe nous offre un cas majeur des dangers, tels que nous les dénoncions plus haut (chap. VIII), de l'obsession existentielle. Plus qu'un autre, le penseur est en proie à son propre problème, a du mal à s'en arracher, à s'ouvrir à la pensée de l'Autre. Pourtant le sérieux, la réalité de l'histoire, et sa fécondité sont à ce prix.

Je prendrai, comme toujours, un exemple personnel : j'avais étudié autrefois le traité augustinien *De musica*, mû par une curiosité proprement historique pour ce livre déconcertant à première lecture, et souvent négligé. Son étude prenait place dans une enquête sur les origines antiques du cycle médiéval des sept arts libéraux. En le lisant, j'avais été surtout frappé de ce que saint Augustin désignait par le mot *musica* non pas l'art que nous appelons « musique », mais la science de ses fondements mathématiques, acoustique et rythmique; le commentaire que j'en donnais [13] insistait sur le contresens à éviter et ne laissait pas supposer que le traité en question pût contenir quelque chose d'utilisable pour le musicien d'aujourd'hui.

Quelques années plus tard, je fus amené à esquisser pour mon compte une théorie de l'art musical [14] : je m'aperçus au bout d'un certain temps, et non tout d'abord, que la doctrine que je formulais comme vraie et dont j'assumais la responsabilité en tant qu'esthéticien, n'était rien autre que la doctrine même de saint Augustin, qui se révélait valable sur ce plan, au prix d'une transposition et de quelques adaptations que j'avais réalisées inconsciemment.

Je suis persuadé, et l'expérience malheureuse de tel de mes prédécesseurs [15] le prouve, que je n'aurais jamais réalisé ce profit inattendu si j'avais lu saint Augustin avec un esprit moins librement curieux et trop anxieux de l'interroger sur le problème actuel de la musique.

Il faut donc, pour qu'il y ait une véritable histoire de la philosophie, convertir le philosophe à l'aventure historique, le persuader qu'il a non seulement le droit, mais aussi le devoir de s'accorder quelques vacances — *a legitimate holiday* [16] — où il s'offrira la curiosité de découvrir d'autres philosophies. On l'a quelquefois tenté en se plaçant sur le plan moral : au nom de la vertu de *docilitas*, qui n'est autre que la vertu fondamentale d'humilité appliquée aux choses de l'esprit, le philosophe en quête de la vérité, doit commencer par se demander si d'autres, par hasard, ne l'auraient pas découverte avant lui. Mais c'est encore là trop s'enfermer dans une perspective intéressée; je préfère insister sur

---

13. Dans *Saint Augustin et la Fin de la culture antique*, 1938, notamment p. 199-204.

14. *Traité de la musique selon l'esprit de saint Augustin*, 1942.

15. J. Huré, *Saint Augustin musicien*, 1924, qui, par exemple, lisant dans les *Confessions* le mot *psalterium* (il s'agit du Psautier), le traduit par « psaltérion » : de tels contresens, à base de *wishful thinking*, sont de vrais « actes manqués » au sens freudien du terme!

16. G. J. Renier, *History, its Purpose and Method*, p. 31.

un autre argument : la vérité n'est pas le seul prédicat qui
puisse qualifier une doctrine; il y a des pensées qui sont
vraies mais étroites, pauvres, raides, barbares; la culture
historique n'est pas à proprement parler un instrument de
vérité mais un facteur de culture.

Je me ferai comprendre en invoquant une comparaison :
de même que paléographie, épigraphie, numismatique, etc.,
ne se suffisent pas à elles seules (le paléographe qui n'est
que paléographe est un bien petit esprit), mais se présentent
humblement comme des sciences auxiliaires de l'histoire,
je dirai que, pour le philosophe, l'histoire apparaît à son
tour comme une science auxiliaire de la pensée; elle ne suffit
à rien, mais il est maladroit de se passer de ses services. Elle
apprend au philosophe à élargir son horizon, à prendre conscience de la complexité des problèmes et de leurs implications, lui propose des solutions — ou des objections —
qu'il n'aurait peut-être pas imaginées ni prévues, elle
l'arrache à l'étroitesse inévitable qu'implique l'isolement
et l'intègre à la plus vaste société des esprits, par un dialogue
toujours enrichissant.

C'est ce qu'exprimait déjà Sénèque dans une belle page,
chère à l'humaniste : « aucun siècle ne nous est interdit;
(par l'histoire) la puissance de notre esprit peut franchir
les limites de la faiblesse de l'homme seul, *egredi humanae
imbecillitatis angustias*. Nous pouvons discuter avec Socrate,
douter avec Carnéade, connaître la tranquillité d'Épicure,
avec les Stoïciens vaincre la nature humaine, la dépasser
avec les Cyniques. Puisque la structure de l'être *(rerum
natura)* nous permet d'entrer en communion avec tout le
passé, pourquoi ne pas nous arracher à l'étroitesse de notre
temporalité première et partager avec les meilleurs esprits
ces vérités magnifiques et éternelles », *quae immensa, quae
aeterna sunt* [17]?

A ce dernier mot, tel de mes lecteurs va se récrier : n'est-

17. *De breuitate vitae*, 14, 1-2.

ce pas là une manière anti-historique d'utiliser l'histoire, n'est-ce pas retrouver cette fausse *philosophia perennis* où, dans un vague décor de Champs-Élysées, Socrate en tunique et pieds nus, Descartes en pourpoint Louis XIII, Kant en perruque poudrée et Comte en habit noir discutent de concert, s'adressant de l'un à l'autre des arguments désincarnés? Je réponds : Non, car, si je suis vraiment historien, je saisis chacune de ces doctrines, et leur vérité — en soi éternelle —, dans leur historicité concrète, au sein de la réalité humaine située dans l'espace et le temps, la chronologie et, qui plus est, la civilisation, la culture, la conjoncture politique, économique, sociale, etc., qui a été celle des hommes Socrate, Descartes, Kant ou Auguste Comte. « Nous portons ce trésor dans des vases d'argile [18] » : la vérité philosophique, et toute vérité (la vérité révélée de la foi religieuse m'est transmise à travers une Église, une tradition, un Livre : *fides ex auditu*), ne s'offre pas à nous sous la forme de parcelles de métal natif à l'état pur, mais à l'état d'alliage ou de combinaison avec une réalité humaine.

La compréhension d'une doctrine sera d'autant plus authentique et plus profonde que nous la saisirons mieux au sein de cette réalité originelle; en droit on peut toujours l'en abstraire, en fait l'opération chirurgicale est si délicate que beaucoup des finesses, des nuances les plus délicates — celles où réside la vérité — risquent d'être meurtries ou détruites en cours d'opération.

Quel progrès du *Système d'Aristote* d'Hamelin à l'*Aristoteles* de Werner Jäger où nous suivons la pensée en train de naître, se développant et se révélant à travers des formes littéraires et des occasions diverses, car ici encore l'historien pose à l'esprit trop systématique d'un Hamelin sa question préalable : de ce Système, que savez-vous et comment le savez-vous?

Ici, j'imagine, ce seront les philosophes, s'ils m'écoutent,

18. *II Cor.*, IV, 7.

qui vont s'inquiéter : « dans une (telle) histoire des philosophies, — s'agit-il encore de philosophie [19]? »; en insérant
trop intimement la pensée dans la vie des hommes qui l'ont
conçue, n'allons-nous pas dissoudre la vérité, et donc la
réalité de la pensée dans le flux temporel, et glisser au relativisme de l'*Historismus?* Nous touchons là cette réticence
profonde, si souvent observée, des vrais philosophes à l'égard
de l'histoire.

Et que dire des théologiens! Vous passerez facilement à
leurs yeux pour un « relativiste » si d'aventure vous vous
intéressez trop vivement aux étapes passées de la théologie
— à Origène par exemple, ou à saint Maxime le Confesseur,
ou même à saint Thomas, pour peu que vous insistiez sur
le fait qu'il a vécu au XIIIᵉ siècle.

Dans ce malentendu tour à tour dérisoire ou dramatique [20], tous les torts certes ne sont pas du côté des historiens.
Si le philosophe rechigne à l'intervention de Clio, c'est que
souvent celle-ci vient l'arracher à son dogmatisme confor-
table, fait d'ignorance et de naïveté : il lui reprochera de
compliquer comme à plaisir les problèmes au lieu de travailler à les résoudre. Mais, nous l'avons vu, la mission et
la fécondité de l'histoire consistent précisément à rappeler
sans cesse : « Il y a plus de choses dans la terre et le ciel —
dans la pensée de tes prédécesseurs — que ne l'imaginait
d'abord ta candide philosophie. » Elle fait comprendre que
rien n'est simple; mis en présence de deux positions doctrinales qui paraissent s'affronter, la première réaction du
philosophe s'exprimera en termes brutaux : « Si l'une est
vraie et que l'autre la contredise, il faut bien que la seconde
soit fausse. » L'historien, survenant, cherchera à saisir du
dedans l'intention originale de ces deux pensées et sera souvent amené à suggérer qu'il n'y a pas à proprement parler

19. H. Gouhier, *L'Histoire et sa Philosophie*, 1952, p. 138.
20. Autant que de H. Gouhier, je m'inspire ici de P. Ricœur, *Offener
Horizont (Festchrift für Karl Jaspers)*, Munich, 1953, p. 110-125, texte
français dans *Histoire et Vérité*, 1955, p. 53-72.

contradiction, « car il est clair que, si ces deux doctrines sont organisées selon deux préoccupations initiales différentes, elles n'envisageront jamais sous le même aspect les mêmes problèmes, et que par conséquent l'une ne répondra jamais à la question précise que l'autre se sera posée »; dès lors, « elles ne peuvent ni s'exclure ni coïncider [21] ».

Voilà certes qui n'est pas fait pour calmer les inquiétudes de notre adversaire le dogmatique : si l'effort de sympathie désintéressée, où nous avons reconnu la note spécifique du véritable historien, fait s'évanouir la possibilité même d'une contradiction, que devient la notion de Vérité, et son absolu? Si mon effort de compréhension réussit à recomposer chaque doctrine selon la perspective dans laquelle elle était apparue à son auteur comme vraie, elle m'apparaîtra de nouveau à moi aussi sous la même lumière de vérité — du moins aussi longtemps que j'accepterai de me placer dans cette perspective. Si je réussis à voir le problème du salut comme le voyait saint Augustin, le mystère de la prédestination cessera de me scandaliser et je glisserai à en admettre les conséquences les plus extrêmes. Mais si, à l'inverse, j'adopte la problématique de Pélage ou de Julien d'Éclane, me voici en train de redevenir Pélagien... Le péril n'est pas imaginaire; qu'on se souvienne des formules généreuses, mais si imprudentes, dont s'est servi Péguy dans son *Bar-Cochebas* : « Mais il faut se représenter l'ensemble des grandes métaphysiques dans l'histoire et dans la mémoire de l'humanité... comme l'ensemble des grands peuples et des grandes races, en un mot comme l'ensemble des grandes cultures : comme un peuple de langages, comme un concert de voix qui souvent [?] concertent et quelquefois [!] dissonent, qui résonnent toujours. » Et plus loin, critiquant la philosophie de l'histoire qui, disposant les doctrines successives selon une progression linéaire et continue, les montrent abolies l'une

---

21. E. Gilson dans la conclusion de sa *Philosophie de saint Bonaventure*, p. 396, 3e éd. 1953, parallèle de saint Bonaventure et de saint Thomas.

après l'autre, « dépassées » par ce mouvement du progrès :
« ... On ne voit pas que nul homme jamais, ni aucune humanité [...] puisse intelligemment se vanter d'avoir dépassé
Platon. » Ou encore : « Un esprit qui commence à *dépasser*
une philosophie est tout simplement une âme qui commence
à se désaccorder du ton et du rythme, du langage et de la
résonance de cette philosophie... » Suit le magnifique éloge
d'Hypatie, cette âme « si parfaitement accordée à l'âme platonicienne [...] et généralement à l'âme hellénique [...]
que [...] quand tout un monde, quand tout le monde se désac-
cordait [...], seule elle soit demeurée accordée jusque dans
la mort [22] ».

C'est l'historien maintenant qui nous paraît prononcer
la parole impie, *larvatus prodeo*, et qui s'avance masqué :
dans ce que nous appelions l'arsenal de la pensée, il peut
emprunter à son gré tel ou tel masque nouveau, telle « défro-
que [23] » et, chaque fois, jouer le jeu en parfait comédien,
jusqu'à se prendre à son propre jeu. La tentation est grande :
une fois l'intérêt pour la recherche historique éveillé, le
philosophe risque de se laisser entraîner — curiosité, paresse,
ou dévotion pleine d'humilité pour quelque illustre maître
d'autrefois — à oublier sa mission, sa vocation personnelle,
son problème. On s'attarde, on limite peu à peu son ambition,
à reconstituer l'enseignement d'un autre, on n'ose plus
penser en son nom à soi. A la limite le parfait historien de
la philosophie s'identifie à cet Autre qu'il connaît si bien :
il ne pense plus, il repense, joue (le jeu peut être joué sérieusement sans cesser d'être un jeu) à contempler le monde et la
vie *through the other's glass*, avec les yeux de l'autre; on
redevient Platon, Plotin ou saint Thomas... et l'on cesse
d'être soi.

22. *Cahiers de la Quinzaine* (onzième cahier de la huitième série,
3 février 1907) reproduit dans les *Œuvres en prose de Charles Péguy,
1898-1908*, « Bibl. de la Pléiade », p. 1100, 1106, 1110-1111.
23. Pour parler comme Marx, bien commenté par G. Duveau, dans
l'*Homme et l'Histoire* (*Actes* du Congrès de Strasbourg), p. 74-75.

Le remède est aisé, une fois le mal diagnostiqué : il faut maintenir vivante en soi, entretenir et raviver la conscience de l'engagement existentiel de la pensée. Ne pas se laisser envahir passivement par cette personnalité étrangère, ne pas accepter ses principes ou son point de vue comme on accepte les règles du bridge ou des échecs : dans cette dialectique, ne pas laisser suffoquer le soi-même par l'autrui, ne pas cesser d'exister, d'être Quelqu'un...

Pour le philosophe, le véritable danger que présente l'histoire est là, dans le dilettantisme — et non dans le relativisme. Ce n'est pas l'expérience historique qui est responsable, là où ils se sont produits, des ravages de l'*Historismus*, mais bien une maladie intérieure à la pensée philosophique, qui avait perdu le sens de la Vérité. Le relativisme historiciste (tout n'est vrai que pour un temps — son temps) est la réponse inévitable à un problème dont les termes trompeurs ont été dictés par un scepticisme antérieur et fondamental : si le philosophe renonce à élaborer une table des valeurs, un critère de la vérité, et s'il s'engage à l'aventure à travers le maquis du passé, comment l'histoire pourrait-elle lui faire découvrir, lui révéler ce qu'il ne s'est pas rendu capable de voir?

S'il n'est pas infidèle à sa vocation, le véritable philosophe doit affronter d'abord, et sur le plan proprement philosophique, le difficile problème de la Vérité; quand il l'aura résolu, et s'il ne le résout pas, nul ne le fera à sa place, alors il peut sans danger affronter la diversité du passé : les variations des philosophes, ses prédécesseurs, ne l'intimideront pas plus que les critiques de ses contemporains, car le vrai philosophe est celui qui sait être dans le vrai, et qui, sûr de sa position, est résigné s'il le faut à avoir raison envers et contre tous.

J'invoquerai ici l'apologue du troubadour Peire Cardenal, *Una ciutatz fo, no sai cals...* : il y eut une ville où, par suite d'un accident, tous les habitants étaient devenus fous, sauf l'un d'eux : « Grande est sa surprise de les voir ainsi, mais bien plus grande la leur de le voir resté sain : c'est lui qu'ils prennent pour un fou... Cette fable est l'image du monde, qui est cette ville pleine de forcenés. » Quand il serait seul aussi, le philosophe saurait résister au *consensus* des déments!

Celui qui n'abdique pas sa personnalité n'est pas désarmé en face de l'histoire : il réagit devant ses prédécesseurs comme devant ses contemporains. Il pèse leurs raisons, les juge, les accepte ou les repousse. Mais sa pensée sort du dialogue enrichie par cette confrontation ou (si elle n'a pas changé) renforcée par cette épreuve acceptée et victorieusement surmontée.

J'invoquerai encore une fois le témoignage d'Étienne Gilson, qui nous fournit l'exemple d'un historien qui a su rester un philosophe (ce n'est un secret pour personne que son dogmatisme, loin de s'affadir, de se diluer dans une expérience historique de plus en plus vaste, a eu plutôt tendance au contraire à s'affirmer avec plus de netteté et d'intransigeance). Faisant écho à ma remarque sur le péril de redevenir Pélagien, il m'écrivait [24] : « Je le crois d'autant plus volontiers réel que je me souviens de mon éblouissement lorsque je découvris le sens de cette doctrine : non pas la négation de la grâce, mais l'affirmation que c'est le libre arbitre qui est la grâce. *Falsa sunt quae dicitis*, oui; *nova*, oui encore; mais *pulchra*, oui aussi. Il en faut courir le risque, si l'on veut que certitude soit choix et non pas ignorance... »

Le péril entrevu sera surmonté si chacun fait bien son métier, et le fait jusqu'au bout, le philosophe mais aussi l'historien. Je ne veux pas dissimuler non plus les torts de celui-ci.

Ripostant à ce que j'ai dit (p. 246) sur le perpétuel agacement que nous donnent les philosophes, Émile Bréhier, m'arrêtant un jour dans un couloir de la Sorbonne, me dit,

24. Dans une lettre du 26 septembre 1949.

gentiment, mais ironiquement : « Oh! vous savez, Marrou, l'historien aussi agace souvent le philosophe » — et on comprend facilement pourquoi.

Par crainte de dépersonnaliser son héros, l'historien insistera volontiers, en étudiant un philosophe, un penseur, sur la différence irréductible qui le distingue de tout autre. Attentif à saisir son objet dans sa réalité concrète, il aura trop facilement tendance à souligner de façon excessive ce qui fait son originalité. Et il est bien vrai que la « continuité de la tradition platonicienne [25] » ne se ramène pas à la permanence d'un Platonisme abstrait, défini comme une essence pure, qui passerait de main en main, inaltérée; elle s'incarne dans la série de ces personnalités, en dernière analyse incomparables, que sont Platon, Plotin, Porphyre, etc., jusqu'à Giordano Bruno et Marsile Ficin.

Pour saisir cette originalité qui fait par exemple que l' « incroyance » de Rabelais n'est pas celle d'un Lucien, d'un Voltaire ou d'Anatole France, l'historien cherchera à « expliquer », c'est-à-dire à comprendre, leur mentalité, à chacun, leur façon de penser et de sentir, en fonction du milieu culturel et social qui les a formés.

Je viens de citer Lucien Febvre [26] : il met quelque part Calvin et « le caractère de don totalement gratuit et inconditionnel que revêt (chez lui) l'octroi de la grâce aux élus » en rapport avec la conception de la justice et de la « grâce » royales en vigueur dans la France du XVIe siècle : « Rappelons-nous tel récit de ce temps, le coupable agenouillé, les yeux bandés, la tête sur le billot... Déjà, l'homme rouge brandit sa redoutable épée nue. Et brusquement des cris, un cavalier à fond de course qui envahit la place en brandissant un parchemin : grâce, grâce! le mot juste. Car le roi

25. R. Klibansky, *The Continuity of the platonic Tradition during the Middle Ages*, Londres, 1950.
26. On a reconnu le titre de son livre, *le Problème de l'incroyance au XVIe siècle, la religion de Rabelais*, 2e éd. 1947.

donne sa grâce; il ne tient pas compte d'un mérite. Tel le
Dieu de Calvin [27]. »

Voilà qui est vivant, qui est « vrai », l'historien sourit
d'aise, mais quelle est au juste la portée de tels rapprochements? Je passe sur ce qu'a d'ambiguïté fondamentale
un tel rapport (est-ce Calvin qui a subi l'influence de la
Justice de son temps ou plutôt celle-ci n'a-t-elle pas incarné
un climat théologique et moral dont Calvin n'est pas le
seul témoin?); il faut du moins insister à nouveau (p. 187)
sur ce qu'a de « facile », d'arbitraire, le choix du type d'explication.

À l'imitation de L. Febvre, je me charge de vous expliquer
la rigueur de la théorie de la prédestination chez saint Augustin, son indifférence à l'inégalité du sort entre Élus et Damnés
par le climat social de l'esclavage antique; mais je pourrai
tout aussi bien y voir une conséquence de son tempérament
physiologique de l'angoisse de l'asthmatique qu'il aurait,
paraît-il, été [28] — à moins que je ne m'embarque sur la
galère psychanalytique et vous parle de son « Œdipe »; et ce
n'est pas tout : il y a encore l'hypothèse raciste qui vous
expliquera la chose par les traditions du peuple berbère,
que sais-je encore!

Mais surtout, de telles hypothèses rendent compte du
Comment, à la rigueur (soyons optimistes) du Pourquoi,
elles ne sauraient expliquer le *Quid* de la pensée. On ne peut
réduire celle-ci aux conditions empiriques qui ont accom-
pagné et, si l'on veut, conditionné, son apparition. Quelles
que soient les raisons qui ont amené Calvin à formuler sa
doctrine, quels que soient les voies et moyens qui l'ont amenée
au jour, le calvinisme existe, a une cohérence intérieure,
un sens, une valeur — un degré de vérité qu'il appartient

---

27. *Combats pour l'histoire*, p. 227-228 (réimpr. des *Annales d'histoire sociale*, t. III, 1941).
28. Cf. P. Alfaric, *L'Évolution intellectuelle de saint Augustin*, 1918,
t. I, p. 40. Mais *contra*, Dr B. Legewie, *Die körperliche Konstitution
und die Krankheiten Augustin's*, dans *Miscellanea Agostiniana*, Rome,
1931, t. II, p. 17, 19.

au penseur (ici le théologien plutôt que le philosophe, la chose importe peu) de déterminer. Ce qui prouve bien, c'est qu'il y a eu, et qu'il y a encore et qu'il peut longtemps exister des calvinistes, vivant dans un tout autre milieu que celui de la France du XVIᵉ siècle et auxquels, malgré cette différence d'environnements, sa « vérité », s'imposera pareillement. Dès lors, dire que « reconstituer par la pensée, pour chacune des époques qu'il étudie, le matériel mental des hommes de cette époque..., voilà l'idéal suprême, le but dernier de l'historien [29] », expliquer Cuvier par Montbéliard ou la Révolution française [30], c'est stabiliser la recherche historique à un niveau superficiel, exotérique.

Là n'est pas la fine pointe de notre effort : si en effet l'historien se penche avec tant d'inquiète et scrupuleuse curiosité, quand il étudie une pensée d'autrefois sur l'homme qui l'a conçue, sur sa personne et ce qui l'entoure — sur les occasions, souvent futiles, toujours extraordinairement contingentes au regard du contenu doctrinal, qui l'ont amené à la formuler —, sur les œuvres où il l'exprime, leur genre littéraire, leur texte et ses vicissitudes, ne faisant grâce, comme on l'a vu à propos de Platon, de la moindre particule de liaison — ce n'est pas pour le plaisir de l'anecdote, ni mû par l'ambition illusoire de « réduire » cette pensée à ses conditions d'apparition, mais besoin de comprendre.

Ce que nous cherchons, ce que nous devons chercher à saisir, c'est, si j'ose dire, pour parler comme les chimistes, la vérité à l'état naissant, dans cette « intuition originelle » dont Bergson a si bien parlé, ce jaillissement central, *Ursprung*, au sein duquel, quelles que soient encore une fois les contingences, l'idée a surgi dans la conscience du penseur et s'est imposée à lui. J'en appelle ici à l'expérience de tous ceux qui, d'un cœur docile et sincère, se sont un jour penchés sur une page, qui pouvait être écrite d'hier, ou remonter à

29. L. Febvre, *Combats pour l'histoire*, p. 334 (paru d'abord dans la *Revue de synthèse historique*, t. XLIII, 1927).
30. *Ibid.*, p. 327, 335.

plus de deux mille ans, mais qui, enfin comprise, leur a révélé son authentique, son éternelle vérité. Ils seront unanimes à en témoigner : non, l'étude historique, poussée à fond, n'est pas une école de relativisme; non, elle n'aboutit pas à dissoudre la pensée dans son environnement culturel, ou social, ou dans rien autre : elle est l'occasion, et le moyen, d'une redécouverte, d'une reprise, d'un enrichissement.

C'était avant d'étudier historiquement saint Augustin que sa pensée me paraissait relative, curieuse dans sa bizarrerie et son altérité : je me heurtais à lui comme à un étranger, il était pour moi ce lettré de la décadence, ce représentant d'une civilisation disparue, d'un stade dépassé de l'évolution sociale, intellectuelle, religieuse de l'humanité. C'est au contraire maintenant que j'ai appris à le connaître, à le comprendre, à penser un peu comme lui, à saisir par le dedans comment et pourquoi il avait été amené à assumer telle position doctrinale et à l'exprimer de telle ou telle façon (ici la durcissant jusqu'au paradoxe dans le feu de la polémique, là s'exprimant avec une simplicité populaire et souriante dans tel *Sermon* adressé à son peuple d'Hippone), c'est maintenant que la valeur de sa pensée m'est réellement accessible — sa valeur, tour à tour, soit de Vérité, soit d'objection redoutable que je dois affronter et vaincre.

C'est avec cette historicité originelle, qui fut sa réalité, que ma propre historicité établit ce rapport qui constitue l'histoire, rapport complexe où intervient, que le lecteur ne l'oublie pas (p. 41), tout ce que je puis savoir de l'historicité des âges intermédiaires : je ne saisis pas seulement la doctrine augustinienne de la prédestination dans l'instant où elle achève de prendre forme sous le feu des objections de Julien d'Eclane, mais je la pense en assumant en même temps tout ce qu'à tort ou à raison elle a pu devenir dans la pensée de Gottschalk, Luther ou Jansenius.

Rapport au sein duquel s'établit un dialogue fraternel où communient son esprit et le mien dans ce qu'il y a de plus profond dans l'une et l'autre de nos existences, car nous sommes l'un et l'autre des âmes éprises, et capables, de Vérité.

Je me suis étendu un peu longuement sur le cas de l'histoire de la philosophie; il me paraît typique : *ab illo disce omnes;* on reconnaîtra à la connaissance historique une fonction analogue, quels que soient les domaines où elle pourra s'exercer. Il ne faut pas lui demander plus, ni autre chose, que ce qu'elle peut fournir. Pas plus qu'elle ne décharge le philosophe de la responsabilité de formuler le jugement de vérité, elle ne prétendra, par exemple, dicter à l'homme d'action, en vertu des précédents ou des analogies qu'elle lui fait connaître, une décision d'ordre politique. L'histoire ne peut assumer dans la culture humaine, dans la vie, le rôle d'un principe animateur; son vrai rôle, infiniment plus humble, mais à son niveau réel et bien précieux, est de fournir à la conscience de l'homme qui sent, qui pense, qui agit une abondance de matériaux sur lesquels exercer son jugement et sa volonté; sa fécondité réside dans cette extension pratiquement indéfinie qu'elle réalise de notre expérience, de notre connaissance de l'homme. C'est là sa grandeur, son « utilité ».

On n'hésitera pas ici à reprendre, en un sens renouvelé, la conception antique de l'*historia, magistra uitae*. On sait quelle application étroite et ridicule en faisaient les vieux rhéteurs : l'histoire, entre leurs mains, se ramenait à un répertoire d'anecdotes topiques, d'exemples à l'usage du moraliste, de précédents pour le juriste ou l'homme d'État, de stratagèmes éprouvés pour le tacticien ou le diplomate.

Mais cette formule est susceptible d'un sens profond : c'est en découvrant les hommes, en rencontrant d'autres hommes que moi, que j'apprends à mieux connaître ce qu'est l'homme, l'homme que je suis avec toutes ses virtualités, tour à tour splendides ou affreuses; la chose est évidente dans l'expérience de la vie quotidienne : qui oserait dire que c'est en vain que nous avons rencontré ces hommes, que nous avons cherché à connaître, à comprendre — à aimer?

Elle aussi Rencontre d'Autrui, l'histoire nous révèle infiniment plus de choses, sur tous les aspects de l'être et de la vie humaine que nous n'en pourrions découvrir dans notre seule vie, et par là elle féconde notre imagination créatrice, ouvre mille voies nouvelles à notre effort de pensée comme à notre action. (Je prends le mot dans son sens le plus vaste, y annexant par exemple la vie sentimentale : à écouter les Troubadours, je découvre, ou approfondis, un art d'aimer.)

L'histoire nous libère des entraves, des limitations qu'imposait à notre expérience de l'homme notre mise en situation au sein du devenir, à telle place dans telle société à tel moment de son évolution — et par là elle devient en quelque sorte un instrument, un moyen de notre liberté.

Il y a plus : j'ai tenu à insister sur le fait que l'histoire n'est pas seulement la reconstitution de ma lignée, de mes antécédents biologiques, mais je n'ai pas nié qu'elle soit, et il est bien évident qu'elle est aussi, et en un sens qu'elle est d'abord cela : *mon* histoire, la reconstitution, la prise de conscience du développement humain qui m'a fait ce que je suis, qui a abouti à cette situation, culturelle, économique, sociale, politique dans laquelle je suis inséré par toutes les fibres de mon être.

C'est ici qu'apparaît une différence, capitale du point de vue de l'*historiodicée*, de la « justification de l'histoire » à l'intérieur de la culture et de la vie, entre l'évolution biologique et ce que, par analogie, nous avions proposé d'appeler l'évolution de l'humanité : si un cheval, par exemple, pouvait prendre conscience des avatars de ses lointains ancêtres tertiaires, l'Hyracotherium, l'Orohippus, etc., cela ne changerait rien à sa structure osseuse, ni à sa technique de la course (il en est de même pour l'homme, quand il reconstitue sa phylogenèse). L'évolution de l'humanité nous a transmis elle aussi un héritage qui s'impose d'abord à nous avec la même nécessité « naturelle » et tyrannique, mais à partir du moment où cette évolution devient histoire, à partir du moment où je prends conscience de cette hérédité, où je sais ce que je suis, pourquoi et comment je le suis devenu, cette connaissance me rend libre à l'égard de cet héritage que je ne reçois plus désormais que sous bénéfice d'inventaire : je puis l'accepter ou le refuser (dans la mesure où il s'agit de choses en mon pouvoir); pour ce qui me dépasse, je puis du moins hardiment le juger, lui opposer par exemple ma condamnation indignée — et cet acte de pensée peut à son tour inspirer et animer toute une action en vue de transformer les choses.

Si Staline avait pu, par une étude historique de la notion de liberté personnelle (du type de celle qu'avait rêvé de réaliser lord Acton), découvrir d'où lui venait sa technique policière, il aurait peut-être reculé d'horreur devant tout ce qui survivait en lui d'Ivan le Terrible et du Basileus byzantin et cela l'aurait peut-être conduit à modifier le régime du MDV cet héritier du NKVD, de l'OGPU, de la Tchéka, de l'Okhrana, et ainsi de suite jusqu'aux *agentes in rebus* du Bas-Empire, et aux *frumentarii* d'Hadrien.

La prise de conscience historique réalise une véritable *catharsis*, une libération de notre inconscient sociologique un peu analogue à celle que, sur le plan psychologique, cherche à obtenir la psychanalyse. J'ai manifesté quelque ironie à l'égard des prétentions agressives de celle-ci, lorsqu'elle s'aventurait sur notre domaine, mais c'est très sérieusement ici que j'invoque son parallèle [31] : dans l'un et l'autre cas, nous observons ce mécanisme, à première vue surprenant, par lequel « la connaissance de la cause passée modifie l'effet présent » : dans l'un et l'autre cas l'homme se libère du passé qui jusque-là pesait obscurément sur lui non par l'oubli mais par l'effort pour le retrouver, l'assumer en pleine conscience de manière à l'intégrer. C'est en ce

---

31. A la suite de Ch. Baudoin, dans sa communication au Congrès de Strasbourg, 1952, « Assumer le passé », *L'Homme et l'Histoire*, p. 121-130.

sens, comme on l'a souvent répété de Goethe à Dilthey [32]
et à Croce [33], que la connaissance historique libère l'homme
du poids de son passé. Ici encore l'histoire apparaît comme
une pédagogie, le terrain d'exercice et l'instrument de notre
liberté.

Si, je ne puis trop y insister, l'histoire ne saurait prétendre
à ce rôle directeur et dominant qu'avaient rêvé pour elle
les hommes du XIXᵉ siècle, sa présence au sein de la culture
humaine peut conférer à celle-ci une valeur caractéristique
et bien précieuse, qui suffit à déterminer tout un climat de
pensée et de vie. Je définirai volontiers l'homme historien,
l'homme qui se plaît à l'histoire et sait se nourrir de cette
connaissance, saisie authentique encore que toujours
partielle de son objet, par opposition à l'homme de la
Philosophie de l'Histoire, ce barbare, qui, lui, sait, ou
s'imagine savoir le dernier mot sur le mystère du temps et,
victime de son illusion, oublieux des sélections arbitraires
et des mutilations déformantes au moyen desquelles a pu
être élaborée l'image schématique qu'il s'est faite du passé et
du devenir de l'humanité, enivré de volonté de puissance,
se rue à l'action avec un fanatisme aveugle : ah! il ne fait pas
bon se trouver en travers de sa route, ni même, allié réticent,
ne s'associer qu'en partie à son élan : suspect et bientôt
convaincu de vous opposer au mouvement de l' « Histoire »,
vous serez bientôt balayé, « liquidé » sans merci. En même
temps, par une compensation douloureusement ironique,
ce même homme, obligé d'adhérer, instant par instant, à la
ligne combien sinueuse que dessine dans le temps la réalisation de l'Idée, perd avec le sens de la Vérité et de son absolu
toute ossature intérieure, autonomie et dignité, hurle avec
les loups, adore les puissants, crache sur les vaincus.

32. *Der Aufbau der geschichtlichen Welt in den Geisteswissenschaften*,
Gesamm. Schriften, t. VII, p. 252; cf. R. Aron, *La Philosophie critique*,
p. 87.
    33. B. Croce, *La Storia come pensiero e come azione*, I, 8, « L'histo-
riographie comme libération de l'histoire », trad. fr. p. 56-58, citant
Goethe.

L'homme historien au contraire sait qu'il ne peut tout savoir, il ne se prend pas pour plus qu'un homme et accepte avec simplicité de ne pas être Dieu : il connaît en partie, dans son petit miroir, de façon limitée et souvent obscure. Mais il sait qu'il ne sait pas, il mesure et situe l'immensité de ce qui lui échappe, acquérant par là même un sens aigu de la complexité de l'être et des situations de l'homme, dans leur tragique ambivalence.

Qu'est-ce que notre XXe siècle est en train de réaliser? Verra-t-il l'émancipation de la classe ouvrière (et des peuples de couleur), ou n'assisterons-nous qu'à un simple changement d'impérialisme, consacrant le déclin de l'Europe occidentale au profit de l'Amérique du Nord ou des peuples slaves (en attendant que ce soit de l'Asie)? Les souffrances du temps présent sont-elles l'annonce de l'enfantement d'une humanité enfin fraternelle dans l'unité de la planète et la paix universelle, ou entrons-nous définitivement dans l'ère de la guerre totale, avec ce déchaînement bientôt incontrôlé des forces de destruction? Allons-nous voir s'accomplir et se réaliser enfin les rêves caressés par nos pères durant la période libérale, est-ce le triomphe de la personne humaine, la reconnaissance de l'homme par l'homme, dans sa plénitude et sa généralité — ou bien, par l'émergence de l'état totalitaire et policier, la dictature des technocrates, sommes-nous parvenus au seuil d'un nouveau monde de la terreur? Verra-t-on s'épanouir une civilisation du travail ou, sous ce nom, la sinistre duperie d'un tel asservissement de l'esclave à sa tâche qu'il en vient à bénir et à adorer les signes mêmes de sa servitude? Un bas matérialisme ou un essor spirituel? Et, dans celui-ci, une renaissance des formes les plus nobles de la vie religieuse ou bien le triomphe de ces formes bâtardes et grossières du Sacré collectif? Qui le saura?

Aux prises avec cette ambiguïté irréductible, l'homme historien acquiert un sens plus aigu de sa responsabilité, de la signification de son engagement, de la valeur de sa décision libre, en même temps qu'une connaissance plus profonde et plus vaste des virtualités immenses qui s'offrent à son choix. Il est l'homme devenu conscient qui marche les yeux ouverts, qui n'est pas dupe, qui n'avance pas, tel un bœuf de labour, la nuque tendue vers le sillon, mais, la tête haute, contemple l'horizon immense ouvert aux quatre vents de l'esprit. Il sait que rien n'est simple, que les jeux ne sont pas faits, que bien des possibilités attendent et peuvent, ou non, se réaliser. Il choisit et il juge. Il est celui que n'enivre pas la victoire, dont il mesure et la précarité, l'incertitude, et les limites; il est l'homme aussi que ne peut abattre la défaite et qui sait, lorsque plus rien n'est en son pouvoir, dire : *Non*, ne pas céder, souffrir avec noblesse et conserver l'espoir.

L'œuvre historique

Ayant défini l'histoire comme connaissance, nous l'avons montrée, tour à tour en train de naître, de se constituer, de fructifier, tout entière au sein de la pensée du sujet connaissant, antérieurement à tout effort d'expression; mais, dès le seuil de cette analyse (p. 30), nous avons laissé prévoir que, normalement, la recherche historique doit pourtant aboutir à une œuvre — un enseignement oral, cours, conférences, ou plus souvent un écrit, mémoire, article, livre. C'est là, disions-nous, une exigence de caractère pratique, social.

J'insisterai sur ce mot, pour apporter un dernier complément à notre théorie qui, mettant en évidence le lien de caractère *personnel* établi entre l'histoire et son historien, ne doit pas pour autant s'interpréter dans un sens individualiste.

Il ne faudrait pas imaginer que l'historien se promène à travers les richesses du passé comme un visiteur désœuvré devant les vitrines d'un musée, s'arrêtant ici ou là suivant que sa curiosité ou son intérêt s'éveillent — nouant de la sorte avec un héros, une époque, un problème, une rencontre, une aventure, une amitié.

Les choses ne se passent pas ainsi, car la personne de l'historien n'est pas l'individu abstrait tel qu'on le définit dans la perspective du libéralisme, mais un être engagé qui, par toutes les fibres de son être, s'enracine dans le milieu humain auquel il appartient — milieu social, politique, national, culturel —, qui l'a fait ce qu'il est et auquel tout ce qu'il fait retourne et profite.

L'historien ne s'avance pas seul à la rencontre du passé : il l'aborde en représentant de son groupe : la question qu'il va poser, celle qui oriente tout le développement de la recherche, si du moins elle soulève un « vrai » problème, lesté d'existentiel, exprimera nécessairement, autant qu'un souci propre à l'historien, une exigence commune à tous les hommes de son milieu collectif.

Tous les cas sont possibles ici : la dépendance entre l'aventure personnelle et les besoins ou aspirations de la collectivité peut être plus ou moins étroite, directe, évidente. La meilleure histoire, celle qui sera le plus réellement utile à la société, ne sera pas celle qui, aux frontières de la propagande, apporte une documentation en rapport immédiat avec ce qu'on appelle l'actualité, par exemple diplomatique ou politique. On se souviendra utilement du mot d'Héraclite : « l'harmonie secrète (qui exprime un lien profond) l'emporte sur l'harmonie visible » (trop souvent superficielle [1]). L'œuvre ressentie comme la plus personnelle sera souvent celle où, sans qu'il l'ait prévu, l'historien cherchant la solution de *son* problème, répondra en fait à *la* question qui importait le plus aux hommes de son temps.

Gibbon nous a raconté comment lui était venue l'idée de son *Decline and Fall* : c'était le 15 octobre 1764, à Rome, sur le Capitole, en voyant les franciscains de l'Aracoeli, *the barefooted friars*, chanter l'office sur l'emplacement même où jadis s'était dressée la splendeur de la cité antique... Contraste piquant, rencontre de hasard? Nous mesurons pleinement aujourd'hui ce que le problème du « triomphe de la Religion et de la Barbarie », le scandale du Moyen Age chrétien, avait d'irritant et d'essentiel non seulement pour

---

1. H. Diels, *Die Fragmente der Vorsokatiker* [6], § 22 (12), fr. 54.

Gibbon, mais avec lui pour tous les hommes de l'*Aufklärung;* c'était un défi qu'ils ne pouvaient pas ne pas affronter.

Encore Gibbon était-il un représentant de cette classe pratiquement disparue aujourd'hui : l'amateur éclairé, le dilettante; aujourd'hui l'historien sera presque toujours un professionnel : même s'il n'est pas salarié sur le budget de sa nation, ou par l'UNESCO, il a pleinement conscience d'être un travailleur spécialisé, délégué à la recherche de la vérité, tout comme, à ses côtés, le camarade biologiste ou physicien.

Aussi bien est-ce le sérieux même de sa recherche, la qualité des résultats qu'il obtient, qui empêchera l'historien de limiter son ambition au seul enrichissement de son expérience intérieure, à une contemplation solitaire de la vérité. *Bonum diffusivum sui :* dans la mesure où l'historien atteint le vrai et une connaissance riche de valeurs fécondes il les doit à son prochain.

Tout cela reconnu, il reste que le problème de l'expressi est, de soi, extérieur à l'histoire et qu'il s'y introduit s la poussée de considérations d'un autre ordre. De notre expérience quotidienne est là pour l'attester, la r sité (ou le devoir) d'écrire est ressentie comme une ser douloureuse : la recherche est de soi indéfinie, la historique n'est jamais définitive, elle reste touj devenir : l'exprimer c'est la figer; il y a d'autre exigences, elles aussi indéfinies, de l'art, disons, de *ars longa*, *vita brevis*, l'historien se sent com entre ces exigences contradictoires de ces deu moins qu'il ne finisse par succomber à la te sacrifie son devoir social à la passion de (et ici nous retrouvons la critique moralisante ce peut devenir une passion dévorante et ty

Les annales de notre profession sont cas, de ces hommes qui, une vie duran connaissances, enrichissent leur expéri une compétence inégalée, mais, oubli hommes et non des Immortels, n'écrivent rien, « puits de science insondables mais qui ne rendent jamais leur eau [2] », et meurent un jour, inutiles, ne laissant derrière eux qu'une masse de notes griffonnées, sans valeur pour autrui. Je cite au hasard une des dernières notices nécrologiques tombées sous mes yeux (il s'agit d'un musicologue, André Tessier) : « Il m'avouait n'attacher de prix qu'à la découverte, à la découverte pour elle-même; il lui importait peu de la divulguer. La connaissance qu'il avait acquise du XVIIe siècle, et pas uniquement de la musique de cette époque, était plus considérable qu'on ne se l'est imaginé. Elle reposait sur nombre de menus faits, obscurs, qui n'avaient retenu personne, mais auxquels il avait attribué une signification. Je puis dire qu'il éprouvait une orgueilleuse satisfaction à pouvoir seul se reconnaître parmi tant de repères. Combien de fois m'a-t-il déclaré qu'une étude était achevée : elle ne l'était que dans son esprit; et les traces portées sur ses fiches marquaient, seulement de loin en loin, les étapes de sa pensée. J'écris cela pour mettre en garde contre l'apparence trompeuse, squelettique, des notes inédites de Tessier qui ont être publiées [3]. » Comme Thucydide le fait dire quelque part à son Périclès : « Avoir acquis la connaissance sans le ... de la communiquer, c'est tout comme si on n'y avait ... ais pensé [4]! »

... faudra que l'historien accepte de se soumettre à ces ... inces d'ordre moral, qui résultent de la fonction sociale ... ssume, et aux exigences techniques qui en découlent. ... trouvera bien souvent d'ailleurs directement récom... ... r, je tiens à faire remarquer, toujours soucieux de ... notre doctrine en la précisant, que l'antinomie ... est pas toujours, dans la pratique, si absolue. ... en principe, la recherche n'est jamais achevée ... soulève une autre qui à son tour en suppose

... L. ...
... A. ...
... Thu... *ats pour l'histoire*, p. 340.
... *ue de musicologie*, 1953, t. XXXV, p. 152.

d'autres résolues), mais si l'on considère un champ d'enquête déterminé, il faut bien constater que souvent l'historien aura profit à répéter avec Aristote : *anankè stènai :* il lui faut s'arrêter, parce qu'il peut dire, selon le mot fameux attribué (entre autres) à l'abbé de Vertot : « Mon siège est fait. » Un moment arrive en effet où sa vision du passé, précisément parce qu'elle est ordonnée à un point de vue, des présupposés, des concepts, une méthode, a atteint le degré de vérité dont elle est susceptible; à partir de ce moment la recherche n'apporte plus rien, documents et observations viennent se ranger d'eux-mêmes dans les divisions du fichier constitué; les éléments qui résistent flottent à la surface de la conscience comme un corps étranger et ne sont plus assimilés (si l'historien est consciencieux, et il doit l'être, on les retrouvera quelque part en notes au bas des pages, introduits par une formule du genre : « Je sais bien que... Cf. cependant... Voir aussi... » : pierres d'attente que saura recueillir un successeur). La recherche d'autres fois s'exaspère et se complique sans profit : elle atteint bientôt la limite, variable selon les cas, à partir de laquelle, selon notre axiome favori, la précision s'accroît aux dépens de la certitude.

Enfin, et c'est là ce qu'on peut retenir comme valable de l'enseignement de Paul Valéry, recherche et expression, si distinctes qu'elles soient du point de vue logique, interfèrent en fait dans la pratique et cette interférence est féconde : c'est souvent en cherchant à s'exprimer que la connaissance fera encore un pas en avant, réalisant un progrès décisif : c'est alors que se révèlent ses lacunes, que se rétablissent les proportions et que la vérité achève de prendre forme, sortant enfin de cette zone incertaine où le devenir le disputait au non-être.

Une fois donc la recherche achevée ou du moins en bonne voie, l'historien doit marquer un temps d'arrêt et, prenant en considération ce nouvel aspect du problème, se demander : comment, avec ce que je sais et puis savoir, construire le meilleur exposé, le plus riche de contenu, le plus vrai et en même temps le plus convaincant, le plus assimilable (tout de même, si j'écris, c'est pour être compris); comment, avec ce fichier, écrire le meilleur livre?

Il n'est pas question de compléter, couronner notre traité de logique par une rhétorique à l'usage de l'historien : ces quelques pages de conclusion veulent simplement faire apparaître et situer la question, faire sentir au lecteur l'importance du travail à accomplir dans ce domaine de l'expression. Encore une fois c'est l'efficacité sociale, c'est le rendement humain de l'histoire qui sont en jeu : notre histoire scientifique ne serait pas tombée si bas dans l'estime générale, sa fonction n'aurait pas été usurpée par des caricatures (littérature romancée ou anecdotique, propagande servile) si les travailleurs sérieux n'avaient pas à ce point méprisé leur public, ne s'étaient pas si souvent contentés de déverser sur lui, sous le nom de livres, de simples tombereaux de fiches, *rudis indigestaque moles*. Trop de publications ne sont pas de l'histoire, mais seulement un ensemble de matériaux à demi dégrossis avec quoi l'élaborer. Trop de nos confrères ont ici tout à apprendre : qu'autre chose, par exemple, est d'accumuler par-devers soi toute la documentation accessible, et autre chose d'en imposer par le menu la lecture à ses lecteurs; que justifier les conclusions adoptées est un devoir strict, mais n'implique pas qu'on retrace par le menu tout le cheminement, souvent sinueux, suivi par la pensée pour y atteindre; qu'un exposé, pour être lisible, doit se dérouler selon un *tempo* uniforme, qu'il ne faut pas interrompre un exposé synthétique par une discussion compliquée portant sur un point de détail : il faut la rejeter en appendice ou, mieux, la publier d'autre part dans un recueil spécialisé, sous la forme d'un article d'érudition dont le travail définitif n'aura qu'à invoquer la valeur démonstrative.

Mais, encore une fois, il n'est pas question d'esquisser ici un traité de l'art d'écrire : faire un livre est tout un métier, qu'il faut savoir. Le principe seul importe pour l'instant et il est clair : pour mener à bien sa tâche, pour remplir vraiment sa fonction, il est nécessaire que l'historien soit aussi un grand écrivain. Cette évidence a été obscurcie par les discussions que nos prédécesseurs ont menées sur le thème « Que l'histoire doit être une science et non un art [5] ». Ils ont livré là un combat qui était nécessaire pour arracher l'histoire à l'éloquence, à la « littérature » (au sens le plus péjoratif), lui faire reconnaître son statut de recherche et de vérité. Mais comme toujours la passion polémique a exercé ses ravages et on a été conduit à une position limite voisine de l'absurde.

Beaucoup d'historiens britanniques, nous dit-on [6], s'efforcent d'écrire « mal » (sacrifiant l'élégance et même la correction) pour être assurés d'être pris au sérieux. Ou encore : « Si un livre qui a contribué à l'établissement de la vérité, se trouve être beau par surcroît, c'est une chance heureuse, et c'est une sorte de luxe. Un historien n'est pas plus tenu d'écrire comme un Fustel de Coulanges qu'un biologiste d'écrire comme un Claude Bernard [7]... »

(Quel étrange idéal du « beau » littéraire! La « recherche des effets d'art » consisterait en somme à saupoudrer le Vrai de ces *colores atque sententiae* des rhéteurs d'autrefois — de ces réflexions d'une profondeur soi-disant philosophique dont Chateaubriand se croyait tenu d'enrichir le texte de ses *Mémoires* — par ailleurs admirables. Un peu comme ces gens qui s'imaginent que la poésie, c'est de la prose plus la rime.)

Mais non : si l'histoire est, prise en elle-même, cette connaissance infiniment subtile qui mûrit lentement dans l'esprit de l'historien au cours de cette expérience pro-

5. Bibliographie de la question ap. H. Berr, *La Synthèse en histoire* [2], p. 226, n. 1.

6. Opinion exprimée, avec quelque paradoxe, par G. J. Renier, *History, its Purpose and Method*, p. 244.

7. H. Berr, *op. cit.*, p. 226 (qui d'ailleurs corrige immédiatement quelque peu cette outrance).

prement technique poursuivie au contact des documents,
si sa vérité, toute en nuances délicates, est faite de la coordination minutieuse et complexe de mille éléments divers et
tend à la limite à devenir presque intransmissible à qui n'a
pas passé par la même expérience, quelle maîtrise dans l'art
d'écrire, quelle dextérité de plume, quel bonheur d'expression seront requis, seront indispensables pour en présenter
une formulation authentiquement valable qui communi-
quera sans trop la déformer cette connaissance si précieuse,
si facile à trahir.

Ici encore je parle d'expérience : le profane imagine
difficilement le combat quotidien que mène l'historien pour
atteindre à l'expression juste, à la phrase qui dira tout ce
qu'il sait, sans en rien laisser échapper, mais sans non plus
durcir la pensée, ni paraître savoir plus qu'il ne sait en réalité,
ni aiguiller l'imagination du lecteur sur une fausse piste.
Historien français, obligé de me mesurer tous les jours avec
cette langue exigeante qu'est la nôtre, il m'arrive, les jours
de paresse, de ne pouvoir me contenter d'écrire en allemand,
cette langue fluide et docile, habile à camoufler le vague en
profondeur — mais c'est là être ingrat car je sais bien tout
ce que je dois de progrès, en précision et en exactitude, à
l'inertie même de l'outil résistant que j'emploie.

L'historien doit atteindre à l'expression exacte de sa
vérité subtile : qui doutera qu'il ne doive pour cela être
aussi un artiste; tous les bons esprits sont d'accord avec
moi là-dessus, de Ranke à G. J. Renier, en passant par
Dilthey, Simmel ou Croce. Si Ranke, mieux que Niebuhr,
est vénéré par notre mémoire comme le premier historien
moderne au sens où nous prenons le mot c'est que le premier
il a su ajouter à la pénétration et à la subtilité de l'enquête
critique, avec la largeur de vue de l'esprit philosophique, la
plume heureuse d'un classique de sa langue [8].

Aussi bien, il est facile de le constater, tous les grands

8. Th. von Laue, *Leopold Ranke, the formative Years*, Princeton,
1950, p. 21.

historiens ont été aussi de grands artistes du verbe. Le cas d'ailleurs est général : le plus grand philosophe ne sera pas l'homme qui aura le plus approché la vérité, le plus grand théologien ne sera pas le mystique qui se sera avancé le plus loin dans la voie de l'expérience unitive, mais, dans les deux cas, l'homme qui *en sus* aura reçu le charisme proprement « poétique » (au sens plénier du grec *poiètikos*) de l'expression la plus pleine, la plus adéquate, la mieux transmissible. De même l'historien.

Je trouve quelque chose d'encore un peu trop polémique dans l'attitude, fréquente aujourd'hui, qui ne voit dans le livre d'histoire que le reflet d'un état transitoire de la recherche. Le plus bel éloge en serait, a-t-on dit, qu'il devienne au bout de trente ans totalement inutile et périmé — toutes ses conclusions se trouvant remaniées par le progrès même qu'il aurait suscité [9]. C'est là oublier que la vérité de l'histoire est une vérité en partie double, faite et de ce qu'elle saisit de son objet et de ce que l'effort de l'historien y introduit de lui-même. Sans doute au bout de trente ans, un lecteur sera surtout sensible à ce qu'un travail présente de démodé (n'y a-t-il pas une pareille période de désaffectation dans la génération qui suit l'écrivain ou l'artiste, qu'il s'agisse de littérature, d'arts plastiques ou d'art décoratif?); mais lorsque le recul du temps permet un jugement moins intéressé, on découvre que l'œuvre historique, certes en un sens de plus en plus « dépassée », survit encore par tout ce que son auteur y a incarné de sa propre humanité. L'œuvre, lentement patinée, se hausse lentement à la dignité de témoignage historique, devenant, comme nous l'avons montré, un document sur l'historien lui-même, son milieu et son temps.

Qui, relisant l'étonnante préface de Michelet à son *Histoire de la Révolution*, ne mesure tout ce qu'elle nous révèle des idées circulant en France vers 1847, et de façon plus

9. L. Febvre, *Combats...*, p. 397-398.

précise sur les origines jansénistes de notre tradition « laïque » ?

Mais là n'est pas l'essentiel : l'œuvre survit aussi en tant qu'elle témoigne, qu'elle exprime, une vérité sur le passé, étant une saisie authentique de son objet (encore que partielle et incarnée dans une pensée particularisée). Thucydide en avait bien conscience [10], et comment hésiterions-nous à lui donner raison, nous qui, après tant de siècles, relisons son *Histoire* avec un profit toujours renouvelé ? C'est que nous y retrouvons cette vérité, — vérité sur l'homme, sa vie, son action —, qu'il avait pu atteindre et qu'il a su exprimer : son génie a fait de la guerre du Péloponnèse la guerre la plus intelligible de l'histoire, toute guerre s'y retrouve et s'y révèle, par parallèle ou contraste, en quelque sorte illuminée.

Je me souviens, au printemps 1939 à Nancy, quand s'accumulaient sur Prague et Dantzig les orages qui allaient emporter l'Europe, avoir repris avec mes étudiants, au Premier Livre, cette analyse, émouvante à force de sereine clarté, de la situation en Grèce à la veille du grand conflit : l'Europe n'était-elle pas, comme la Grèce alors, dans une veillée d'armes ? Et les répliques s'entrecroisaient : tantôt j'étais du côté d'Athènes et tantôt du côté de Sparte, démocrate comme l'une, anti-impérialiste comme l'autre...

Les hommes de la Première Guerre mondiale avaient fait la même expérience : Toynbee [11] raconte, en termes chargés d'émotion, comment Thucydide prit soudain pour lui, en août 1914, une signification nouvelle, et comment, aux jours sombres de mars 1918, il le relisait encore pour se donner du cœur. Vers le même temps, chez nous, le caporal Thibaudet, gardien quelque part d'une baraque inutile, rédigeait *la Campagne avec Thucydide*...

Ces exemples suffisent à montrer en quel sens analogique

10. *Thucydide*, I, 22, 4.
11. *Civilization on Trial*, trad. fr. p. 15-16. Cf. T. Lean, dans *Horizon*, 1947, t. XV, p. 27.

et profond il faut entendre la déclaration fameuse de Thucydide sur l'utilité de son histoire « pour ceux qui voudront voir clair dans les événements passés et dans ceux qui à l'avenir, en vertu du caractère humain qui est le leur, se produiront de nouveau de façon analogue ». Rien ne serait plus éloigné de la vérité qu'une interprétation de style maurrassien, comme si l'histoire permettait de dégager en quelque sorte les lois d'une « physique sociale » : non, l'analogie est toujours partielle et la similitude participée...

Maintenant, si nous admirons le génie de Thucydide, c'est, bien entendu, en toute clairvoyance : nous savons constater, définir, sa forme et ses limites : cette *Histoire* est celle de « Thucydide Athénien », Thucydide, fils d'Oloros, descendant de Miltiade, un homme que nous situons à telle étape du développement de la culture hellénique; cette intelligibilité qu'il a su dégager de son objet, il l'a élaborée avec les moyens en son pouvoir, les instruments de pensée qu'il avait reçus de l'enseignement des sophistes, les grands schèmes humains que lui suggérait la tragédie d'Eschyle [12]; nous voyons bien comment s'est effectuée cette construction — mais ces caractères particuliers ne l'empêchent pas d'être vraie en même temps.

On trouvera peut-être l'exemple choisi un peu artificieux, car, faute de documentation directe sur la guerre du Péloponnèse, l'*Histoire* de Thucydide fait fonction pour nous de source primaire. Prenons alors Tacite : grâce au progrès de la documentation accumulée et exploitée par nos sciences auxiliaires, grâce aux monnaies, aux inscriptions, aux papyri, nous pouvons aujourd'hui connaître Tibère, Claude ou Néron par bien d'autres voies que les *Histoires* ou les *Annales* et pourtant nous relisons toujours Tacite — j'entends bien en historiens. Certes, ici également, nous apercevons clairement ses limites, nous savons critiquer son témoignage, les déformations ou les sélections qu'il implique : c'est un repré-

---

12. On se souvient du livre si révélateur de F. M. Cornford, *Thucydides mythistoricus*, 1907.

sentant de l'aristocratie sénatoriale qui parle et, qui plus
est (dans une certaine mesure) un parvenu : comme Saint-
Simon, il « en rajoute ». Nous sommes même en mesure,
grâce aux Tables claudiennes de Lyon, qui nous ont conservé
le texte authentique d'un discours de l'empereur Claude,
de le surprendre en train de manipuler ses sources : J. Carcopino [13] a montré qu'il avait eu le texte original sous les yeux,
mais il l'a entièrement refait, *re-written!*

Mais nous ne pouvons pas élaborer notre propre vision
de Tibère, de Claude ou de Néron en nous privant de l'apport
que représente Tacite, et il ne s'agit pas de la documentation
supplémentaire qu'il peut nous procurer, mais, cette fois
encore, de cette intelligibilité, de cette vérité humaine qu'il
introduit, par son effort de pensée, dans son récit. Le dialogue, en quelque sorte, ne s'établit plus en tête à tête entre,
disons, Tibère et l'historien que je suis : Tacite se dresse en
tiers entre nous, figure noble, grave, parfois un peu guindée, et
je l'entends répéter ses formules prestigieuses (... *ruere in
servitium*, ... *ibatur in caedes)* que j'admire, non certes pour
leur seule magie verbale, mais en tant que leur splendeur
est prégnante de vérité : c'est en un tel sens que l'œuvre
historique participe à l'éternité de l'œuvre d'art, « bien
pour toujours, trésor impérissable », *ktèma es aiei*, selon le
mot prophétique de Thucydide.

---

13. *Points de vue sur l'impérialisme romain*, 1934, p. 164-189.

Réponses aux objections
1. La foi historique (1959*)

Dans une chronique rédigée à l'occasion du dernier congrès international de philosophie [1], le rapporteur faisait état de la convergence que lui paraissaient manifester « les travaux récents consacrés à rendre raison de la connaissance historique » et se risquait à exprimer cette conclusion imprudente : « Il n'y a pas, semble-t-il, aujourd'hui, une autre philosophie critique de l'histoire que celle qui se résume dans la formule : l'histoire (*i.e.* la science historique) est inséparable de l'historien. » C'était là, en effet, beaucoup trop s'avancer : tous les esprits ne sont pas encore également disposés à accueillir avec sympathie un tel effort de dépassement de l'objectivisme strict qui avait été celui des théoriciens positivistes; la bibliographie récente en témoigne assez, où nous trouvons tant de refus, exprimés tour à tour avec un étonnement scandalisé [2], un humour ironique [3], une passion allant jusqu'au sarcasme [4], quand ce n'est pas jusqu'à l'invective [5].

* Paru dans *les Études philosophiques*, avril-juin 1959, p. 151-161.
1. Institut international de philosophie, *Philosophy in the Midcentury, a Survey*, Florence, 1958, t. III, p. 178.
2. A. Piganiol, « Qu'est-ce que l'histoire? », *Revue de métaphysique et de morale*, juillet-septembre 1955, p. 225-247.
3. M.-L. Guérard des Lauriers, « A propos de la *Connaissance historique* », *Revue des sciences philosophiques et théologiques*, octobre 1955, p. 569-602.
4. G. Gurvitch, « Continuité et discontinuité en histoire et en sociologie », *Annales, Économies, Sociétés, Civilisations*, janvier-mars 1957, p. 73-84.
5. F. Chatelet, « Non, l'histoire n'est pas insaisissable! », *La Nouvelle*

Il reste beaucoup à faire avant d'atteindre le *consensus* escompté; beaucoup de malentendus à dissiper. On s'étonne, par exemple, de lire, en marge d'un débat sur les rapports de l'histoire et de la sociologie : « On peut noter que même les critiques les plus farouches de l'objectivité en histoire, comme M. R. Aron, admettent que certaines structures peuvent être dégagées et comme lues dans le réel même, avant même qu'il ne soit question de théorie [6]... » : oui, bien sûr, l'historien ne dégagerait pas ces structures s'il ne les apercevait comme imprimées dans le matériel documentaire que lui a légué le Passé, mais pour les y lire, il faut bien qu'il les ait proposées à titre d'hypothèses soumises à vérification, et donc les avoir d'abord formulées au moyen de l'équipement mental qui est le sien; en ce sens, on ne peut récuser la formule, sans doute un peu abrupte, de R. Aron : « La théorie précède l'histoire. »

Partisans comme adversaires, nous avons tous abusé de la polémique, si bien qu'on ne voit plus nettement ce qui se cache d'accord ou de désaccord derrière les affirmations tranchantes et les provocations paradoxales qui se sont tour à tour opposées : on demeure surpris quand, après avoir dénoncé notre philosophie critique comme un enchaînement de naïvetés, de méprises et d'erreurs, le même auteur en arrive à proposer, pour son propre compte, des conclusions qui, si elles ont un sens, expriment une suren-

---

Critique, mai 1955, p. 56-72. Voir aussi du même auteur, et sur un ton plus apaisé : « Le temps de l'histoire et l'évolution de la fonction historienne », *Journal de psychologie normale et pathologique*, juillet-septembre 1956, p. 355-378.

6. P. de Gaudemar, « Événement, structure, histoire : limites du rôle de la pensée formelle dans les sciences de l'homme », *Cahiers de l'Institut de science économique appliquée*, série M, n° 2, *Recherches et dialogues philosophiques et économiques*, décembre 1958, p. 35, n. 1. Je précise que ma critique ne porte que sur la formule citée : je suis par ailleurs d'accord avec l'ensemble du développement où P. de Gaudemar revendique avec raison le droit, pour l'histoire, de prendre rang parmi les sciences humaines et de s'élever au-dessus du niveau de l'expérience immédiate.

chère de la doctrine même qu'il a d'abord combattue : « La vérité historique est la plus idéologique de toutes les vérités scientifiques... Les termes de subjectif et d'objectif ne signifient plus rien de précis depuis le triomphe de la conscience ouverte... La vérité historique n'est pas une vérité subjective, mais une vérité idéologique, relevant d'une connaissance partisane [7]. »

Aux méfaits de la polémique, il faut joindre ceux de la propagande, souvent perfide, de la vulgarisation, volontiers maladroite; sous la plume d'un journaliste, la théorie se résume dans une phrase du type : « L'histoire n'est que la projection dans le passé des options, notamment politiques, prises dans le présent »; on étonnerait sans doute plus d'un de ceux qui en font usage en leur révélant qu'elle ne se rattache à aucun des « nominalistes, idéalistes et spiritualistes » responsables de notre philosophie critique, mais bien à un marxisme abâtardi, celui de l'historien russe M. N. Prokovskij qui, de la fin de 1928 à sa mort en 1932, apparut comme le porte-parole officiel de l'école historique soviétique.

Il faut protester contre l'interprétation sophistique qui s'efforce d'attirer la philosophie critique dans l'orbite du scepticisme : quand elle pose « les limites de l'objectivité historique [8] », celle-ci ne va pas jusqu'à prétendre, comme on le lui fait dire, que « ce que l'homme d'aujourd'hui peut savoir de celui d'hier n'est pas *vrai* [9]; l'interpénétration au sein de la connaissance historique, de la réalité du Passé et de l'apport du sujet connaissant n'implique pas l'identification de cette réalité et de cette connaissance [10].

Pour triompher de tant de calomnies ou de malenten-

7. Gurvitch, *art. cité*, p. 83.
8. On reconnaît le sous-titre de la thèse de R. Aron, *Introduction à la philosophie de l'histoire*, Paris, 1938.
9. Chatelet, *art. cité*, *La Nouvelle Critique*, p. 59.
10. Gurvitch, *art. cité*, p. 76.

dus, il est sans doute nécessaire que la théorie de l'histoire se préoccupe d'élaborer une logique plus approfondie et plus complète, fondée sur une analyse toujours plus précise du comportement de l'historien au travail : c'est là la méthode qui s'impose dans la philosophie des sciences; l'histoire existe — disons depuis Hérodote, Hellanicos de Mytilène et Thucydide — en tant que discipline possédant une méthode progressivement affinée par un long usage, élaborant une connaissance reconnue valable par les techniciens qualifiés, et le problème est d'en analyser la structure. Une logique ne sera jamais assez rigoureuse, mais qu'on se garde ici d'une fausse rigueur : il y a profit à se souvenir de la distinction pascalienne entre l'esprit de géométrie et l'esprit de finesse : pour être scientifiquement élaborée, l'histoire n'est pas une science de type géométrique [11]. « Les géomètres qui ne sont que géomètres » deviennent « faux et insupportables » lorsqu'ils transplantent leurs manières de raisonner dans un domaine où elles ne sont pas applicables. Les esprits de type géométrique ne sont pas les mieux armés pour faire avancer l'analyse du savoir historique parce qu' « étant accoutumés aux principes nets et grossiers de géométrie, et à ne raisonner qu'après avoir bien vu et manié leurs principes, ils se perdent dans les choses de finesse... ».

Au terme d'une longue analyse cherchant à montrer l'interpénétration de l'objet connu et du sujet connaissant au sein de la connaissance historique, j'avais repris, en guise d'illustration, la comparaison, dont s'était déjà servi avant moi un philosophe anglais, entre la science de l'historien et l'art du portraitiste [12]. Un géomètre survient et entreprend de mettre en forme cette « analogie de proportionnalité » : « L'ensemble des portraits d'un individu est

---

11. Les philosophes néo-scolastiques sont les premiers à le reconnaître : voir par exemple J. de Vries, *Critica*, Institutiones philosophiae scholasticae des Jésuites de Pullach, II, Freiburg, 1954, § 238.

12. Voir ci-dessus, p. 223.

à cet individu ce que l'ensemble des vues d'un même " passé humain " par différents historiens est à ce passé humain. » Et il m'objecte : « Est-il donc légitime de " rapprocher " un individu humain dans son apparaître extérieur, objet du portrait, et le " passé humain " objet de l'histoire [13] ? » Où l'on voit que les mathématiciens ne s'intéressent guère aux arts plastiques : « Quelle vanité que la peinture... », s'écriait déjà Pascal, qui avait mal profité sur ce point des leçons du chevalier de Méré. Le véritable honnête homme n'ignore pas lui, que le peintre, quand il s'appelle Holbein, Raphaël, Rigaud, Mignard..., prétend, dans ses portraits, représenter bien autre chose que l' « individu humain dans son apparaître extérieur », mais bien, à travers celui-ci et par le moyen de celui-ci, tout ce qu'il a compris de la réalité humaine de son modèle, envisagé suivant les cas, dans sa psychologie la plus personnelle ou dans son personnage social (les groupes de Régents ou Régentes de Franz Hals sont d'étonnants témoignages sur la bourgeoisie hollandaise du XVIIe siècle). Il y a bien une *analogie* réelle entre le portraitiste et l'historien (ou du moins le biographe) : le parallèle pourrait être poussé très loin : de même qu'à la limite tous les historiens traitant du même objet finissent par s'accorder sur un noyau commun de « faits » matériels, de même les éléments somatiques des divers portraits sont le plus souvent parfaitement superposables : nous connaissons avec une objectivité parfaite l'angle facial, le teint et la taille de Louis XIV — que dis-je, même la longueur (excessive) du nez de Cléopâtre ; c'est quand il s'agit d'exprimer autre chose, par exemple, qu'elle fût « femme de gentil esprit », pleine de « douceur et bonne grâce » (pour parler comme le Plutarque d'Amyot), que les difficultés commencent et que les différentes versions du portrait, comme de l'histoire, risqent de diverger. Pourquoi ? C'est que dans les deux cas, quelles que soient les différences spécifiques dans la nature

13. Guérard des Lauriers, *art. cité*, p. 584.

de l'objet, présent ou passé, et des moyens d'expression, plastiques ou conceptuels, c'est bien le même genre de connaissance qui est en jeu — la connaissance de l'homme par l'homme — et le même mélange inextricable de sujet et d'objet qu'elle implique. Ce qui ne signifie pas qu'à l'intérieur de ce mélange, elle ne soit pas capable de vérité.

Nous avons peut-être eu tort de trop insister sur le rôle de Dilthey et de la tradition issue de lui, « toute la famille trouble de ses fils spirituels [14]», dans le développement de la théorie critique de l'histoire : en fait celle-ci est le résultat de toute une série d'efforts convergents. On doit tenir compte de la série qui part de Hume [15], comme, et j'ai plaisir ici à y insister à nouveau, du rayonnement de la pensée de Bergson [16]. Rien ne serait plus trompeur que d'associer trop intimement notre philosophie critique à une étape particulière du néo-kantisme [17] : l'excellent humaniste, et historien de l'histoire, qu'est Arnaldo Momigliano a fort utilement rappelé [18], renchérissant sur l'érudition d'E. Cas-

14. Pour reprendre l'expression pittoresque de F. Braudel, « Lucien Febvre et l'histoire », *Annales*, avril-juin 1957, p. 181.

15. Comme chez Dilthey ou Max Weber, il ne faut pas séparer, chez Hume, son œuvre d'historien et sa réflexion philosophique sur l'histoire : je m'étonne qu'I. Meyerson (« Le temps, la mémoire et l'histoire », *Journal de psychologie...*, juillet-septembre 1956, p. 344 346) évoque l'*Histoire de l'Angleterre*, sans parler de l'*Essai sur les miracles*.

16. Voir déjà ma note « Bergson et l'histoire » dans les premiers *Mélanges Bergson*, La Baconnière, Neuchâtel, 1941, p. 213-221.

17. « There is perhaps a little too much of Kantianism in Marrou's approach », écrit J. Maritain (*On the Philosophy of History*, New York, 1957, p. 7), et c'est sous sa plume un reproche amical. Mais je ne m'étais référé qu'à un kantisme très exotérique, dont il est permis de penser, avec K. Jaspers (*La Foi philosophique*, trad. fr., Paris, 1953, p. 12), qu'il est intégré à la *philosophia perennis;* cf. les remarques de R. Marlé (*Recherches de science religieuse*, 1958, p. 428 et n. 15) au sujet des critiques que R. Bultmann a formulées à l'égard de ma référence à l'objet « nouménal », dans les additions (p. 134, n. 2; 135, n. 1; 159, n. 1) de l'édition allemande des *Gifford Lectures* de 1955 (*Geschichte und Eschatologie*, Tübingen, 1958).

18. *Contributo alla Storia degli Studi Classici*, Rome, 1955, p. 113 (reproduit de la *Rivista Storica Italiana*, I, 1936).

sirer, que cette logique de l'histoire avait déjà été formulée, quant à l'essentiel, par le classicisme du XVIIᵉ siècle (il y a donc autre chose en elle que les simples expédients d'un capitalisme aux abois auxquels veulent la réduire les marxistes), et très précisément par les jansénistes, répliquant à la fois au pyrrhonisme historique et aux exigences outrées du rationalisme cartésien. On a trop oublié les derniers chapitres de la *Logique de Port-Royal* qui, reprenant une formule célèbre de saint Augustin, distinguent deux voies générales qui conduisent à la connaissance *vraie* : d'un côté le raisonnement et l'expérience, de l'autre la foi, elle-même de deux sortes, divine et humaine; et c'est de cette dernière que relève l'histoire.

« La foi humaine est de soi-même sujette à erreur, écrit à ce propos Ant. Arnauld [19], parce que tout homme est menteur, selon l'Écriture, et qu'il peut se faire que celui qui nous assurera une chose comme véritable, sera lui-même trompé [20] : et néanmoins, ainsi que nous avons déjà marqué ci-dessus, il y a des choses que nous ne connaissons que par une foi humaine, que nous devons tenir pour aussi certaines et aussi indubitables que si nous en avions des démonstrations mathématiques. »

On aimerait renvoyer certains de nos contradicteurs aux Petites-Écoles : la passion polémique leur fait oublier la distinction fondamentale entre foi divine et foi humaine, comme si, quand nous parlons d'une connaissance de foi à propos de l'histoire, c'était de la foi religieuse, de la foi surnaturelle qu'il fallait l'entendre. Sans doute, il n'est pas ridicule ni inutile de rapprocher l'une et l'autre : le christianisme en particulier, religion historique, a été amené

---

19. *La Logique ou l'Art de penser*, IV, XII, éd. P. Clair, F. Girbal, 1965, p. 336 : c'est bien à Arnauld, semble-t-il, plutôt qu'à Nicole, qu'il faut attribuer ces pages.

20. Et c'est pourquoi l'historien devra, en un sens, toujours « se méfier » (cf. Piganiol, *art. cité*, p. 227) : une théorie de la connaissance historique fondée sur la notion de croyance n'implique pas la crédulité.

à réfléchir sur la notion de foi, ses nuances (la langue
chrétienne a distingué *credere Deum, credere Deo, credere
in Deum* [21]), ses étapes (crédibilité, crédendité, croyance)
et la logique de l'histoire peut profiter de ces analyses,
La réciproque est vraie d'ailleurs : il ne faut pas se satisfaire trop vite, à propos de la foi chrétienne, de formules
tranchantes : connaissance « absolue, parfaite, irréfutable [22] »,
économie « parfaitement satisfaisante en raison de la qualité du Témoin [23] », parce que « Dieu ne peut ni nous
tromper, ni être trompé [24] » : seul un dieu (si un pareil mot
pouvait avoir ici un sens autre que blasphématoire) pourrait être sûr d'avoir compris le sens de la Parole de Dieu,
car si Dieu nous a parlé, il l'a fait dans une langue humaine,
par le truchement d'instruments humains sur lesquels nous
pouvons nous tromper : le traité de la foi suppose élaboré
celui de l'Église, du magistère, des lieux théologiques, etc.
Quoi qu'il en soit, la distinction demeure et la notion de
foi humaine a sa place à l'intérieur de la théorie de la
connaissance, notamment historique, et cela indépendam-
ment de toute référence à la foi religieuse.

C'est le mérite des logiciens de Port-Royal d'avoir su
récupérer cette notion dans l'enseignement de saint Augustin (et celui d'Arn. Momigliano de nous l'avoir rappelé :
il est toujours utile d'arracher les modernes que nous sommes
à la barbarie et à la douce illusion de redécouvrir l'Amérique). Ils ont bien montré, d'abord, que la connaissance
de foi n'est pas un acte irrationnel : *credere non possemus,
nisi rationales animas haberemus* [25]. La foi, confiance et

    21. C. Mohrmann, « Credere in Deum », ap. *Études sur le latin des
Chrétiens*, Rome, 1958, p. 195-203 (repr. des *Mélanges J. de Ghellinck*,
I, 1951).
    22. Piganiol, p. 229.
    23. Guérard des Lauriers, p. 595.
    24. *Logique de Port-Royal*, IV, XII, même page (faisant écho au caté-
chisme romain).
    25. Saint Augustin, *Ep.* 122, 1 (3), à laquelle se réfère explicitement
la *Logique de Port-Royal*, p. citée.

croyance, procède d'une démarche rationnelle qui la précède, la légitime (non sans degrés, nuances, hésitations, incertitudes) : « Pour juger de la vérité d'un événement, et me déterminer à le croire ou à ne pas le croire, il ne faut pas le considérer nûment et en lui-même, comme on ferait une proposition de géométrie; mais il faut prendre garde à toutes les circonstances qui l'accompagnent, tant intérieures qu'extérieures. J'appelle circonstances intérieures celles qui appartiennent au fait même, et extérieures celles qui regardent les personnes par le témoignage desquelles nous sommes portés à le croire [26]... » Si, logiquement, la connaissance historique repose en dernière analyse sur un acte de foi, elle est une connaissance vraie dans la mesure où l'historien a réussi à fonder rationnellement celui-ci : l'histoire est vraie dans la mesure où l'historien possède des raisons valables d'accorder sa confiance à (ce qu'il a compris de) ce que les documents lui révèlent du Passé [27].

Il convient d'insister sur ce caractère rationnel du travail de l'historien : j'ai été heureux de constater que les philosophes qui m'avaient écouté, lorsque j'analysais le mécanisme de l'élaboration de l'histoire, ont souligné que le schéma rationnel de ce comportement se retrouvait, rigoureusement identique, dans n'importe quel type de savoir humain [28] : l'histoire est bien une connaissance scientifique, spécifiée par son objet propre — le passé humain — et sa technique méthodologique (heuristique, critique, interprétation), elle-même fonction de cet objet : la raison humaine s'adapte aux diverses missions qui lui sont confiées, mais c'est toujours la même raison qui s'exerce et dont nous observons le travail.

26. Même *Logique*, IV, xiii, p. 340. Comme le fera de son côté à trois siècles de distance A. Piganiol (*art. cité*, p. 227); c'est au dossier, de la légende constantinienne qu'Arnauld emprunte un exemple de problème critique : IV, xiii, p. 340-341.

27. *Supra*, p. 128 et 224.

28. B. Brunello, « Sulla conoscenza storica », ap. *Convivium*, Bologne, 1958, p. 84; Guérard des Lauriers, p. 576-577.

J'entends bien que le philosophe ne s'estime pas si vite satisfait : s'il lui est difficile de contester que l'histoire appartienne à l'un « des types de savoir dont la modalité est le probable », qu'elle soit « une connaissance du type croyance »[29], il me demandera : « Mais quel est au juste l'objet formel de cette foi historique? A quoi se rapportent les *praeambula* qui précèdent cette foi[30]? » Je répondrai : à l'ensemble des procédés opératoires par lesquels nous nous efforçons d'atteindre le Passé, de découvrir et de comprendre ses traces. Je ne crois pas en effet qu'il soit de bonne méthode de distinguer au point de les opposer croyance (et donc jugement rationnel de crédibilité) au document, croyance et crédibilité relatives à l'historien lui-même. Philosophes (et théologiens)[31] me paraissent trop prompts à conférer le statut de « science » aux techniques de critique et d'identification des documents; il s'agit là d'un ensemble de procédés opératoires mis au point par les traditions d'atelier, mais dont la validité d'application n'est pas séparable d'une intervention, de caractère plus général, de l'esprit de l'historien. Je m'étais attardé à donner un exemple de ce comportement critique, à propos d'une inscription latine, en montrant comment l'analyse paléographique, diplomatique et archéologique du document permettait à l'épigraphiste de conclure avec certitude qu'il y avait là un texte intéressant l'histoire de la religion gallo-romaine et non, comme on l'avait cru au XVIe siècle, le culte des Saintes-Maries-de-la-Mer[32]. Le point essentiel de l'analyse, que certains paraissent avoir laissé échapper, est que cette conclusion est vraie, d'une certitude morale dont la probabilité est pratiquement infinie, en vertu d'un acte de foi initial (qui seul a *ensuite* permis le recours aux méthodes éprou-

29. Guérard des Lauriers, p. 598, 594.
30. *Ibid.*, p. 595.
31. Voir par exemple S. Harent, ap. *Dictionnaire de théologie catholique*, s. v. *Foi*, col. 446 : « Nous reconnaissons d'ailleurs comme science la *critique* historique... »
32. Voir plus haut, p. 108-111.

vées de l'épigraphie classique) par lequel j'ai décidé d'accepter ce texte pour sa valeur faciale, obvie (une dédicace aux *Iunones Augustae*) et non d'y voir, comme notre informateur du XVIe siècle, un cryptogramme rédigé par des chrétiens du Ier siècle « le plus obscurément qu'ils purent », acte de foi fondé sur un *praeambulum* rationnel : pour qu'un cryptogramme puisse être un jour déchiffré, il faut au moins qu'il soit possible de percevoir qu'il est un cryptogramme.

L'erreur de nombreuses critiques, erreur bien des fois dénoncée par L. Febvre, est d'imaginer que le travail historique se résume en deux actes : *I.* établir les faits; *II.* les mettre en œuvre [33] — la première opération, comportant, pense-t-on, plus de sécurité, d'objectivité, de vérité, que la seconde. On ne peut se contenter d'enjoindre à l'historien de « partir des faits », comme si, dans nos archives, nos bibliothèques et nos musées, nous attendait une masse de documents tout prêts qui, après un traitement « scientifique » approprié (critique externe et interne, interprétation, etc.», pourraient être « exorcisés du présent de l'historien [34] » et nous livreraient des « faits », du passé (à la limite) à l'état pur, entre lesquels, ensuite, il s'agirait d'établir des relations.

Mais non, le document lui-même n'existe pas, antérieurement à l'intervention de la curiosité de l'historien : c'est ce qu'a exprimé, à sa manière paradoxale, R. C. Collingwood, par la formule « *Everything in the world is potential evidence for any subject whatever* [35] » et qu'ont bien compris nos conservateurs de musées, bibliothèques et archives qui s'efforcent de sauver tout ce qui a pu subsister

---

33. L. Febvre, *Combats pour l'histoire*, Paris, 1953, p. 6-7 (Leçon d'ouverture au Collège de France, 1933); 430-431 (rep. de la *Revue de métaphysique et de morale*, 1949).

34. Je reprends ici encore des formules de Guérard des Lauriers, *art. cité*, p. 590, 595.

35. *The Idea of History*, Oxford, 1946, p. 280 (mais voir le commentaire nuancé que j'en ai proposé plus haut, p. 78).

du passé, sans oser poser de limites à l'usage qu'en saurait faire l'histoire à venir. Heureux sommes-nous qu'ils aient par exemple conservé ces archives notariales, ces registres paroissiaux, longtemps abandonnés sous la poussière, inutilisés, inutilisables — jusqu'au moment où des historiens préoccupés de problèmes économiques et sociaux se sont avisés de la possibilité et des moyens de les exploiter avec profit.

Car la science historique ne progresse pas seulement, ni principalement, par accumulation (un nombre toujours plus grand de dossiers du même type dépouillés en fonction du même questionnaire) : elle connaît aussi des révolutions et fait un bond en avant lorsqu'une autre école historique surgit, animée d'un autre esprit et par suite amenée à poser au Passé des questions nouvelles, ce qui conduit à exploiter de tout autre façon les documents en notre possession, ou à rechercher et à promouvoir à la dignité de documents historiques une catégorie de vestiges jusque-là négligés; qui, avant le développement récent de l'histoire des régimes agraires, songeait à interroger les plans parcellaires, la forme même des champs, tels qu'ils nous apparaissent dans le paysage rural, pour y retrouver le système de propriété ou d'exploitation qui les a modelés?

On pourrait symboliser le déroulement du travail historique par une courbe du type de la parabole, l'appui sur les « faits » intervenant au milieu du processus, correspondant au sommet de la courbe, qui comprend deux branches (et non, comme on affecte encore trop souvent de l'admettre, une seule) : une première qui prend son point de départ dans les profondeurs de l'esprit de l'historien (sa mentalité, sa culture, son enracinement social...), s'approche peu à peu du « réel » en formulant une problématique, qui conduit à l'élaboration d'une heuristique; nous voici au contact des documents : critique, interprétation, il y a là tout un processus opératoire qui est logiquement fort analogue à celui dont font usage les sciences expérimentales :

l'historien est amené à poser une question précise à un document sélectionné (c'est l'équivalent de l'expérimentation); l'hypothèse une fois vérifiée (non sans avoir été bien des fois retouchée), on aboutit à établir un « fait ». Celui-ci n'est pas un donné initial, mais le résultat de tout ce travail d'élaboration, qui constitue la première partie du travail; inutile de décrire la seconde : pas plus qu'un point de départ, le « fait » ne constitue le point d'arrivée; après l'avoir établi, il faut l'interpréter, l'expliquer en l'insérant dans des chaînes causales, des ensembles, des structures, des synthèses de plus en plus vastes qui nous ramènent par degrés dans les mêmes régions profondes de l'esprit d'où nous étions partis.

J'ai employé le terme reçu de « fait historique » malgré son ambiguïté : il importe de ne pas s'en faire une image en quelque sorte atomistique, comme si l'histoire se composait au moyen d'une multiplicité de petits noyaux durs de réalité factuelle. Cela n'est vrai que de la vieille histoire, surtout politique, très proche encore de la chronique, que l'école des *Annales* désigne, avec quelque dédain, par le terme d' « histoire historisante », d'autres disent « événementielle », celle qui s'occupe de questions du type : « Quand, où et comment est mort Hugues Capet? ». Sans doute l'histoire est une connaissance du concret, voire du singulier, à la condition de bien entendre que le singulier qu'elle étudie peut être lui-même un fait global, embrassant un vaste secteur d'humanité, d'hommes ayant vécu chacun leur vie personnelle, ou d'idées, de valeurs, de créations culturelles; la notion d'événement historique peut s'appliquer à un phénomène de longue durée [36]; l'objet historique peut être non seulement une bataille, une guerre, une dynastie, mais ces événements aussi que sont une crise économique, un mouvement démographique, une classe sociale,

---

36. Genre de phénomène que F. Braudel, au nom de l'histoire, refuse avec raison d'abandonner : « Histoire et sciences sociales. La longue durée », *Annales*, octobre-décembre 1958, p. 725-753.

un régime — ou, dans le domaine artistique, un style —,
une religion, un système d'organisation générale de la société,
une civilisation, par exemple, la Cité antique, la Féodalité,
le Baroque, l'Islam, le Capitalisme...

Dans sa thèse [37], J. Schneider a étudié le développement
d'une classe sociale originale, le patriciat messin; il s'appuie,
entre autres, sur un dossier, très minutieusement constitué,
critiqué, interprété, exploité, de quelque deux cents actes
concernant des opérations financières, en particulier immo-
bilières, effectuées par des bourgeois de Metz entre 1219 et
1324. Il serait faux d'imaginer que ces « faits » élémentaires
soient plus concrets, plus réels, plus historiques que le phénomène d'ensemble — la transformation d'une oligarchie
urbaine en aristocratie terrienne. Mais, de façon plus évidente
encore que dans le cas des petits faits individuels, le rôle
des procédés opératoires mis en œuvre par l'historien
apparaît déterminant dans la constitution de ces « faits »
de caractère global. Rien de plus instructif, par exemple,
que d'assister aux débats passionnés qui mettent aux prises
démographes et historiens à propos des conditions d'application au passé des méthodes statistiques utilisées pour
l'étude des sociétés contemporaines [38]. Soit par exemple le
problème des variations de la mortalité dans telle région
rurale de la France du XVIIe ou du XVIIIe siècle; nous disposons pour cette étude de documents précieux : les registres
paroissiaux, mais, à les prendre tels qu'ils sont, ils ne reflè-
tent qu'une accumulation de « faits » élémentaires (baptême
ou sépulture de tel et tel paroissien); la discussion et les problèmes de critique ou d'interprétation ne se placent pratiquement pas à ce niveau de réalité, car le problème proprement historique de la mortalité et de ses variations

---

37. Citée plus haut, p. 62.
38. Voir par exemple R. Baehrel, « Statistique et démographie
historique. La mortalité sous l'Ancien Régime », *Annales*, janvier-
mars 1957, p. 85-98, et la polémique entre l'auteur et L. Henry, *ibid.*,
octobre-décembre 1957, p. 628-638.

(à la suite, par exemple, d'une guerre, d'une épidémie, d'une crise des subsistances) ne commence à apparaître qu'à partir du moment où l'emploi d'un procédé statistique permettra de définir avec précision, et par suite d'appréhender, ce fait global. Mais quelle est la méthode légitime? Faut-il calculer l'âge moyen du décès, le taux de mortalité générale, que sais-je encore? Ni ceci ni cela, mais plutôt le rapport du nombre des sépultures à celui des baptêmes, ou mieux, des conceptions, comme le propose J. Meuvret, appuyé sur une expérience de plus de trente ans de labeur... C'est là le problème, et de sa solution dépendra la vérité de l'histoire démographique ultérieurement élaborée.

Les analyses qui précèdent permettront, je l'espère, au lecteur de saisir en quel sens l'historien « personnaliste » estime pouvoir répondre à la question que lui posait le philosophe : « Quel critère vous donnons-nous, et quel critère avez-vous vous-même de votre propre acte de foi [39]? » Il n'y a pas un critère unique, car l'élaboration de la vérité historique est le fruit d'un processus complexe (celui que j'ai cherché à symboliser par l'image d'une parabole), qui plonge ses racines — à l'arrivée et déjà au départ — dans ce qu'il y a de plus profond au sein de la pensée de l'historien, sa *Lebens- und Weltanschauung*, sa philosophie générale; sa validité dépend de celle de chacune des opérations effectuées au cours de ce processus — et pas seulement de la phase médiane d'expérimentation au contact des documents. Il resterait, mais cela nous entraînerait bien au-delà des limites d'une simple note, à préciser comment peut s'effectuer pratiquement la vérification de cette validité, aux yeux de l'historien lui-même d'abord, puis de ses confrères et pairs, et enfin de son public : cela conduirait à reprendre l'analyse de ce que j'avais proposé d'appeler la « psychanalyse existentielle » de l'historien [40] (l'étiquette, choisie pour

39. Guérard des Lauriers, p. 597.
40 *Supra*, p. 232.

son pittoresque, étant bien entendu, à prendre *cum grano salis*).

[Parlons sans métaphore : je ne suis ni le premier, ni le seul aujourd'hui, à recommander à l'historien un tel effort d'analyse et d'explicitation. Déjà Seignobos écrivait : « ... la conscience nette que j'ai de mes préférences personnelles pour un régime libéral, laïque, démocratique et occidental me garantit, je pense, de me laisser entraîner à décrire inexactement ou à négliger les phénomènes que je sais m'être antipathiques. Si je me suis trompé, le lecteur est averti du sens dans lequel il est possible que j'aie penché [41]. »

Il y avait là quelque naïveté : encore une fois, le problème n'est pas, pour l'historien, de tromper ou de se tromper, mais d'être capable de comprendre — et, pour son critique ou son public, de mesurer l'étendue, les limites, les caractères de cette compréhension; mais voici qui va beaucoup plus loin :

« Parce que " l'historien est dans l'histoire ", il est bon que toute œuvre d'historien soit dès l'abord placée, par son auteur même, dans l'éclairage exact qu'il attribue personnellement soit à sa méthode de réflexion, soit aux circonstances de sa recherche.

« Cet " avertissement " n'est pas seulement loyauté envers le lecteur, envers le critique. C'est devoir envers une méthode historique en création continue, querelle toujours ranimée où chaque tentative fournit témoignage.

« Le témoignage fût-il négatif, la tentative avortée, qu'il resterait encore utile de pouvoir confronter le résultat obtenu au résultat espéré, cherché. Il n'est de tout à fait infructueux que l'enquête sans but, l'effort sans méthode. L'excès d'inquiétude méthodologique dans la recherche sera toujours préférable à l'absence d'inquiétude. »

C'est un historien qui parle ainsi, un historien marxiste

41. Ch. Seignobos, *Histoire politique de l'Europe contemporaine*, Paris, 1897 [2], 1924, p. XI.

au surplus, Pierre Vilar, et c'est par ces lignes que s'ouvre
la préface de sa thèse monumentale sur la Catalogne [42];
s'ensuivent vingt-huit pages d'analyse où l'auteur cherche
à nous communiquer les étapes parcourues pendant les
quelque trente années qu'a duré l'élaboration de son grand
œuvre, le développement de sa propre culture, le progrès de
sa réflexion, les influences doctrinales qui l'ont modelée —
l'interférence aussi de son histoire personnelle avec la
grande histoire (la guerre civile d'Espagne, la campagne
de 1939-1940, les loisirs forcés d'une longue captivité,
etc.) —, comment enfin il a été amené à définir son sujet
et les principes méthodologiques qui l'ont animé [43]. Je ne
crois pas pouvoir invoquer un meilleur exemple de la mise
en pratique de la théorie que nous avions cherché à résumer
d'un mot [44].]

42. P. Vilar, *La Catalogne dans l'Espagne moderne. Recherches sur
les fondements économiques des structures nationales*, Paris, 1962, 3 vol.
43. Voir déjà mon analyse dans « L'introduction à la philosophie
de l'histoire, le point de vue d'un historien », *Science et Conscience
de la Société*, *Mélanges en l'honneur de Raymond Aron*, Paris, 1971,
p. 44-45.
44. Le texte entre crochets est une addition de la 6e édition (1973)

2. Histoire, vérité et valeurs (1975*)

A l'heure où nous sommes, deux courants de pensée contradictoires se disputent l'esprit des hommes de ce temps. D'une part, nous assistons — ce qui, il y a une génération, eût paru improbable — à un renouveau du scientisme : les succès spectaculaires remportés par la science et la technique privilégient l'esprit « scientifique »; tout type de connaissance aspire à s'élever au stade de la « scientificité » (l'apparition de ce néologisme est à soi seul bien significatif); comme au temps de Marcelin Berthelot, des biologistes se présentent comme maîtres à penser et offrent à nos contemporains leur conception du monde et de la vie[1]. Mais en même temps, d'autre part, cette même science se voit mise en question, non pas, comme au temps où Brunetière invoquait une prétendue « faillite de la science », par une critique de type réactionnaire, mais bien par d'authentiques savants — des mathématiciens aux ethnologues —, hommes de gauche, voire gauchistes, inquiets des applications (par exemple militaires) qu'on fait de leurs découvertes; de proche en proche, le « soupçon » — un autre maître-mot de notre temps — s'étend au savoir lui-même dont on dénonce les servitudes, l'orientation, la portée.

Ces deux courants contrastés se retrouvent dans les débats

* Article des *Cahiers d'histoire*, numéro spécial pour le 20ᵉ anniversaire de la revue, 1976.
1. Qu'on pense à l'accueil fait par le plus large public à un livre comme *le Hasard et la Nécessité* de Jacques Monod (Éd. du Seuil, 1970).

actuels concernant l'épistémologie de l'histoire. Le « soupçon » s'étend sur elle comme sur toutes les formes présentes
du savoir. De l'axiome fondamental de cette philosophie
critique de l'histoire sur laquelle nous vivons depuis quarante
ans — l'histoire est inséparable de l'historien —, « la mode
philosophique » n'hésite pas à tirer « des conséquences
délirantes [2] ». Nous disions que l'historien parvient à atteindre, de la réalité inépuisable du passé, la partie ou les aspects
qu'il lui est possible d'appréhender vu la situation qui lui
est faite, de par son insertion dans une civilisation et une
société données et compte tenu de son équation personnelle;
on insistera au contraire de préférence aujourd'hui sur le
fait que ce « lieu » d'où fonctionne l'historien « lui *permet*
seulement un type de productions et lui en *interdit* d'autres [3];
on nous invite avec insistance à découvrir, derrière le « statut d'une science » — l'histoire, la situation sociale — de
l'historien — qui en est le *non-dit* [4], l'inavoué, substituant
ainsi à la notion hellénique d'erreur celle, sémitique, de mensonge.

« Faire de l'histoire, c'est une pratique [5] » qui aboutit à
la production d'un discours [6], l'opération finale, « l'écriture »
elle-même responsable de distorsion, d'inversion, de trahi-
son et de ruses supplémentaires [7]. Rien de plus curieux que
de voir Roland Barthes s'amuser [8] à poser la question : « la

2. J'emprunte cette formule cinglante à Raymond Aron, « Comment
l'historien écrit l'épistémologie, à propos du livre de Paul Veyne »
(*Comment on écrit l'histoire*, Éd. du Seuil, 1971), *Annales ESC*, 1971,
p. 1332.
3. M. de Certeau, « L'opération historiographique », *L'Écriture de
l'histoire*, Paris, Gallimard 1975, p. 78. Je renvoie de façon générale le
lecteur aux études rassemblées dans ce volume où l'auteur, avec une
virtuosité éblouissante, développe de façon exemplaire la tendance que
nous évoquons ici en quelques mots, nécessairement bien insuffisants.
4. *Ibid.*, p. 71.
5. *Ibid.*, p. 79.
6. Toujours, M. de Certeau, « Faire de l'histoire », *op. cit.*, p. 27 *sq.*
7. *Op. cit.*, « L'opération historiographique », p. 101-120.
8. J'emploie le mot à dessein : R. Barthes est un esprit trop fin pour
prendre tout à fait au sérieux ces exercices dialectiques, véritables

narration des événements passés diffère-t-elle vraiment,
par quelque trait spécifique, par une pertinence indubitable,
de la narration imaginaire, telle qu'on peut la trouver dans
l'épopée, le roman, le drame [9]? » Et bien entendu toute la
subtilité d'une longue analyse, maintenue sur le seul plan
de la rhétorique, ne parvient pas à rendre compte de ce que
cherche à atteindre l'effort de l'historien et que Barthes
désigne ironiquement comme « l'effet de réel ».

Pareillement, aussi longtemps qu'on se limite à analyser
la « praxis » de l'historien, les conditions de la « production »
de l'histoire, on ne réussit pas davantage à rendre compte de
sa « référence au réel », du « rapport au réel » qui devient
« un *rapport* entre les termes d'une opération [10] ». Il est un
mot que nos auteurs évitent soigneusement ou ne consentent
à employer qu'avec d'infinies précautions [11], celui de *vérité*.
Je continue à penser qu'aucune épistémologie ne saurait
s'en passer : la recherche scientifique ne peut trouver sa
justification — tant sur le plan théorique que sur le plan
humain — si on fait abstraction de sa finalité fondamentale,
la recherche de la vérité. Qu'en histoire celle-ci soit toujours
partielle, fragmentaire, soumise à d'impérieux conditionnements, n'empêche pas que, comme toute autre connaissance
scientifique, elle atteigne son but — une connaissance *vraie*
de la réalité passée.

Mais il nous faut combattre sur deux fronts : tandis que

« expériences pour voir » — aussi pleinement au sérieux que certains de
ses disciples ! Cf. *Roland Barthes par Roland Barthes*, Paris, Éd. du Seuil,
coll. « Écrivains de toujours », 1975.

9. R. Barthes, « Le discours de l'histoire », *Social Science Information*,
64, 1967, p. 65-75 ; l'auteur est revenu plusieurs fois sur le sujet, sans —
me semble-t-il — faire beaucoup progresser la question : « L'effet de
réel, *Communications*, nº 11, 1968, p. 84-90, « L'écriture de l'événement », *Communications*, nº 12, 1968, p. 108-113.

10. M. de Certeau, *L'Écriture de l'histoire*, p. 94 et plus haut p. 29,
40, 56, 57.

11. M. de Certeau n'écrit le plus souvent *vérité* qu'en italique ou
entre guillemets : *ibid.*, p. 64, 65, 110, 134, 317...

l'intelligentsia parisienne — lecteurs de Lévi-Strauss,
Roland Barthes, Michel Foucauld, etc. — s'abandonne avec
complaisance à ces jeux sophistiqués, les historiens de métier,
eux, sont davantage séduits par les sirènes du néo-scientisme.
Toujours impatients à l'égard des problèmes proprement
philosophiques, ils auraient tendance à écarter comme margi-
nal, sinon dépassé, celui des rapports entre objectivité et
subjectivité : « ... de grâce, ne grossissons pas outre mesure
le rôle de l'Historien [12] ! » Après tout, le mouvement se
démontre en marchant; or, comment ne pas être sensible
à la transformation profonde des méthodes de l'histoire
et aux progrès inattendus réalisés par celle-ci au cours des
dernières années? Une brève énumération suffira : l'application, de plus en plus généralisée, à la recherche historique
des techniques raffinées de statistique, mises au point et
mises en œuvre d'autre part en sociologie; le recours à
l'informatique — ce que je me suis permis d'appeler « la
ruée vers l'ordinateur [13] »; de façon générale l'intérêt croissant porté à tout ce qui, en histoire, est susceptible de quan-
tification... D'autre part, le choix, comme cadre de recherche, non plus de l'événement en quelque sorte ponctuel
(la bataille de Marathon, ou de Waterloo, l'action d'un
homme, César ou Bismarck), mais d'un phénomène de vaste
ampleur, ce que F. Braudel aime à appeler « la longue
durée », l'histoire des conjonctures, des cycles, des grands
mouvements d'ordre démographique, économique, culturel,
conduit l'historien d'aujourd'hui à privilégier le général par
rapport au particulier, l'uniforme (ou ce qui change lentement) à l'accident, l'analyse à la narration.

Cette orientation, de plus en plus marquée depuis une génération — notre collègue d'Oxford, Geoffrey Barraclough,

---

12. F. Braudel, m'interpellant, « Histoire et sociologie », *Écrits sur
l'histoire*, Paris, Flammarion, 1969 (repris de l'Introduction du *Traité
de sociologie* de G. Gurvitch), p. 101.
13. H.-I. Marrou, « L'épistémologie de l'histoire en France aujour-
d'hui », *Denken über Geschichte*, Wien, 1974, p. 106.

daterait volontiers avec précision de 1955 le tournant [14] —
cette nouvelle histoire quantitative, mathématisante, a fait
renaître, et jusque dans leur expression consacrée, les rêves
de la grande époque positiviste au tournant du XIXe et du
XXe siècle —, l'espoir d'atteindre « à une plus grande objectivité », au triomphe d'une histoire non plus « préscienti-
fique », mais enfin authentiquement « scientifique ». Il n'est
pas question de nier la fécondité de ces nouvelles méthodes
de recherche; on permettra cependant à l'observateur d'attirer l'attention sur deux points.

Il ne suffit pas d'écarter un problème pour qu'il soit
résolu : loin de se voir éliminé, le rôle actif de l'historien
apparaît de plus en plus évident avec le développement de
cette histoire « quantitative » ou « sérielle » (ne faisons pas
le détail) : comment ne pas souligner la part d'élaboration,
de construction, d'invention même qui entre dans sa démarche, surtout à partir du moment où il utilise les données
numériques de ses sources, ou mieux encore des données non
structurellement numériques mais qu'il utilise de façon
quantitative en établissant des « séries » — pour trouver
une réponse à des questions tout à fait étrangères à ce qui
était la raison première de leur établissement — ainsi,
lorsqu'on utilise des archives paroissiales ou notariales pour
les interroger sur le comportement sexuel ou l'attitude religieuse d'une société ancienne.

Je ne suis ni le seul ni le premier à rappeler ce fait majeur :
après F. Braudel lui-même [15], François Furet, dans un
mémoire d'une rare rigueur, a rappelé à « l'historien d'au-

14. Dans son rapport sur l'histoire qui constitue le chapitre III de
Main Trends of Research in the Social and Human Sciences, 2nd. Part,
Anthropological and Historical Sciences, édité par l'UNESCO. Au
moment où j'écris, ce volume n'a pas encore paru et j'ai utilisé le manuscrit de la « Final Version » qui a été courtoisement mis à ma disposition
par l'auteur et les autorités de l'UNESCO.
15. F. Braudel *Écrits sur l'histoire*, p. 135-139 (repris des *Annales*,
1963), sur H. et P. Chaunu, *Séville et l'Atlantique*, Paris, SEVPEN,
1955-1959.

jourd'hui (qu') il se trouve obligé de renoncer à la naïveté méthodologique ». L'ordinateur ne peut tout faire et suppose tout un travail préalable : « Le codage des données suppose leur définition; leur définition implique un certain nombre de choix et d'hypothèses... Ainsi tombe définitivement le masque d'une objectivité historique qui se trouverait cachée dans les " faits " et découverte en même temps qu'eux [16]. » On ne saurait mieux dire et peut-on voir dans notre « philosophique critique de l'histoire » — comme le voudrait G. Barraclough — un arrière-faix de l'idéalisme allemand et plus précisément du néo-kantisme de l'École badoise (Windelband, Rickert, etc.)?

Fr. Furet touche en passant à notre second point : « l'histoire sérielle, parce qu'elle privilégie le long terme et l'équilibre d'un système, me paraît donner une sorte de prime à la conservation [17] » — au changement à long terme au détriment des mutations, à l'évolution sur les révolutions. L'heure est peut-être venue d'une réhabilitation de l'événement comme « inscription, irruption, déchirure, crevaison, scission », et spécialement de l'événement politique (qu'on pense aux « journées » révolutionnaires de 1789-1792 ou d'octobre 1917). Une réaction a commencé à s'exprimer en ce sens [18]; qu'elle soit au départ motivée par des préoccupations politiques n'ôte rien de sa pertinence et de sa fécondité.

Revenons à l'essentiel du débat : G. Barraclough a raison de souligner que « l'attitude des historiens a été profondément influencée par l'esprit scientifique qui domine le monde moderne », mais le scientisme et son dogmatisme

16. Fr. Furet, « Le quantitatif en histoire » (repris des *Annales* 1971), *in* J. Le Goff et P. Nora, *Faire de l'histoire*, Paris, Gallimard, 1974), t. I, p. 53.

17. *Ibid.*, p. 46.

18. A. Casanova et F. Hincker, Introduction à *Aujourd'hui l'histoire*, Paris, Éd. Sociales, 1974, p. 26-27 (qui renvoie à la littérature antérieure), et surtout : Bl. Barret-Kriegel, « Histoire et politique, ou l'histoire des effets », *Annales*, 1973, p. 1437-1462.

intrépide se font menaçants lorsque le même rapporteur, faisant un pas de plus, assure que « les progrès révolutionnaires » qu'enregistre actuellement l'histoire sont dus « à l'impact sur une nouvelle génération d'historiens d'une vision scientifique de l'univers dont l'espèce *homo sapiens* — l'objet (peut-être à tort?) de 99 % de la production historique — n'est qu'une partie ». La dichotomie entre l'humanité et l'univers physique ne serait qu'une vue dépassée et « les raisons de traiter de l'histoire de l'espèce humaine comme qualitativement différente de l'histoire de toute autre espèce — un poisson par exemple — sont bien suspectes d'anthropomorphisme [19] ».

Certes, ici encore, ne soyons pas dupes de la formule provocatrice et acceptons de faire la part qui convient à l'humour britannique, mais rien n'est plus expressif qu'une caricature : comment ne pas protester contre cet alignement de l'histoire sur l'évolution biologique? Mais oui, l'histoire s'occupe en priorité de l'homme et de ses activités propres parce qu'elle est écrite par des hommes pour des hommes et non — par exemple — pour des poissons.

L'auteur continue : « on peut se demander — faisant abstraction des préjugés humains — si le rôle de l'homme dans l'histoire du monde a été finalement aussi importante que celui de bien d'autres animaux, comme les poux et les rats [20] ». Sans doute, il n'est pas question d'isoler l'histoire humaine de son insertion dans le milieu biologique : le myxovirus A de la grippe espagnole a fait, en 1918, plus de victimes que la guerre de tranchées; il reste que, n'étant ni un rat ni un pou, mais ce mammifère curieusement évolué

---

19. J'emprunte cette citation et la suivante aux dernières pages du rapport de G. Barraclough, « Some concluding Observations ».

20. L'auteur se réfère ici à Zinsser, *Rats, Lice and History* (1935) et ajoute en note : « L'historien volant à l'altitude maintenant normale de 30 000 pieds et observant d'avion les misérables écorchures dues à l'homme sur la surface de la Terre peut quelquefois en arriver à se demander si l'action de l'homme sur l'environnement physique est de quelque façon comparable à celle des polypes anthozoaires ».

qu'est l'*homo sapiens*, le comportement de celui-ci dans la durée et spécialement au cours des derniers millénaires, m'importe au premier chef.

Si, tout à l'heure, nous revendiquions pour l'histoire comme science le droit à la vérité, il nous faut dénoncer le péril que représente l'effacement de la notion de *valeurs* [21]. Je continue à penser qu'une des fonctions essentielles de l'histoire est la récupération des valeurs du passé au profit de la culture vivante d'aujourd'hui. Je m'étonne du superbe dédain que manifestent les néo-scientistes à l'égard de l'histoire des idées, de la culture, de l'esprit; il y a là, pourtant, un chantier toujours actif dans la recherche actuelle : à un siècle de distance, la grande thèse d'André Chastel, *Art et Humanisme à Florence...* (1959), est venue relayer l'œuvre classique de Jakob Burckhardt sur *la Civilisation de la Renaissance en Italie* (1860). Je voudrais ici présenter quelques considérations ou précisions supplémentaires aux pages trop brèves qu'a consacrées Paul Veyne à ce qu'il appelle, avec le traducteur de Max Weber, « l'histoire axiologique [22] ». Je ne me séparerai de lui qu'en refusant cette épithète barbare, reçue sans doute dans le jargon des philosophes (au sens très général de « qui a rapport aux valeurs »), mais qui répugne à l'humaniste (le grec connaît l'adjectif *axiologos* — je le relève en bonne place chez nos grands ancêtres Hérodote et Thucydide, — « digne de considération, d'être rapporté, mémorable », notion, on le verra, que la théorie de l'histoire doit utiliser).

Il y a, P. Veyne le souligne fort justement, deux manières non historiques, non scientifiques de traiter ce que R. Aron appelle « les *œuvres*, philosophie, science, art, dans lesquelles

---

21. Cf. *supra*, p. 241-246.
22. P. Veyne, *Comment on écrit l'histoire*, Paris, Éd. du Seuil, 1971, p. 84-88, auxquelles renvoient les citations qui vont suivre. L'expression « histoire axiologique » lui vient de J. Freund, traducteur de Max Weber, *Essais sur la théorie de la science*, Paris, Plon, 1965; ma critique ne met pas en cause celui-ci, affronté à une tâche impossible, traduire en français la langue si riche, concrète, imagée de Weber!

à chaque époque s'exprime une certaine humanité [23] »,
disons, de façon plus générale avec P. Veyne, « les activités
à valeurs ». La première déviation consiste à étudier le passé
d'une tradition artistique, scientifique, doctrinale, en fonction du seul point de vue de la situation présente de la discipline choisie. Ainsi, l'histoire des sciences s'est trop souvent
présentée comme un simple inventaire chronologique des
inventions et découvertes retenues comme valables par la
science actuelle : bien des manuels consacrés à l'histoire
des mathématiques grecques se contentent d'énumérer les
éléments de la science antique qui ont été conservés par nos
mathématiques. Avec raison, P. Veyne loue A. Koyré
d'avoir remplacé cette pseudo-histoire par l'histoire véritable du cheminement de l'esprit humain à travers erreurs
et vérités intimement mêlées. Une histoire authentique de la
science grecque doit intégrer l'astrologie à côté de l'astronomie : le même Ptolémée est l'auteur à la fois de la *Tétra-
bible* (manuel d'astrologie) et de l'*Almageste* (exposé du
système géocentrique du monde qui devait régner jusqu'à
Copernic et Galilée).

Le cas n'est pas propre à la science : sous le nom de
« théologie positive », on a souvent offert un simple inventaire des antécédents de la dogmatique reçue aujourd'hui
comme orthodoxe. La pensée chrétienne s'est trouvée renouvelée et enrichie lorsqu'on s'est mis à essayer de comprendre
ce qu'avait été, en elle-même, la pensée des Pères de l'Église :
on a réalisé qu'il y avait chez eux beaucoup plus d'idées
valables que n'en avait retenu une tradition scolaire.

Le deuxième type de déviation est représenté par le genre
littéraire ou pédagogique connu sous le nom d'histoire de la
littérature. Genre méthodologiquement instable qui « se
présente d'ordinaire comme une « histoire des chefs-d'œuvre » où vient se mêler, de manière capricieuse et sans principes bien fermes, une « histoire de la vie littéraire et du

---

23. Dans l'article cité ci-dessus (note 2), *Annales*, 1971, p. 1348.

goût, développée tantôt pour faire mieux comprendre la première, tantôt pour elle-même ». Pour le critique, ou le lettré, la tragédie grecque se résume à trois noms; l'histoire véritable en enregistre bien plus, qui, sans doute, ne sont pour nous guère plus que des noms, et ce n'est pas là érudition inutile, car il n'est pas sans intérêt d'apprendre que Philoclès, un neveu d'Eschyle, l'a emporté sur Sophocle, l'année pourtant d'*Œdipe Roi* — de même qu'il n'est pas inutile à l'histoire de notre temps de savoir que, Malraux étant pour la première année ministre de la Culture, les droits d'auteur les plus élevés furent versés, non à un « grand » écrivain, mais aux héritiers des Petitjean de la Rivière, romanciers populaires plus connus sous leur pseudonyme commun de Delly.

Il y aurait avantage, du point de vue de la théorie, à bien distinguer ces deux points de vue, différents, encore qu'ils puissent devenir complémentaires : l'humaniste acceptera de se pencher sur l'histoire du théâtre athénien pour mieux comprendre l'œuvre de Sophocle, et l'historien — nous y insisterons pour finir — ne peut ignorer que l'Athènes du Ve siècle est le lieu où, entre Eschyle et Euripide, un Sophocle (plus ou moins apprécié par ses contemporains — là n'est plus la question) a pu créer ses chefs-d'œuvre.

Mais il faut pousser plus loin l'analyse : on ne peut opposer sans plus une mauvaise histoire littéraire qui serait par exemple une « littérature du XVIIe siècle du point de vue du goût du XXe » à une histoire pure qui serait une « littérature du XVIIe siècle replacée en son temps » car toute reconstruction de la « sociologie de la littérature sous Louis XIV », quelque effort d'objectivité que dépense l'historien, sera nécessairement modelée par la mentalité de celui-ci. Notre interprétation de l'art « géométrique » de l'archaïsme grec n'est plus la même depuis que nous avons connu Picasso : là où nos prédécesseurs ne percevaient que d'enfantins bonshommes, nous sommes devenus capables de reconnaître une abstraction stylistique — et nos successeurs un jour s'étonneront

que notre jugement historique ait été si profondément
influencé par le goût de notre temps [24].

Emporté par cette verve polémique qui donne tant de
charme à son écriture. P. Veyne, pour une fois, va trop loin
lorsqu'il écrit d'entrée de jeu : « L'histoire s'intéresse à ce
qui a été comme ayant été; point de vue qu'on distinguera
soigneusement de celui de l'histoire de la littérature ou de
l'art, définie par un rapport aux valeurs. » Cette notion
(Wertbeziehung) qu'il emprunte à Max Weber joue un rôle
beaucoup plus important, plus constant, plus central en
histoire, dans toute histoire. Il faut oser poser la question
préalable : qu'est-ce qui est historique? Parlons grec :
oui, qu'est-ce qui est *axiologon*, qu'est-ce qui est digne de
mémoire, qui mérite l'effort d'élaboration, de « production »
que va dépenser l'historien? Il n'étudie pas n'importe quoi —
à moins d'être Bouvard ou Pécuchet (« Si nous écrivions la
vie du duc d'Angoulême? — Mais c'était un imbécile »...).

Il faut ici distinguer plusieurs plans superposés : l'archéologue, l'archiviste recueille tout, doit tout recueillir, ne rien
laisser perdre du passé : il s'honore lorsqu'il peut retrouver
chez un chiffonnier tel lot qu'une administration négligente
avait vendu comme « papiers sans intérêt », car il pourra
toujours survenir un historien capable de poser la question
pour laquelle ces papiers, ou ces menus tessons, prendront
valeur de document. Bien avant Lucien Febvre ou Collingwood, Max Weber avait bien vu le rôle que jouait cette série
d'objets, de soi insignifiants, mais qui se révélaient utiles
pour connaître d'autres aspects du passé, ceux-là dignes
d'intérêt [25], *axiologoi*.

24. Voir à ce sujet les réflexions, à mon avis trop pessimistes, de
J. Séguy, « Histoire, Sociologie, Théologie », *Archives de sociologie
religieuse*, 34, 1972, p. 138-151 : « Nous nous expliquons nous-mêmes à
nous-mêmes par les conditionnements de notre savoir; un jour, une
société autre verra dans nos efforts vers plus de clarté autant de symptômes de notre aveuglement »...
25. Voir chez lui la distinction entre *Realgrund* et *Erkenntnisgrund* :
Max Weber, *Essais sur la théorie de la science*, p. 244-247, 265.

Nous atteignons alors au degré supérieur, celui de l'objet proprement historique : pourquoi apparaît-il mériter d'être connu, sinon parce qu'il a pour nous une signification, parce que nous lui reconnaissons une *valeur ?* On peut distinguer deux types de choix : d'une part on retiendra ce qui se révèle avoir été historiquement efficace (« *was wirksam ist* », écrivait Max Weber), on aurait dit, au début du siècle, ce qui a été causalement important — mais, comme dit P. Veyne, « le problème de la causalité en histoire est une survivance de l'ère paléo-épistémologique [26] ». Ainsi, je me suis aperçu un jour de ce fait majeur que la littérature historique antérieure dissimulait par pudibonderie, à savoir que la pédérastie avait joué un rôle de premier plan dans la pédagogie de la Grèce antique.

Mais, et il faut y insister car on a parfois tendance à ne retenir comme proprement historique que ce premier aspect, il existe un autre type de choix : la redécouverte, dans le passé, d'un aspect de la réalité humaine qui conserve une valeur *pour nous.* Le véritable historien ne succombe ni à l'illusion historiciste — tout est relatif à son temps — ni aux prétentions de la *Wissensoziologie*, réduisant une vérité aux circonstances de son apparition. La chose est évidente pour certaines œuvres de caractère exceptionnel, objet, de siècle en siècle, d'une admiration toujours renouvelée. Marx, après Hegel l'avait bien vu : « la difficulté n'est pas de comprendre que l'art grec et l'épopée sont liés à certaines formes du développement social. La difficulté, la voici : ils nous procurent encore une jouissance artistique, et à certains égards, ils servent de norme, ils nous sont un modèle inaccessible [27]. » Aporie en effet fatale à son historicisme radical; la solution qu'en propose Marx donne à sourire (l'art grec correspondrait à l'enfance de l'humanité); certes il ne pouvait, en 1857, prévoir ce que nous apprendrions de la pré- et de la proto-

26. P. Veyne, *Comment on écrit l'histoire*, p. 115.
27. K. Marx, *Introduction générale à la critique de l'économie politique*, *Œuvres*, Gallimard, « Bibl. de la Pléiade », t. I, p. 266.

histoire — mais il suffit de réfléchir un instant pour se rendre compte que ce qui est vrai pour Homère l'est au même titre pour Dante ou pour Shakespeare (qu'on se souvienne du rôle que l'interprétation de *Hamlet* a joué, et joue encore, dans la culture russe).

Qu'à travers les siècles ces chefs-d'œuvre aient été appréciés selon des canons esthétiques différents (voyez *l'Odyssée* au temps de Perrot d'Ablancourt, de Leconte de Lisle, de Victor Bérard, et aujourd'hui) ne constitue nul « paradoxe » : le fait relève du cas le plus général de la connaissance historique, que nous avons définie comme un mixte indissoluble d'objet (le passé) et de sujet (l'historien); que le lecteur se reporte au commentaire que nous avons donné de la formule fameuse de Raymond Aron : « Inépuisable, la réalité historique est du même coup équivoque [28]. » Il reste que nous récupérons au passage la notion de « chef-d'œuvre » : il n'est pas donné à tous les poètes et à tous les artistes d'offrir à la postérité *l'Iliade* ou le Parthénon; cela aussi est un fait historique!

Là cependant n'est pas le plus important : en poussant plus avant la réflexion, on découvre qu'il n'y a pas de privilège épistémologique pour « les œuvres qui ont mérité de demeurer »; elles ne sont pas les seules à pouvoir être traitées comme vivantes et en un sens éternelles. Ne faisons pas une catégorie à part des « activités à valeurs » productrices d' « œuvres » (art, science, pensée) : toute activité humaine est pareillement lestée de valeur, productrice de valeurs; rien de ce que fait l'homme n'est gratuit (que de belles études historiques ont été consacrées à la notion de « jeu »). Or, toute valeur humaine, parce qu'elle a été humaine, peut être redécouverte, appréciée à nouveau, récupérée, s'il se trouve un historien capable de la comprendre.

Même les comportements les plus aberrants par rapport

28. Voir ci-dessus, p. 180.

aux normes reçues par notre milieu social : P. Veyne prend quelque part comme exemple les sacrifices d'enfants dans la religion cananéenne et punique; quand, dans *II. Rois* 3,27, nous lisons comment Mesha, roi de Moab, durement assiégé par les armées conjuguées d'Israël et de Juda, « voyant qu'il ne pouvait soutenir le combat, prit son fils aîné qui devait régner après lui et l'offrit en sacrifice sur le rempart », nous comprenons et le sursaut des Moabites et l'épouvante qui saisit les assiégeants. Redécouvertes, les valeurs du passé se révèlent tour à tour fraternelles, analogues aux nôtres (étudiant la morale que prêche Clément d'Alexandrie dans son *Pédagogue*; j'y ai retrouvé tout l'essentiel de ce qu'est pour moi l'ascèse chrétienne) — ou au contraire étrangères, autres : P. Veyne a étudié la notion d'évergétisme dans le monde hellénistique et romain; il doit recourir à un néologisme pour désigner cette institution qui n'a pas d'équivalent dans l'Occident moderne (notre « mécénat » en reste assez loin) et, pour définir son objet, user de comparaisons : « imaginons qu'en France la plupart des mairies, des écoles et des barrages hydrauliques soient dus à la magnificence des bourgeois du lieu, qui, en outre, offriraient aux travailleurs l'apéritif et le cinéma [29]. »

Différentes, autres, les valeurs du passé peuvent être pour nous un défi, d'autres fois une inspiration : la connaissance de la pédagogie antique, où le rôle de l'école est bien moindre que celui du club sportif, des formations de jeunesse, etc., a pu sinon inspirer, du moins conforter la thèse bien connue d'Ivan Illich, disqualifiant la place qu'occupe l'école dans notre système d'éducation. Même si une telle influence ne se manifeste pas avec évidence, la connaissance de ces valeurs reste pour notre culture une acquisition précieuse parce qu'elle enrichit notre expérience de l'homme — ce qui est beaucoup plus qu'une simple jouissance esthétique. « Qui s'intéresse encore aujourd'hui à la démo-

29. P. Veyne, *op. cit.*, p. 53.

cratie athénienne? » disait ce ministre ignare — et pourtant
ministre de l'Éducation — à une délégation de professeurs
d'histoire ancienne. La réponse est aisée : ceux qui se
révèlent encore capables d'en apprécier les valeurs exem-
plaires !

Cette notion centrale de « valeurs », une fois bien comprise, nous conduit pour finir à référer l'enthousiasme
excessif que provoque aujourd'hui l'histoire mathématisante. Parmi les hommes d'autrefois, que nous découvrons
tour à tour si proches ou si différents de nous, il se trouve
que certains se révèlent avoir été grands, c'est-à-dire que
nous éprouvons que les valeurs redécouvertes en eux méritent
attention, considération, admiration. Ce jugement de valeur
ne reste pas nécessairement subjectif, il peut être partagé
par toute une époque et contribuer à en définir le *Zeitgeist*
(ainsi la redécouverte de l'Antiquité à la Renaissance,
celle de l'hellénisme à la fin du XVIIIe siècle, de nos jours
la compréhension de la musique « ancienne », c'est-à-dire
antérieure à la musique classique qui va de Bach à Beethoven).

Nous redécouvrons ici l'usage légitime, non seulement de
la notion de chef-d'œuvre, mais aussi celle de grand homme,
de génie — et cela pour cette « histoire des mentalités »
tellement en faveur aujourd'hui. Contre nos néo-scientistes,
P. Veyne, une fois de plus, a eu le mérite de dénoncer les
limites des « enquêtes statistiques en matière de mentalités [30] ». Qu'on songe à ce que nous disions plus haut d'une
œuvre populaire à grand tirage : il n'est pas vrai que la
connaissance quantitative de ce que les gens d'une époque
lisaient, de leur production et des chiffres correspondants,
nous fournira une image plus satisfaisante, plus vraie, de ce
milieu culturel que l'étude de ses « grands » écrivains.
L'histoire doit pratiquer l'une et l'autre recherche, car ces
cas exceptionnels jettent un éclairage profond sur ce milieu,

30. P. Veyne, « L'histoire conceptualisante », *in* J. Le Goff et P. Nora,
Faire de l'histoire, t. I, p. 80.

cette époque qui furent capables de donner naissance à ces grands hommes en qui s'actualisent, s'épanouissent les richesses d'une culture, ce que la masse de leurs contemporains ne possédaient qu'à l'état implicite; ce qu'ils auraient pu, ce qu'ils auraient dû être se révèle dans l'œuvre de ces meilleurs.

Un dernier mot : si toute connaissance possède une valeur par le fait même d'être une connaissance vraie, réduire l'histoire au seul plaisir de connaître paraîtrait une justification bien insuffisante pour une société comme la nôtre, si utilitaire, si préoccupée de rendement : l'enrichissement de la culture présente par la récupération des valeurs du passé est, en définitive, le seul argument qui peut justifier, en dernière analyse, l'effort de l'historien aux yeux de ceux que nous avons vus si tentés de mettre en question le savoir.

Index *

* Par le choix des caractères sont distingués : l'objet historique (Abélard, *Amour*), l'historien (ACTON), le philosophe ou le théoricien (ALAIN).

Table

COMPOSITION : FIRMIN-DIDOT AU MESNIL
IMPRESSION : NORMANDIE ROTO IMPRESSION S.A.S. À LONRAI (11-07)
DÉPÔT LÉGAL 4ᵉ TRIM. 1975. Nº 3834-8 (073560)
IMPRIMÉ EN FRANCE